Mark UIG

L'État et les esclaves

Du même auteur

Les Chemins de l'État, *Paris, Calmann-Lévy, 1986, 302 p.*

L'État et la démocratie, Rapport à François Mitterrand, président de la République française, *Paris, La Documentation française, 1986, 218 p.*

Les Historiens et la Monarchie :

Jean Mabillon, *Paris, PUF, 1988, 304 p.*
La défaite de l'érudition, *Paris, PUF, 1988, 352 p.*
Les Académies de l'Histoire, *Paris, PUF, 1988, 384 p.*
La République incertaine, *Paris, PUF, 1988, 240 p.*

En collaboration

Moi Pierre Rivière... un cas de parricide au XIXe siècle, *sous la direction de Michel Foucault, Paris, Gallimard, 1973.*

Le Philosophe et les Pouvoirs, *entretiens avec Jean Toussaint Desanti et Pascal Lainé, Paris, Calmann-Lévy, 1976.*

Les machines à guérir (aux origines de l'hôpital moderne), *sous la direction de Michel Foucault, Paris, Institut de l'Environnement, 1976 ; Bruxelles, Mardaga, 1978.*

Blandine Barret-Kriegel
L'État et les esclaves

Réflexions pour l'histoire des États

L'édition originale de cet ouvrage est parue en 1979 aux éditions
Calmann-Lévy. La présente édition est augmentée d'une préface et
d'un dossier d'extraits de presse.

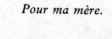

Pour ma mère.

PRÉFACE A L'ÉDITION DE 1989

L'État et les esclaves a été publié pour la première fois il y a dix ans. Certains de nos aînés disaient que nous sortions du gauchisme ou que nous nous éloignions du marxisme pour redécouvrir des auteurs classiques qui dataient un peu. Passés ces écarts, ayant fait nos dents, nous reviendrions à la sagesse et redécouvririons les sciences sociales, c'est-à-dire la modernité. Mais ce n'était pas exactement cela. Car s'il y avait eu, depuis le XIXᵉ siècle, dans la montée des générations intellectuelles qui se succédaient en France à travers un parcours fléché qui les conduisaient ordinairement de la révolte à la contre-révolution, une évidente compulsion de répétition, nous espérions y faire exception.

Sortir de la pensée 68 ? Mais il n'y avait pas de pensée 68, pas davantage qu'il n'y avait eu un siècle plus tôt, Flaubert l'a assez montré, de pensée 48, s'il avait existé des quarante-huitards. Simplement, un beau jour, quarante-huit avait mis fin au décret de Guizot et des doctrinaires condamnant le suffrage universel ; seulement, un beau matin, soixante-huit avait décoloré la pensée de l'après-guerre que nous avait transmise, à sa dernière floraison, ce qu'on a appelé le structuralisme. Davantage, il y avait dans certains courants de 68 une « haine de la pensée » et un refus de savoir qui ne pouvaient qu'insurger ceux qui, comme l'auteur de ces lignes, commençant d'enseigner en 1968, étaient les premières victimes de leur lutte « anti-autoritaire ». Il fallait sortir de la non-pensée de 68.

On dit aujourd'hui : « le structuralisme, morne plaine dans le décor synchrone des morphologies. » Mais, il avait ses attraits et, pour nous principalement, celui d'un marché des modernes où s'échangeaient toutes les monnaies. On y pouvait convertir de la psychanalyse en linguistique, de l'ethnologie en phénoménologie et chacune de ces disciplines dialoguait le plus sérieusement du monde avec le marxisme puisque, dans les sciences sociales, le social était tout. Pas un souffle, pas un pli dans la cristallerie inerte quoique luminescente où l'on taillait les matérialités de l'économie, de la société, de la civilisation, en miroir de l'énorme effort économique et social qui nous donna la prospérité des années soixante. Tout était arrêté, tout était pétrifié : la philosophie du social est une glaciation. Ou encore : on s'attachait à réduire les superstructures comme un chirurgien réduit les fractures ; une bonne anatomie ne souffre pas d'être ébréchée. C'est dire combien, à l'exception de l'épistémologie, cette enclave d'oxygène qui nous a permis de respirer, la philosophie du social avait à la fois empli et raréfié l'atmosphère.

D'abord, l'histoire n'avait pas de politique. Inculpé par la critique de l'historicisme, d'infériorité épistémologique congénitale, l'historien devait accepter de revenir à l'horizon indépassable des modes de production. Ensuite, le droit n'avait pas de dignité philosophique. Hier, le droit dans les sciences humaines ? Rien, presque rien. Une marge, une marche, un reste. Un legs du passé ou une affaire de spécialiste des intérêts privés. Il n'était pas choquant que des sciences humaines s'intitulassent sciences sociales, que la science économique se détachât du droit, que l'histoire étudiât le poids des matérialités et des morphologies anciennes, qu'elle se tournât vers la démographie et l'anthropologie pour que fussent enfin connus, non la vie des seuls élites mais les mœurs de tout un peuple. Il n'était même pas étrange que certains juristes devinssent sociologues. Dans l'effacement de droit était, en quelque sorte, sanctifié le point de vue de Marx, selon lequel « l'esprit des Lois, c'est la propriété » et « les droits de l'homme, une notion de simple police ». Dans l'affaissement de la discipline politique était largement reçue, ici même, la partition imaginée par le juriste soviétique Pasukanis, en vertu de quoi des rapports de droit privé pouvaient encore exister entre les citoyens dans une société émancipée, mais non le droit politique, qui devait disparaître avec le dépérissement de l'État. L'État enfin n'avait pas de positivité. L'État avec son grand É, l'*unique et sa propriété*. On était contre l'État, cela n'aurait pas souffert de discussion. Il suffisait de développer toujours et encore le social, et de faire confiance à la lutte des classes. La critique de l'État s'inspirait de ce qu'avait été au XVIIIe siècle la critique de la religion : il ne s'agissait pas de l'étudier ou de le comprendre, il s'agissait de l'atteindre, il fallait le faire dépérir.

Dans l'horizon indépassable des matérialités ne subsistait, pour le supplément d'âme, que « la mauvaise foi », « le sujet parlant » ou « l'entendement structuré comme un langage ». De droit politique point, sinon comme un vieux vernis écaillé, un masque avachi par la force de vérité du social, passé le carnaval des faux-semblants. De là, l'ostracisme des sciences administratives et juridiques : on admettait leur utilité pratique dans la formation des gestionnaires, on récusait leur intérêt théorique dans la culture des intellectuels.

Soixante-huit a dérangé cette pensée et, de son château de cartes soudain révélé, soufflé les atouts maîtres. Nous nous retrouvions avec un jeu à refaire. Mai 68 a été le théâtre des illusions perdues du social. La dernière représentation de l'utopie révolutionnaire en France, jouée sur un tempo accéléré par la génération de mai, n'a pas seulement éradiqué le désir de révolution — rejeté cette fois en quelques mois, quand les générations précédentes avaient mis des années à s'en déprendre —, elle nous a aussi débarrassés de l'idée d'une société ventriloque décidant en tout et sur tout. Il fallait réintroduire ce qui avait été mis entre parenthèses : les institutions, le droit ; il fallait voir l'invisible — ou, comme l'on disait alors, penser l'impensé. Qu'on ne nous dise pas que le retour au droit politique ne nous aura coûté qu'une pirouette et que nous avons changé d'idée comme on change de chemise. Les idées ne sont pas des robes de chambre ni les concepts, des douillettes qu'on enfile pour dormir. Comme le disait notre vieux maître Bachelard, « l'idéologie est un tissu d'erreurs tenaces, positives, solidaires. Les ténèbres intellectuelles ont une structure ». Et pour ne donner que ces exemples, la centration de notre attention sur le droit politique aura supposé un usage renouvelé et immodéré du principe d'égalité des textes : entendre comme le voulut André Glucksmann, dans *La cuisinière et le mangeur d'homme*, le propos de Soljénitsyne, tel celui d'un prochain, appliquer, comme en décida Dominique Colas, dans *Le léninisme*, les critères ordinaires de l'analyse discursive et de la science politique aux écrits de l'animateur de la Révolution d'octobre. Et, pour ma part, il m'a fallu retrouver tout un héritage de l'école française d'histoire politique et juridique dont les traités, de Fustel de Coulanges à Roland Mousnier, de Esmein à Michel Villey, ne figuraient pas précisément parmi les textes « les plus lus », même s'il suffisait d'ouvrir les livres de Pierre Chaunu pour en retrouver le chemin.

Aussi bien, *L'État et les esclaves* s'est-il inscrit dans une controverse dont les clameurs sont à présent éteintes. La tentative qui fut la sienne de réintroduire un point de vue historique sur l'État, en montrant notamment la généalogie différenciée de l'État de droit et de l'État despote ne sera plus véritablement discutée ; pas davantage que ne sera rejeté le paradigme de l'État de droit tel que je l'ai exposé et dont le succès a dépassé toutes mes espérances. Plus personne aujourd'hui ne se hasarde à vanter le primat du social sur le politique, à présenter l'État comme l'excroissance monstrueuse d'un social qui s'échapperait à lui-même. Plus personne ne prône l'autofondation du social par l'association des producteurs. Ces robinsonnades autogestionnaires se sont consumées et, avec elles, l'innocence cruelle de l'enfance dont elles étaient la marque.

Pourtant, trois observations sont contenues dans ce livre qui promettent encore de belles discussions. La première est que les démocraties libérales caractérisées par la limitation du pouvoir et la garantie des droits individuels, qui n'ont elles-mêmes été instituées que grâce à l'édification antérieure des États de droit apparus en Extrême-Orient au temps des monarchies, représentent un indiscutable développement politique. La seconde est qu'il est temps de faire une place à l'enquête juridique dans l'histoire politique. La troisième est que le fondement juridique des États de droit ne vient pas du droit romain, mais de la Bible.

La première remarque ouvre en effet sur la reconnaissance de l'existence et de la consistance du développement politique. Si depuis peu, la redécouverte de la spécificité des États de droit — l'expression État de droit est maintenant prônée partout — de même que l'importance reconnue aux droits de l'homme qui ont aujourd'hui leur secrétariat d'État, ont abouti à la réintégration de la dimension juridique dans le débat culturel, si la question du droit ne fait plus question, il n'est pas certain qu'on accepte aussi aisément de reconnaître la conséquence, pourtant logique, qu'il existe un développement politique. La reconnaissance de l'incontestable progrès qu'a représenté pour les individus la protection des États de droit entraîne inéluctablement l'idée de la valeur d'un tel développement pour l'humanité tout entière. Car la soumission de la puissance à la loi et, davantage, la garantie des droits de l'homme ne se marchande pas ; elles ne valent pas pour les individus les plus favorisés ou les plus prospères, elles sont exigibles pour tous les hommes et pour toutes les femmes. Il n'y a nulle part aucune raison de principe qui justifie l'assassinat, l'esclavage, l'oppression idéologique et, partout où ils se produisent, ils transgressent respectivement la sûreté, la liberté et la conscience. Il faut appeler un chat un chat et un État qui n'est pas un État de droit, un État despote. Or, une telle idée d'un développement politique qui concernerait l'humanité entière ne va pas de soi. Elle s'oppose en effet directement à deux idées communément reçues.

D'abord à l'idée tiers-mondiste qui, avec la mise en accusation de l'occidentalocentrisme et avec le culte de la spécificité ethnique, interdit que l'on juge les systèmes politiques des pays en voie de développement, au nom du critère démocratique. Ce qui serait bon pour nous ne serait pas nécessairement bon pour eux, et, aux droits de l'homme, il faudrait toujours continuer d'opposer le droit des peuples, lequel implique les respects des habitudes et la légitimité des coutumes, il faudrait toujours ajouter le droit au temps du développement qui ne reproduira peut-être pas les schémas que nous avons connus. Disons-le nettement, la philosophie de l'État de droit et des droits de l'homme que nous défendons ici s'affronte perpendiculairement à la protection des archaïsmes, fussent-ils masqués sous le nom de particularismes.

Elle consiste à mettre en évidence, sur l'exemple des régimes soviétiques, que là où il n'y a pas de protection des droits individuels garantis par l'État, l'asservissement des individus renaît aussitôt. Ensuite, en nous obligeant à interroger à notre tour, le propre degré de notre développement en matière de libertés publiques, l'idée d'un développement politique universel risque d'infliger une indiscutable blessure narcissique à notre chauvinisme. Reste, en effet, à demander au pays de la Révolution française et de la déclaration de 1789, à quelle étape du développement de l'État de droit il est réellement inscrit.

On touche là au problème que fait surgir la seconde remarque et qui a trait, cette fois, au fondement du droit politique. Bien que l'expression État de droit ait fait partout florès et que les droits de l'homme soient devenus une politique, on peut se demander si, parvenu à ce point, un bilan n'est pas nécessaire afin de savoir si l'apparente unanimité ne recèle pas quelque malentendu.

Le danger, à mon sens le voici : l'idéologie française est toujours mal réconciliée avec l'empirie. Il lui faut un fondement absolu, infondé. Hier, c'était le social et la structure qui, comme on nous l'enseignait, chassaient impitoyablement les singularités individuelles, aujourd'hui, ce sera le droit que l'on brandit, sorti lui-même tout armé d'un processus non historique, pure décision de la volonté, comme par-devant le social trouvait en lui le principe de son auto-fondation. Nous sommes ici, sans doute, dans la zone d'influence la plus forte du cartésianisme qui fait reposer la pensée, et la pensée sociale tout autant que la métaphysique, sur un acte de volonté du sujet. L'expression la plus commune de ce retour au droit, s'est confondue avec l'enracinement de la philosophie des droits de l'homme dans la philosophie du sujet et dans l'imputation, à l'Occident tout entier, de la sphère de déploiement de l'individualisme.

Mais, et j'en suis la première désolée, moi qui ait appris la philosophie dans le cartésokantisme républicain, *la philosophie du sujet ne fonde nullement et nulle part la doctrine des droits de l'homme*. Comme je m'en suis expliquée ailleurs *, la doctrine des

* Cf. « Les droits de l'homme et le droit naturel », rédigé, à la demande de mon ami Dominique Colas, pour les *Mélanges Duverger*, Paris, PUF, 1987.

droits de l'homme a son origine dans une philosophie de la loi naturelle qui déduit les droits de l'homme de l'état de nature, et non, comme on le dit trop rapidement dans la théorie cartésienne *, de l'école du droit de la nature et des gens, de Grotius, Pufendorf, Burlamaqui, qui eux, n'établissent qu'une doctrine des droits civils. Sans doute, retrouve-t-on, chez ces théoriciens, l'idée de l'homme comme sujet, la séparation au cordeau entre l'état de nature et l'état civil, la formation de la civilité par l'aboutissement d'un effort de volonté et la création des droits par une décision du sujet humain. Mais, et les reproches que Rousseau leur a adressés attirent notre attention sur ce point, il n'y a pas chez ces philosophes du droit naturel moderne la moindre trace d'une doctrine des droits de l'homme. Doctrinaires de la servitude volontaire et, dans la foulée, de la légitimité de l'esclavage par droit de guerre et droit de conquête, on a même pu voir en eux — le code noir n'est pas si loin — les champions anticipés de la bonne conscience coloniale.

La doctrine des droits de l'homme suppose, en effet, une tout autre théorie que la théorie de l'homme comme sujet. Chez ceux des modernes qui l'ont énoncée — Hobbes, Spinoza, Locke —, elle est inséparable, notamment dans la déduction du droit à la sûreté comme droit pour chacun à l'appropriation de son corps propre, de la mise en rapport de l'homme avec la nature, non pas d'une séparation mais d'une mise en rapport. Expliquons-nous, chez ces trois auteurs, la déduction du droit à la sûreté s'effectue selon le même raisonnement : si, comme l'expose Hobbes, dans le fameux chapitre XIV du *Léviathan,* la vie est inaliénable, c'est qu'elle est un don de Dieu ou de la nature, qu'elle a une dimension transcendante ou anthropologique, qu'elle concerne l'espèce avant même de déterminer la particularité du sujet. C'est pourquoi, il faut distinguer *le droit naturel,* qui est la puissance de l'individu, de *la loi naturelle,* qui est l'obligation de persévérer dans sa vie et, comme le dit Hobbes, « une règle découverte par la raison qui interdit aux gens de faire ce qui mène à la destruction de leur vie ». Il est impossible de

---

* J'entends ici par cartésienne, une philosophie qui sépare radicalement la nature humaine de la nature physique.

fonder les droits de l'homme en sortant de la nature et en contournant la loi naturelle. La théorie de l'homme comme sujet — nature éloignée, sujet séparé, tout le droit logé dans la raison humaine, tout le principe de la société situé dans un acte de calcul et de volonté — peut établir une doctrine des droits civils et s'harmoniser avec un État administratif mais elle ne peut guère s'accorder avec les droits de l'homme. Dans une telle philosophie en effet, le sujet n'est plus en rapport avec la nature que par l'intermédiaire de son entendement. Il n'est d'abord que pure pensée, chose qui pense. Du coup, il n'est pas d'abord nature parmi les natures, corps parmi les corps, et il est moins fondamental pour le sujet de s'approprier son corps propre que d'élargir ses propres déterminations. Le corps n'est plus que le point d'application de la bonne police par l'entendement du sujet. C'est peut-être la raison pour laquelle, ceci expliquant cela, Fichte, le philosophe du moi absolu, sera, dans ses retentissants *Discours de la nation allemande,* l'un des critiques les plus rigoureux des droits de l'homme.

L'aire de déploiement de l'État de droit est-elle réellement co-extensive à la civilisation occidentale ? S'est-elle uniformément répartie en Europe ? C'est bien là que le bât blesse : la formation, au début du XIXᵉ siècle, des doctrines romantiques de la nation-État étudiée dans ce livre rappelle que c'est bien en Europe et nulle part ailleurs que sont apparues les origines intellectuelles de ce que l'on a nommé le totalitarisme. L'Europe n'a pas seulement été le berceau de l'État de droit, elle a aussi été son tombeau. Cette remarque ouvre sur la nécessité d'une véritable critique de la philosophie européenne et de ses formes les plus élevées qui se sont notamment exprimées dans la philosophie allemande. Par critique, il faut entendre évidemment non pas rejet, répulsion, mais exercice de tri.

La troisième observation selon laquelle le fondement juridique des États de droit ne vient pas du droit romain mais de la Bible conduit à réexplorer le fondement véritable de notre droit politique.

Si, comme l'a dit François Furet, dans une formule fameuse qui résume notre situation : « La Révolution française est terminée », cela signifie que la Révolution, avec ses divisions et ses diktats, a cessé de constituer un point de référence absolue, le *terminus a quo* de la démocratie. Dès lors que l'on accepte avec le juge constitutionnel de trouver dans la déclaration des droits de l'homme et du citoyen, et dans les principes généraux de notre droit, les fondements du droit politique, reste à expliquer le très long retard de la déclaration de 1789 à être inscrite dans notre droit positif.

A la différence de son précédent américain — la déclaration d'Indépendance de 1776 a été placée dans le préambule de la constitution de 1787 et n'en a plus bougé —, la déclaration française a dû attendre 1946 pour figurer dans nos textes et 1971 pour être utilisée comme fondement d'une décision du conseil constitutionnel. Qui observe l'éradication complète de la doctrine de la loi naturelle et la dimension théologico-politique dans la conscience républicaine, lesquelles ont formé le terreau originaire des Déclarations des droits, ne peut manquer de se demander si ce retard n'est pas imputable à l'amnésie théologique qui frappe dès le XVIIIᵉ siècle la culture française. J'ai depuis * essayé de montrer que la crise de la conscience européenne — pour reprendre l'appellation de Paul Hazard — avait, à la fin du XVIIIᵉ siècle, en déplaçant les lexiques et en immolant les sciences religieuses au sein desquelles s'était développée l'histoire savante, durablement rendu inintelligible à la conscience moderne une partie des fondements de notre droit politique. On doit rappeler que l'État de droit, dont on s'efforce ici à repérer le paradigme conceptuel, a une origine antérieure, né qu'il est sous la monarchie, à la République. Observer aussi que les principes de notre droit politique n'ont pas diffusé sans résistance dans le reste de notre droit. Force est de noter sa division en parties hétérogènes : le droit public, le droit civil, le droit criminel. La perpétuation d'un droit pénal fortement marqué par ses sources d'Ancien régime et la préférence donnée à la sécurité collective au détriment des droits individuels, ne nourrit-elle pas un puissant ferment d'opposition à l'évolution apparemment irrésistible du droit public vers la reconnaissance

* *Les historiens et la monarchie*, Paris, PUF, 1988, 4 vol.

d'un ordre juridique supérieur aux régularités législatives et judiciaires ?

Le droit, dont nous proclamons l'importance pour distinguer à travers la phénoménologie de l'État, les États qui s'y soumettent, et ceux qui le transgressent, est lui-même une création continuée et, comme nous l'esquissons ici, à travers les vicissitudes de la relégation du droit romain qui fait place à un droit nouveau, un produit historique. Il y a droit et droit et il y a, dans l'État de droit approché qui est celui de notre pays, une incomplétude de l'œuvre de juridification, dont ne paraît pas s'apercevoir une conception axiomatique du droit tout aussi insoucieuse du divers et du distinct et, notamment de l'articulation du social et de l'économique que l'était naguère l'axiomatique de la philosophie du social.

Notre droit est incertain, incomplet, à faire. Et hélas ! on peut avoir l'impression qu'à peine a-t-il été reconnu qu'il est déjà méconnu. Dans l'excès actuel de formalisme juridique, qui va jusqu'à anéantir, avec les impératifs catégoriques de la raison juridique, le travail imparfait de l'entendement politique (programme, compromis, médiation), comme toujours lorsque la forme pure prend un empire exagéré, le juridisme proclamé se paie d'un surcroît de pragmatisme sans imagination en politique. La belle âme a tant voyagé en esprit qu'elle n'éprouve plus le besoin de sortir de chez elle...

Au cœur de la philosophie du droit politique et, portée en majesté, la doctrine de la souveraineté... A l'évoquer, j'en viens maintenant à ce qui constitue la partie la plus inachevée de l'analyse à laquelle je m'étais livrée. Ici, dans les pages qui vont suivre, étudiant la doctrine de la souveraineté *in statu nascendi*, je montre qu'elle s'oppose frontalement à une conception antique et médiévale de la puissance. Mais je dirais aujourd'hui qu'il y a eu un destin et un parcours eux-mêmes historiques de la souveraineté où les trois limites qui primitivement étaient les siennes — de la loi divine, de la loi naturelle, des droits de l'homme — ont été, au cours de l'Ancien régime, peu à peu éradiquées. Aussi faut-il, à mon sens, instruire, plus que je ne l'ai fait ici, le procès de la doctrine de la souveraineté, pour dégager ce qui demeure en elle d'archaïque et de transitoire, car léguée par la Monarchie à la République, elle a rendu celle-ci incertaine. Il y a dix ans, on faisait le procès des corporatismes, aujourd'hui, on fabrique le triomphe de l'État administratif et des administrateurs. La dérive administrative incluse dans la souveraineté porte en elle une négation du droit et de la société. Nous revoilà au rouet : à défendre une autonomie de l'homme et du citoyen contre les traverses de la volonté démiurgique du souverain.

L'État de droit ici présenté est donc bien la solution, mais elle s'est opérée dans le travail de l'histoire. Cela veut dire qu'il faut au droit une jurisprudence ; à l'État, une loi ; à la souveraineté, son équilibre ; au corps social, ses représentations. Cette inscription dans la finitude de l'existence humaine est le seul véritable gage de la transcendance de la loi et aujourd'hui, comme il y a dix ans, notre génération souhaite, non la divinisation, mais l'humanisation de l'État.

Novembre 1988

J'adresse mes remerciements à Jean Baechler, André Burguière, François Guéry, François Furet, Annie Kriegel, Mélusine, Daniel Lindenberg, Evelyne Pisier-Kouchner, Henri Weber dont la lecture et les remarques critiques m'ont aidée dans l'accomplissement de ce travail.

INTRODUCTION

Paradoxal anti-étatisme

On est dur ces temps-ci avec l'État.

Pour ceux qui ont déjà le verdict prêt et la sentence frappée, il n'y a plus qu'un seul coupable du bruit et de la fureur de ce monde, des crimes et des camps, celui que Marx nommait le parasite qui bouche tous les pores de la société et que Nietzsche appelait le plus froid de tous les monstres froids. La rumeur s'enfle. Elle dit que les formes extrêmes et dures du pouvoir *réalisent* ses manifestations ordinaires et douces, prétend que le socialisme concentrationnaire est un avatar du platonisme et le nazisme, une avanie de l'État-nation, ajoute que la société totalitaire est une société dévorée par l'État, et conclut que l'État-despote est une essence dont l'État libéral n'est qu'une apparence. L'avenir est triste, hélas, sans avoir lu tous les livres, car nous glissons, paraît-il, vers un vilain destin, celui de l'État totalitaire, *l'-État-total-sur-la-terre*, aboutissement de l'entropie politique qui met à exécution la menace proférée à l'ombre rasante des dictatures.

Peut-être, pour éviter qu'à crier ainsi au garou nous le fassions venir, il faudrait montrer que l'anti-étatisme traîne avec lui ces paradoxes.

Il a réconcilié des frères ennemis : depuis mai 1968, la remise en cause des modèles d'autorité dans les démocraties occidentales, la découverte des grands massacres du socialisme concentrationnaire ont réuni les critiques du socialisme et du capitalisme, rassemblé, dans une même hostilité à l'État, libéraux, libertaires et marxistes.

Ici, en Europe de l'Ouest, l'anti-étatisme est une innovation : crise horizontale et doctrinale, mais aussi verticale et politique : « Doublement mis en question à l'échelle supranationale par les sociétés multinationales... et à l'échelon local par les mouvements régionalistes...[1] », nous voyons s'installer la grande lassitude de l'État. « A bas l'État policier! », criait-on en mai 1968, petit pavé qui ne fait plus de trous sur l'autoroute bitumée de l'anti-étatisme devenu l'idéologie même des princes qui nous gouvernent. « La classe dirigeante », elle aussi, est fatiguée de l'État, lasse de partager avec les classes moyennes, l'usufruit d'un bien qu'elle possède en toute propriété. Age industriel nouveau, celui des multinationales, qu'irritent en leur irrésistible ascension les coups d'épingle et les sangles de fil dont les États lilliputs gênent les mouvements? Nouvelle civilisation des mœurs, celle des pluri-régionalismes, que freinent, en leurs généreuses créations, les pesanteurs administratives? Tout se passe comme si les capitaines d'industrie, les militants basques et bretons étaient prêts à sacrifier, à côté des P.M.I. et de la nation inadaptées, le tribut inédit de l'État.

Là, l'anti-étatisme est une tradition : les communistes qui rejettent la dictature du prolétariat et se rallient au mot d'ordre autogestionnaire comme Lénine au conseillisme, *conservent* la doctrine marxiste-léniniste de l'État, appareil au service de la classe dominante qui doit nécessairement être détruit, que l'on transportera, comme l'a annoncé Engels « ... au musée des antiquités à côté du rouet et de la hache de bronze », tandis que — l'avons-nous suffisamment remarqué? — les dissidents soviétiques ou chinois, Sakharov, Plioutch, Li Yizhe, défendent l'État libéral et la doctrine des droits de l'homme et du citoyen.

Le premier paradoxe est celui-ci : du dépérissement de l'État, universellement prescrit, on attend aujourd'hui ici et là *des effets politiques rigoureusement inverses*[2].

Pour les uns, une politique d'évitement du socialisme autoritaire. Vivre sans État, rendre à la société ce qui lui a été pris par l'État, tels seraient les moyens de parer à l'instauration d'un régime totalitaire. Ce programme rend compte de l'équivoque succès de la nouvelle philosophie qui n'a pas seulement tenu à la proximité des élections ni à la traduction — salutaire — de la grande œuvre de Soljenitsyne (faite par Glucksmann dans le langage schtroumpf à l'usage de la génération gauchiste), mais aussi à la proclamation d'avoir découvert, dans l'excès d'État, l'étiologie secrète de la « barbarie ».

Mais pour les autres, pour les communistes orthodoxes, l'indication anti-étatiste est précisément celle à partir de laquelle ils ont construit des régimes totalitaires. A ce point, on oppose alors la *théorie* du dépérissement de l'État énoncée par Marx dans *La Guerre civile en France* et réaffirmée par Lénine à la veille de l'insurrection d'octobre, dans *L'État et la Révolution,* à la *pratique* de son formidable renforcement par quoi il semble réaliser la prophétie nietzschéenne : « Le socialisme est le frère cadet du despotisme, il vaincra au cri de « Le plus d'État possible! ». Belle occasion de montrer l'écart entre le rêve et la réalité, la nocivité de l'utopie!

Reste néanmoins à comprendre comment un discours impavidement anti-étatique a pu présider en certaines circonstances — mais non en toutes, comme le prouvent les effets du libéralisme en Europe de l'Ouest — à la construction de molochs dont la garde cruelle emprisonne et empoisonne la société. Reste à expliquer par quelle infernale mécanique les mêmes causes produisant invariablement les mêmes effets, la doctrine du dépérissement de l'État a pu abriter en Union soviétique et en Chine, mais aussi à Cuba et au Vietnam, les manœuvres d'un formidable renforcement du pouvoir.

L'anti-étatisme a également imposé une philosophie négative et univoque du pouvoir que formulent aujourd'hui d'un mot ceux dont l'antihégélianisme ne s'embarrasse pas d'emprunts et dont la réflexion ne se hérisse pas de nuances : le pouvoir, c'est la *maîtrise.* Domination du maître sur un homme asservi par une violence première, la philosophie du pouvoir serait une philosophie de la servitude. Et la servitude, rançon de la défaite se profilerait toujours sur l'horizon de la violence. C'est dans un pur champ de forces que le pouvoir se déploierait, *« Der Staat ist Macht »,* disait Treitschke.

Vieille idée : dans le *Gorgias,* Socrate en conteste déjà à Calliclès la légitimité, refusant « avec des raisons de fer et de diamants » de décalquer les relations publiques des citoyens libres sur les rapports privés du maître et de l'esclave.

Voici le second paradoxe : cette doctrine du pouvoir avalise sans la discuter la philosophie politique romantique allemande qui ne s'est imposée en Europe à travers l'influence des grands penseurs allemands, de Fichte à Nietzsche, qu'au xixᵉ siècle, sans prendre garde qu'elle remet en cause une autre philosophie politique, celle des classiques qui ont appuyé en Europe extrême-occidentale la construction des États de droit. La philosophie politique classique en effet a eu davantage le sens de l'histoire que sa cadette du xixᵉ siècle, réputée championne de la discipline; dès le xviᵉ siècle, on trouve chez Machiavel et Bodin l'analyse, reprise au xviiiᵉ siècle par des auteurs aussi éloignés idéologiquement que J.N. Moreau et Mably, de la divergence historico-géographique des États et des pouvoirs selon qu'ils *sont ou non assujettis à la loi*, de l'opposition entre la domination despotique, dont Montesquieu a donné dans *L'Esprit des lois,* la caractérisation la plus célèbre et le pouvoir légitime qui n'est jamais le droit du plus fort. Au moment où les États de l'Europe occidentale, rassemblant et réformant leurs codes, développaient un procès de juridification de la société, leurs théoriciens politiques, en dénonçant le despotisme, (et avant le despotisme, tout régime seigneurial) récusaient toute conception unilatérale du politique et distinguaient les États selon qu'ils étaient indifférents ou assujettis à la loi.

Ce sera l'inverse au xixᵉ siècle : des auteurs comme Marx et Nietzsche admettent l'un et l'autre une conception homogène de l'État. S'ils divergent sur son origine (pour le dernier, c'est la guerre avec le coup de force « de blondes bêtes de proie »; pour le premier, c'est l'économie avec la division de la société entre propriétaires et producteurs), ils sont d'accord sur l'identité immuable de l'institution étatique : partage entre la préhistoire et l'histoire, dressage de la bête humaine ou verrouillage de la lutte des classes, l'avènement de l'État qui n'a eu lieu qu'une fois, a blessé et produit la société, l'a domestiquée et dressée contre lui. Ils reprennent et resserrent sur la seule machine de l'État la technologie organiciste que Hobbes avait, dans le *Leviathan* et le *De Cive*, imaginée pour l'ensemble de la société. Mécanisme inerte quoique complexe, voué à la reproduction sociale, l'État peut être pris, perfectionné, détruit; rien d'autre de lui ne procède que les forces réactives s'emparant des forces actives, le parasite bouchant les pores de l'organisme, la mort saisissant le vif. Muettes ou disertes, ces théories univoques de l'État rabattent toute figure du pouvoir sur la menaçante grimace du despotisme. De là les accusations réciproques; le libéralisme, c'est le déguisement de l'oppression; le socialisme, c'est le frère cadet du despotisme. C'est cette conception de l'État-despote qui, héritée du XIXᵉ siècle et derechef fondée sur l'amalgame de l'État totalitaire avec l'État quelconque, revient aujourd'hui en occultant la doctrine classique de l'État.

Deux paradoxes donc, qui méritent d'être examinés. Pour le premier, on peut se soucier de savoir s'il s'agit, dans tous les cas, de faire disparaître le *même* État. Derrière l'opprobre anti-étatiste dont la trop grande unanimité laisse suspecter la fragilité se cache le postulat de *l'unité de l'État*. Derrière l'amalgame de toutes les formes d'États se dissimule cette conviction de la philosophie romantique allemande que Marx a fait sienne toute sa vie, *qu'il n'y a pas d'histoire de l'État*, que l'État est seulement une superstructure, concrétion nuageuse de la politique dont le socialisme à l'assaut du ciel lavera l'horizon.

Mais l'État est-il un? Les formes les plus extrêmes et les plus oppressives du pouvoir ne sont-elles que la quintessence de l'État? Mais s'il y avait *des* États, une généalogie de leurs formes diverses, s'il y avait enfin *une histoire des États?*

Comment de tels soupçons ne rôderaient-ils pas en nous? L'apparition des géants politiques qui gémissaient dans les flancs germains et slaves a surpris toutes les habitudes, dérangé toutes les observations, et malgré le boom et la normalisation des États-nations qui ont quintuplé leur nombre ces dernières décennies, nous hésitons à identifier formellement les États argentin et cambodgien à ceux de l'Angleterre et de la Hollande. Nous avons en quelque sorte déjà *vécu* la différence des États.

En ce qui concerne le deuxième paradoxe, on peut aussi suspecter cette idée moderne, trop moderne, que tous les pouvoirs se valent, que sous tous les cieux, la politique est force, domination et servitude, *imperium* et *dominium*. Gouverner revient toujours à assumer le fonctionnement des conflits et le règlement des litiges, et cinquante années de socialisme enseignent qu'il n'y a pas de société transparente ni de cité réconciliée. On sait ce que donnent les lendemains qui chantent et le bonheur dans vingt ans. Dans les démocraties populaires comme ailleurs, les luttes, verrouillées par la dictature du prolétariat, déchaînées par la révolution culturelle, ou accélérées par les coups d'État adverses, continuent, et les contradictions s'affirment au lieu de disparaître. Comment faut-il résoudre les conflits? Qui doit décider de leur issue? Il ne suffit pas d'invoquer la force; même si tout est rapport de force, la *nature* du rapport qui peut être rituel, réglementaire, militaire ou juridique, est encore à préciser.

Et se demander enfin si le pouvoir, véritablement, c'est le mal? Dette insolvable d'une société déchirée, solde inavoué d'une violence interminable, gangrène, *Mars et la guerre jugée...* Mais si la raison d'État n'était pas toujours une déraison? Si, à tout le moins, comme les classiques ont essayé de le penser, parmi tous les pouvoirs, il en existait de moins mauvais? Et si enfin, ces pouvoirs-là n'étaient pas seulement l'affaire du prince?

Ce sont ces deux questions de l'identité problématique de la nature de l'État et du pouvoir que nous avons essayé de traiter ici, en choisissant de réfléchir sur les doctrines politiques et les éléments de l'histoire de l'État à deux moments clés : l'émergence des États souverains d'Europe extrême-occidentale au début des temps modernes et la constitution de la *Nation-État* allemande.

Mais changeons de terrain : ces questions, qui ont été

l'occasion de la recherche qui va suivre, sont nées, à l'entre-croisement de deux expériences différentes, d'une inquiétude et d'un soupçon. L'expérience socio-politique propre à ma génération, celle de la guerre d'Algérie et de mai 1968, devant laquelle s'est dressée l'énigme du sphinx totalitaire dont certains ont fait une charade à la mode, nous a légué l'inquiétude. Car pour la majorité de ceux qui, à vingt ans, voulaient changer la vie, le *goulag,* comme on dit n'est pas seulement un faux-fuyant exotique pour vieillir bourgeoise-ment en chassant la vie devant soi. Si pour les moins bons d'entre nous, qui œuvrent cyniquement à la défaite de l'idéal savant devant l'opinion publique, il a pu être l'occasion d'ou-vrages bâclés et le prétexte à des conversions pressées, il reste, aux yeux de la majorité, un mal endémique et indé-chiffré. Comprendre la généalogie de la dérive concentration-naire et connaître *a contrario* la genèse des démocraties libé-rales dont nous avons appris avec effroi qu'elles constituaient l'exception dans la liste gonflée des États est en quelque sorte un devoir commun que nous n'avons pas voulu mais reçu. Saurons-nous l'accomplir? L'avenir qui le dira en dépend aussi. Renan a observé que les grandes générations étaient celles qui réalisaient *en partie* l'idéal de leur jeunesse.

Puis le travail de recherche que je menais sur les histo-riens et le pouvoir aux XVIIᵉ et XVIIIᵉ siècles a fait naître en moi un soupçon. Démolissant lentement mais inéluctablement mes préjugés, une constatation s'imposait : l'État classique ne fonctionne pas comme un État despotique, il n'enrégimente pas les savants, il ne mercenarise pas les doctes, mais c'est lui qui, en créant les institutions de la recherche savante, a assumé les risques de la critique et de la contestation et assujetti *de facto* son pouvoir à la loi. J'observais que les Académies classiques qui regroupaient les savants au siècle de Louis XIV n'étaient nullement de type soviétique. De là, une légitime suspicion sur l'identité de toutes les formes étatiques... Au temps où la lecture des archives du cabinet des manuscrits à la Bibliothèque nationale contrai-gnait ma conviction étonnée à se rendre à cette évidence qui chavirait mes présupposés, il n'était bruit que de l'évidence inverse du mauvais objet étatique. On parlait de l'État avec une majuscule comme d'un mal radical.

Depuis le rêve platonicien jusqu'au cauchemar stalinien, en passant par l'État absolutiste, partout, disait-on, la même domination perverse. Dans l'excès d'État, on prétendait avoir trouvé la racine du mal totalitaire. Au postulat de l'État comme mauvais objet correspondait la fétichisation de la société. Si l'État était bien cette tumeur de la société dont la malignité croissait avec l'extension, ne fallait-il pas prescrire ces remèdes : fortifions le tissu social sain, renforçons la société, faisons dépérir l'État? Le travail des intellectuels désireux de réconcilier le socialisme avec la liberté aurait dû essentiellement viser la consolidation de l'individu et de la société contre l'État. Comme toujours, cette vulgate intimidait les philologues, cette idéologie fermait des pans entiers du travail savant.

C'est ici que le soupçon est entré en résonance avec l'inquiétude. Anti-étatisme? Était-ce la bonne explication, la médication adaptée? Je commençais à en douter [3]. Peut-être fallait-il chercher le mystère de la dérive concentrationnaire de certains socialismes non à partir de l'anti-étatisme mais plutôt à travers les différences des formes politiques elles-mêmes. Peut-être que le type d'État qui avait présidé à l'éclosion des démocraties libérales avait son fonctionnement spécifique, peut-être était-il temps de restaurer un point de vue historique sur la question de l'État.

D'où cet essai qui renoue ainsi avec le principe d'une histoire des États mais ne constitue pas, pour autant qu'il réfléchit des questions historiques et utilise des éléments de connaissance historique [4], un livre d'histoire savante. Il s'agit plutôt de rassembler ici des réflexions *pour* l'histoire de l'État, et cet ouvrage est davantage un essai spéculatif sur les problèmes de l'histoire de l'État que cette histoire elle-même [5]. Encore cette première mise au point, de même que l'esquisse typologique des États à laquelle nous nous livrons, tributaire des limites de notre information et de notre réflexion, ne sera utile que si elle permet de rouvrir une discussion qu'un anti-étatisme unilatéral a trop tôt tranchée, cet anti-étatisme simpliste, plus gros d'orages que d'éclaircies, avec lequel on a déjà fabriqué des États colossaux.

Pour ceux enfin qui conservent l'espoir socialiste au cœur, la dérive concentrationnaire de *tous* les communismes adresse une amère et impérative obligation d'entreprendre enfin une *critique du droit politique marxiste* moins prompte que la signature d'un certificat de décès — Marx est mort — et moins aisée que la relaxe par défaut — il n'y a pas de doctrine politique marxiste — hélas! le cadavre bouge encore et il réclame une physiologie. Hélas! la conception politique de Marx selon laquelle la politique n'a pas de réalité propre a produit des effets bien réels. Pour ceux aussi qui estiment que le premier devoir est de balayer devant sa porte, le déclin du droit [6], la réévaluation de la décision réglementaire au détriment de la loi, l'affaissement du juridique, caractéristiques de notre société, méritent d'être examinés, s'il est vrai que la politique n'est pas la seule affaire du prince et qu'il faut toujours surveiller les pouvoirs.

PREMIÈRE PARTIE

L'ÉTAT DE DROIT

« A moins, donc, qu'on ne veuille donner des arguments à ceux qui croient que tout gouvernement terrestre est le produit de la force et de la violence et que, dans leur vie commune, les hommes ne suivent pas d'autres règles que les bêtes chez qui le plus fort l'emporte, ce qui équivaudrait à justifier à jamais le désordre, le trouble, le tumulte, la sédition et la rébellion... il faut nécessairement découvrir une autre genèse du gouvernement, une autre origine du pouvoir politique et une autre manière de désigner et de connaître les personnes qui en sont investies... »

LOCKE

1. Difficultés de l'histoire de l'État

Qu'est-ce que l'État de droit? Difficultés générales de l'histoire politique. Difficultés particulières à l'histoire de l'État.

Qu'est-ce que l'État de droit? A cette question, de nombreux juristes répondent volontiers : « Tout État où il y a du droit, de la loi, des constitutions. » Cette définition ample, flottante presque, nous l'avons rajustée pour désigner exclusivement le nouveau type d'État qui a émergé en Europe extrême-occidentale entre le XVIIᵉ et le XVIIIᵉ siècle, notamment en France, en Angleterre et en Hollande et que l'historiographie appelle volontiers l'État-nation [1]. Les raisons de cette inflexion que nous faisons subir au lexique? Elles sont doubles. D'abord le souci de revenir à la conception des légistes classiques qui ont élaboré l'idée de l'État de droit. L'État de droit est l'État où la puissance est soumise au droit et assujettie à la loi. Lorsque la Révolution française déclara en 1791 : « Il n'y a pas en France d'autorité supérieure à la loi », elle n'inaugurait pas l'État de droit qui fascina Kant, mais résumait l'aboutissement d'un processus pluri-séculaire. Tôt commencée, la gestation de l'État de droit remonte à la fin du Moyen Age. A mesure que l'État grandit, prend forme et force, croît, se complique et se précise avec la réception ou la relégation du droit romain, la rédaction des coutumiers, la collation et la reformation des codes, un long et lent processus par lequel le droit imprègne la société et investit l'État. Ensuite, la volonté de percer le mystère des formes étatiques qui ont présidé à l'éclosion des démocraties libérales en instaurant sur la question même de l'État un point de vue historique. On accepte que le « territoire de l'historien » s'étende aux formes les plus abstraites de la spiritualité et aux plus concrets des détails de notre vie matérielle; pourquoi refuser indéfiniment d'y inclure l'État? Mais avant d'entreprendre une histoire de l'État de droit, il faudrait en dire les difficultés et la manière.

Les difficultés : elles tiennent d'abord aux difficultés générales de l'histoire politique.

L'histoire politique est malaisée parce qu'une partie d'elle-même a, depuis une cinquantaine d'années, subi un véritable effondrement. Alors que l'histoire économique et celle des luttes sociales connaissaient un essor remarquable, celle des faits politiques tombait dans l'oubli. Le phénomène date de ce moment où, pour répondre à l'interpellation de la sociologie pressée d'évincer l'histoire du champ des sciences humaines, les historiens ont entrepris de rassembler les éléments de connaissance de la morphologie sociale, à travers l'histoire de l'économie, des sociétés, des civilisations et déserté l'histoire politique. Emmanuel Le Roy Ladurie s'en est expliqué avec netteté : « L'historiographie contemporaine qui se veut quantifiée, massique, structurale, a été contrainte préjudiciellement de tuer pour vivre : elle a condamné à une quasi-mort l'histoire événementielle et la biographie atomistique [2]. » La situation de l'histoire politique n'est guère différente de celle qu'appréciait, en 1934, l'historien Louis André : « L'histoire administrative de la France au XVIIe siècle n'est pas plus avancée que l'histoire économique. Elle l'est peut-être moins. A l'importance essentielle qu'on lui a toujours connue, s'oppose l'abandon à peu près complet dans lequel elle a été tenue [3]. » Périmée pour l'histoire économique, dont le retard a été comblé par de grands travaux et notamment ceux de l'école des Annales, l'observation demeure en partie valide en ce qui concerne l'histoire politique institutionnelle. En partie seulement : grâce aux travaux pionniers d'un philosophe comme Michel Foucault [4], et d'historiens comme Annie Kriegel, Alain Besançon, François Furet, Pierre Chaunu, travaux qui portent sur les institutions, partis révolutionnaires, sociétés de pensée, administrations, la désaffection prolongée de l'histoire politique s'est vu infliger un démenti. Mais leur leçon n'est pas toujours entendue, parce que l'histoire politique institutionnelle doit surmonter des habitudes hostiles. Disons en bref, la *sous-estimation de l'idéologie*. La conviction que l'idéologie est inconsistante, vaporeuse, évanescente, que les faits du discours comptent moins que les gestes du travail, explique comment l'on a pu, par exemple ignorer la lumineuse interprétation qu'Augustin Cochin avait proposée des sociétés de pensée. François Furet qui l'a redécouvert et réinterprété, a montré que l'originalité d'Augustin Cochin tient à ce qu'il porte l'analyse au cœur de ce qu'il y a de plus mystérieux dans la Révolution : sa dynamique politique et culturelle[5]. Dès lors la réévaluation de la consistance du phénomène idéologique permet aux observateurs qui en ont pris l'habitude pour étudier les partis révolutionnaires, des prévisions plus solides. A partir de quoi, l'histoire trop longtemps oubliée des idéologies et, à l'intérieur des idéologies, celle des religions, peuvent redevenir une voie décisive de l'histoire politique.

Mais si les malheurs de l'histoire politique ont eu leurs consolations, le désastre de l'histoire de l'État s'avère irréparé[6]. Plutôt qu'un champ délimité, celle-ci offre encore l'aspect d'un terrain vague comme en témoigne ce fait qu'un certain nombre de travaux d'historiens tels ceux de Michel Antoine, Bertrand Gilles, Robert Estivals, Daniel Roche, Étienne Thuau, etc. outre qu'ils ne suscitent pas toujours l'attention méritée, ne sont pas répertoriés comme appartenant à un territoire commun. Ils constituent déjà cependant, à travers l'étude des institutions, des idéologies, des statistiques, de la politique classique, autant de cordées à l'assaut du massif étatique.

C'est qu'aux difficultés propres à l'histoire politique, s'ajoutent ici les difficultés particulières à l'histoire de l'État.

Disons en bref, *la sous-estimation du droit et des institutions*. L'histoire de l'État doit en effet affronter des préjugés qui lui sont défavorables : les présupposés de la sociologie politique moderne.

Nous pouvons observer ce phénomène en géologie : un terrain qui s'effondre ne disparaît pas, il se sédimente, tassé sous des couches nouvelles. Tel fut le cas de l'histoire politique; elle ne s'est pas abîmée, elle s'est enfouie. Tombée en désuétude chez les historiens, elle s'est essentiellement survécue chez les sociologues devenus spécialistes de la politique. Mais la sociologie est une discipline récente. En matière d'histoire, ses spécialistes ont spontanément adopté les doctrines de ceux qui, parmi leurs prédécesseurs, avaient des intérêts qu'ils partageaient, les doctrines de Montesquieu et Tocqueville qui, pour cette raison, dominent, ô combien! l'histoire politique. Leur autorité présente d'indéniables avantages. L'un et l'autre ne se contentaient pas de décrire les sociétés politiques, ils ont cherché à les comprendre, proposant à cette fin, paradigmes et typologie. Tocqueville par exemple fut sans doute l'un des inventeurs de la fertile méthodologie du modèle que Weber canonisera sous le nom d'idéal-type, lui qui a reconnu : « J'avoue que dans l'Amérique, j'ai voulu plus que l'Amérique; j'y ai cherché une image de la démocratie elle-même, de ses penchants, de son caractère, de ses préjugés, de ses passions [7] ». Et l'initiateur de l'histoire conceptuelle spéculative, lui qui a confessé dans son œuvre « le mélange d'histoire proprement dite avec la philosophie historique ».

Mais elle a aussi ses inconvénients. Le premier et non le moindre est l'élimination, à l'intérieur de l'histoire politique, de l'histoire juridique et institutionnelle au profit de l'histoire sociale. L'éclat des œuvres de Montesquieu et Tocqueville semble avoir éclipsé aux yeux lassés des historiens eux-mêmes, les grands travaux d'histoire du droit et des institutions que nous devons au labeur des Dareste, Cheruel, Glasson, Chenon Olivier-Martin, les successeurs de Guizot, Taine et Boutmy. Leurs noms sont bien oubliés aujourd'hui et les colosses des grandes histoires de France, les passionnés de l'histoire totale, les Langlois, Lavisse, Seignobos sont finalement mieux traités que l'école spécialisée de l'histoire institutionnelle. Un riche legs historique est ainsi tombé en déshérence, voué au silence et à l'oubli. Le second désavantage tient à l'opacification de la terminologie classique par un lexique trop récent. Montesquieu et Tocqueville ont des obsessions modernes, trop modernes, celles qui par eux et après eux sont devenues les nôtres : la société contre l'État, le despotisme, la démocratie... Raidi contre le despotisme, le premier déporte dans la géographie une antinomie que les légistes avaient inscrite dans l'histoire, sans souffler un mot de la mise en accusation classique de la seigneurie. Fixé à la question de la démocratie, le second traite d'un sujet quasi absent du droit politique classique. Tous deux manquent l'État de droit parce qu'ils négligent l'État en tant que tel et rapportent toutes les différences des régimes politiques à des modifications de la société dans les termes inconnus aux classiques du (pré) libéralisme et de la démocratie.

Or, sans prise en considération du *droit et des institutions qui constituent les différences spécifiques du genre étatique*, il n'y a pas d'histoire de l'État, il n'y a, comme le souhaitait Marx, qu'une histoire des sociétés. Au mépris de la connaissance élémentaire des réalités juridico-constitutionnelles on peut toujours en effet supposer qu'entre l'État de Louis XIV et celui de Staline, il n'y a qu'une différence de degré et non de nature et continuer à craindre l'État comme un grand fauve immobile, immuable et cruel...

Notre manière fut dès lors de revenir aux classiques : nous avons délibérément essayé de contourner les inquiétudes de la sociologie politique actuelle pour retrouver les problèmes que les théoriciens classiques avaient eu, eux, l'intention de résoudre. Il faut avouer notre dette à l'égard des historiens du droit politique dont les intérêts, les réflexions, la langue elle-même nous ont guidé vers les légistes de l'État de droit. On ne s'étonnera donc pas du caractère en partie « archaïque » de notre bibliographie. A quelques éclatantes exceptions près, l'histoire de l'État a pris un retard de cinquante ans et plus. Rien là de catastrophique. Lorsque les études historiques ont repris vers 1830, Guizot, Mignet, Thierry sont repartis de l'état des questions laissées par leurs prédécesseurs avant la Révolution, questions qu'ils tenaient pour un préalable indispensable mais non pour un dogme. Notre lecture des historiens de l'État voudrait s'inspirer d'un tel exemple.

Notre matériel d'étude est ainsi d'abord constitué par les doctrines classiques de l'État de droit. Nous utilisons une méthode qui consiste à *lire en série* les légistes et les philosophes jusnaturalistes. Habituellement les uns et les autres font l'objet d'études séparées puisque les historiens se réservent la connaissance des légistes tandis que les philosophes marquent une prédilection étroite pour les théoriciens du pacte social. Ce procédé a ses limites puisqu'il conduit à reléguer des différences qui sont par ailleurs pertinentes. Les doctrinaires classiques étaient fort divisés : différence de statut entre les légistes d'État qui travaillaient à la tâche, dont les princes pensionnaient et imprimaient l'œuvre, et les « philosophes », travailleurs intellectuels indépendants qui commanditaient eux-mêmes leur doctrine. Différence de conception entre l'absolutisme de Hobbes et le libéralisme de Locke, entre le monarchisme de Bodin et le républicanisme de Rousseau. Différence d'époque enfin puisque les théories évoquées se répartissent sur plus de trois siècles.

Notre parti nous laisse donc muet sur des phénomènes qu'éclairerait une enquête socio-historique ou dont rendrait peut-être mieux compte encore, une histoire des transformations de la condition des clercs en doctes laïcs ou en intellectuels d'État. Mais cette voie a aussi ses ouvertures. Elle permet de découvrir l'antériorité et la véritable originalité des légistes qui ont frayé en bien des endroits le chemin aux philosophes. Elle jette une suspicion sur le caractère prétendument utopiste de l'école du droit naturel, dont les thèses éclairent rétrospectivement les intentions des légistes. Elle réinscrit l'histoire des idées politiques dans l'histoire de l'État.

A étudier en série les écrits des légistes et des philosophes jusnaturalistes, on voit en effet se développer, sous forme d'un *consensus* au moins négatif, une nouvelle théorie politique qui s'articule en trois points : une doctrine du pouvoir, une doctrine des droits individuels, une morale politique de la loi. C'est cette théorie qui constitue en quelque sorte un « idéal-type » de l'État de droit que l'on voudrait commencer par restituer.

2. Le pouvoir souverain [1]

« Le Prince n'est pas le seigneur de loys »

DUPLESSIS-MORNAY

Est-il méchant? Confusion de la doctrine de souveraineté avec celle de l'absolutisme. Le pouvoir souverain n'est pas despotique. (La doctrine de Montesquieu.) Le pouvoir souverain n'est pas seigneurial. (La doctrine des légistes classiques.) Qu'il n'est pas un imperium. *Qu'il n'est pas un* dominium. *Alors la souveraineté? Indépendance extérieure, cohérence intérieure, transcendance de la loi.*

La doctrine classique du pouvoir peut se résumer en un mot : la *souveraineté* ou plus exactement en un couple de mots : le *pouvoir souverain*. Énoncée par Jean Bodin au plus fort des guerres civiles contre Henri III : « République est un droit gouvernement de plusieurs ménages et de ce qui leur est commun avec puissance souveraine [2] », elle fut reprise un siècle plus tard et retravaillée de façon éclatante par Charles Loyseau : « La souveraineté est le comble et période de puissance où il faut que l'État s'établisse [3]. » S'y énoncent les concepts de pouvoir légitime et de *bonne puissance*. La *suprema potestas* telle que la définit Bodin est aussi, comme le dit Loyseau, *l'essence même de l'État :* « La souveraineté est la forme qui donne l'être à l'État ; elle est du tout inséparable de l'État duquel si elle était ôtée ne serait plus un État [4]. »

Le pouvoir souverain n'a pas bonne réputation. On le confond volontiers avec l'absolutisme. « Les deux concepts de la souveraineté et de l'absolutisme ont été forgés ensemble sur la même enclume », écrivait Jacques Maritain [5]. Jadis et naguère, la doctrine du souverain a concentré les accusations anti-étatistes parce que son élaboration semble correspondre à une inflation de l'institution étatique et à une valorisation de la puissance, en rupture avec la déflation de l'État médiéval et la démonétisation du pouvoir qu'avait imposée la philosophie politique antique. Longtemps les anciens, les chrétiens se seraient bien défendus. Les Grecs scrutaient leur pathologie politique intime et consignaient minutieusement les ravages creusés dans la cité par la démesure du pouvoir; leurs sages, déçus du conseil des princes, vilipendaient l'autorité capricieuse et le désir déréglé du tyran. Après saint Augustin [6], les théologiens qui fondaient l'obéissance aux pouvoirs sur la parole de Paul « Que toute âme soit soumise aux puissances supérieures car il n'y a point de puissance qui ne vienne de Dieu... [7] », avaient cure néanmoins de doubler le corps politique par le corps mystique et d'assujettir la puissance impériale à la supériorité de l'Église qui suspendait sur la tête fléchie de la cité terrestre le glaive justicier de la cité céleste. Mais le laisser-faire aurait succédé. La réémergence de l'État aurait culbuté la tradition qui, entre le reproche de sa dégénérescence et la promesse de sa transcendance, étranglait le pouvoir dans une philosophie du soupçon.

Certains tiennent donc la théorie politique de la souveraineté qui émerge en Europe dans les temps modernes pour l'idéologie étatiste par excellence en ce que, non contente d'émanciper l'État, elle légitime et sanctifie la puissance qu'il eût fallu limiter et suspecter [8]. Par quoi, nous dit-on, l'idéologie de la souveraineté ouvre la porte à tous les développements despotiques de l'État et offre une libre carrière à tous les dérèglements de l'État-policier, à toutes les corruptions de l'État prison. On glisserait insensiblement de l'État souverain à l'État totalitaire [9]. On lit chez ceux-ci que l'État, c'est la force et chez ceux-là, que la politique, c'est la maîtrise : l'État-nation serait déjà despotique parce que l'essence de toute-puissance est tyrannique.

Faut-il déceler dans la doctrine du pouvoir souverain l'embryon ténu mais déjà monstrueux de la genèse de l'État moderne omnipotent, dont le code définitif sera énoncé par la théorie allemande du xixe siècle? Apporte-t-elle avec une conception moniste de l'État, le justificatif du pouvoir absolu? Amorce-t-elle la grande dérive, les franchises des classes et des corps ayant été larguées, vers l'État despotique? L'idéologie de la souveraineté qui énonce placidement l'autonomie, la laïcité et la légitimité de la puissance profane, est-ce l'idéologie de la force à main nue, Léviathan zélateur de Calliclès?

A une telle interprétation, il y a deux types d'objections. Des objections extrinsèques : la théorie de la souveraineté, qui s'est développée dès le xiiie siècle en France comme en Angleterre, n'est pas liée à l'épisode absolutiste. Elle n'est pas non plus, comme l'ont soutenu les juristes allemands Meyer et Rehm [10], d'extraction et d'application françaises. Elle est plutôt européenne ou plus exactement, ouest-européenne [11]. La diffusion de cette doctrine, qui articule une conception et une institution, l'idée de légitimité et l'État, qui associe un principe à son application, « la bonne puissance » et l'usage de l'autorité, a été générale en Europe extrême-occidentale. Comme axe ou comme aimant, on le trouve chez les étatistes — Machiavel, Bodin, Hobbes —, chez les théologiens — Luther, Calvin, Suarez, Mariana —, chez les « libéraux » — Locke, Burlamaqui, Barbeyrac —. Avec des définitions, des imputations et des succès divers : pour les uns, captation justifiée par le pouvoir de la puissance, elle est absolue, revient au monarque et presse de triompher comme le nouvel ordre des choses; pour les autres, force de cohésion du tout social ou gravitation universelle des éléments du corps politique — on ne parle pas encore de société civile — elle vient du peuple et lui appartient à lui ou à ses corps intermédiaires et, comme d'un projectile, dont on souhaite mesurer l'élan, il faut toujours « l'accompagner ». Pour tous néanmoins, la théorie de la souveraineté propose l'idée d'une puissance rationnelle et légitime. Objections intrinsèques : les mêmes auteurs classiques qui, en élaborant la théorie de la souveraineté, ont forgé les assises doctrinales de l'État moderne, ont dénoncé sous les noms de tyrannie et de seigneurie un despotisme où ils croyaient voir l'antithèse du pouvoir souverain. Illusion? La ruse de la raison d'État aurait-elle dénaturé la pureté de leurs intentions? Avant de trancher, il n'est peut-être pas inutile de suivre leur argumentation. Les légistes classiques ont, en effet, opposé l'État souverain, non d'abord au despotisme, mais à la seigneurie. Néanmoins, pour comprendre leur aspiration, il n'est peut-être pas inutile de retraverser la critique de Montesquieu. On verra ce qu'elle a laissé échapper.

LE POUVOIR SOUVERAIN N'EST PAS DESPOTIQUE

« J'ai eu des idées nouvelles, il a bien fallu trouver de nouveaux mots et donner aux anciens de nouvelles acceptions », écrit Montesquieu. Pour nulle autre désignation que celle du *despote,* n'est-ce peut-être aussi vrai. Involontairement ici, le grand robin nous égare, car il recueille et détourne à la fois une tradition critique du despotisme qu'on trouve chez Machiavel, Bodin, Loyseau, Hobbes, Rousseau. Fidèle à celle de ses prédécesseurs, la célèbre définition semble cristalliser tous les traits reprochés à la *tyrannie* ou à la *seigneurie* : « Dans le gouvernement despotique, un seul, sans loi et sans règle, entraîne tout par sa volonté et ses caprices [12]. » Et plus loin : « Le principe du gouvernement despotique est la crainte [13]. »

Asthénie du politique, anémie du juridique, absence de délibération, dans le despotisme, le pouvoir est tout et la politique n'est rien, le commandement est absolu et la loi évanouie, l'oppression implacable et l'administration incapable [14]. Une simplicité extrême touche à une confondante confusion. Point de loi, point de conseil, point de politique [15]. Le public est rabattu sur le privé et le politique s'affaisse dans le domestique. Aux litiges publics, aux débats collectifs, se substituent les intrigues de palais et les querelles de famille : « Tout se réduit à concilier le gouvernement politique et civil avec le gouvernement domestique, les officiers de l'État avec ceux du sérail [16]. » Concentré entre les mains du despote, le pouvoir absolu est néanmoins affligé d'un mal étrange : il *fuit*. Comme l'eau d'un vase percé, le sang d'un enfant hémophile, il s'échappe inexorablement, laissant le corps despotique desséché et exsangue : « Il passe tout entier dans les mains de celui à qui on le confie. Le vizir est le despote lui-même et chaque officier particulier est le vizir [17]. » Pénétrante remarque sur l'appropriation descendante du pouvoir despotique « de tyranneaux en tyranneaux » qui fait écho aux notations laboétiennes [18]. Volatil, le gouvernement qu'une limite n'a pas solidifié; évanescente, la domination qu'une loi n'a pas circonscrite. A l'inverse, la monarchie où « le pouvoir s'applique moins immédiatement », contenu qu'il est par le corps concret des institutions, garde ce qu'elle délègue, comme si l'on ne pouvait détenir réellement que ce que l'on a d'abord consenti à partager : « Le monarque fait une telle distribution de son autorité qu'il n'en donne jamais une partie qu'il n'en retienne une plus grande. »

Jusqu'ici, la qualité des formulations mise à part, Montesquieu ne fait pas véritablement preuve d'originalité. Étatistes et philosophes jusnaturalistes s'étaient en effet donné le mot pour convaincre le despotisme d'iniquité, et Bodin, Loyseau, Moreau comme Diderot, Rousseau et Mably n'avaient pas eu de traits assez vifs pour le condamner. Si le despotisme n'était qu'une nouvelle désignation de la tyrannie où l'arbitraire des désirs serait substitué à la loi, s'il n'était qu'un gouvernement où la terreur remplacerait le droit, un régime où la crainte se substituerait à la légitimité, (Montesquieu dit encore que la religion n'y est pas absente, mais qu'elle n'est « qu'une crainte ajoutée à la crainte ») *s'il n'était enfin qu'un État sans loi,* l'analyse de Montesquieu ne corrigerait rien des précédentes observations. Mais tel n'est pas le cas.

Pour l'auteur de *l'Esprit des lois* en effet, ce type, loin de constituer une addition à la fameuse triade aristotélicienne des régimes politiques (Royauté, Aristocratie, République) qui rassemblerait dans une catégorie nouvelle la pathologie qu'Aristote avait dispersée dans les formes parasites (Tyrannie, Oligarchie, Démocratie), loin de désigner sous un nouvel intitulé la tyrannie revenue ou la seigneurie persistante, loin de décrire, à l'intérieur de la taxonomie traditionnelle les régimes passés et présents, ne concerne qu'un gouvernement *étranger*. Le despotisme, dit-il c'est *l'autre État*, distant géographiquement de l'Europe, socialement décalé de la civilisation occidentale. Dans une formule excellente, Paul Vernières écrit : « Montesquieu a substitué à une tripartition fondée sur des catégories numériques » (un, deux, trois régimes) « une nouvelle tripartition temporelle : le présent, le passé, *le lointain* [19] ». Ainsi, le philosophe déracine le despotisme de notre sol et l'expatrie chez le Persan, le Turc ou le Chinois, l'évacue de notre généalogie pour le déporter entièrement vers la civilisation orientale. De cette éradication procède l'émigration des images du pouvoir absolu désormais voué — jusqu'à la résurgence des États totalitaires — à l'exotisme et à la xénophobie. Le consul et le gonfalonier, le marquis et le comte, le duc et le prince, le roi et le stathouder, le monarque et l'empereur n'évoqueront plus les images de domination totale et de pouvoir déréglé qui s'attachent volontiers aux titres étranges de sultan, de calife, d'émir, de cheik, de pacha, de vizir, de bey, d'aga, de nabab, de radjah, de shah ou de maharadjah. La réflexion du Président bordelais a, en quelque sorte, « fixé les idées sur la nature du despotisme », comme l'a dit Anquetil-Duperron [20] mais le concept n'est pas de son invention. A la fin du XVIIe siècle, on s'est mis à comparer l'évolution de l'absolutisme français à une évolution despotique. Tel est l'argument d'un retentissant pamphlet, *Les Soupirs de la France esclave,* (1681-1689) et Pierre Bayle intitule « Du Despotisme » les chapitres LXIV et LXV de la *Réponse aux questions d'un Provincial,* (1704), despotisme que Fénelon avait dans sa *Lettre au Roi* ouvertement reproché à Louis XIV. Dans ces accusations, la critique traditionnelle menée par les légistes contre un régime où les sujets sont traités comme des biens, disparaît pour faire place à la simple incrimination du manque de liberté, de même que l'indifférence marquée pour la servitude y contraste avec la susceptibilité montrée vis-à-vis de la tyrannie[21]. Lancée par le « clan des Ducs » regroupé autour de Saint-Simon à la fin du règne de Louis XIV et sous la Régence, l'attaque contre le despotisme a été diffusée par « l'intelligentsia » qui comptait des hommes comme Boulainvilliers. Depuis longtemps, l'anti-despotisme est aristocratique.

Désignant le despotisme comme un danger à venir plutôt que comme un risque évité, Montesquieu a donc, pour des observateurs distraits, embrouillé les cartes. Si nous oublions qu'il participe à l'effort général de la philosophie seigneuriale pour nier les démérites de la seigneurie et dissocier la critique du despotisme de celle de la domination féodale, le philosophe risque de nous égarer. La critique de l'État-despote n'est qu'un leurre en effet lorsqu'elle dissimule sous les voiles du sérail, le heaume seigneurial.

Car avant lui, étatistes et théoriciens du droit naturel avaient montré l'équivalence du despotisme oriental et de la seigneurie occidentale; ils avaient identifié la frontière au passé et dénoncé à la place du devenir satanique qui nous guettait l'enfer dont nous sommes sortis... En distribuant les étiquettes infamantes de tyran ou de despote, légistes et juri-consultes avaient eu le projet de déconsidérer un ennemi plus redoutable que le Turc ou le Persan, plus familier que le tyran; ils voulaient déshonorer le pouvoir seigneurial. L'aurions-nous méconnu si la critique classique de la seigneurie n'avait été recouverte au XIXe siècle par l'habit de lumière de la chevalerie, dont Marx par exemple a, en accord avec les idées du temps, exalté dans le *Manifeste* l'image resplendissante en « ses frissons sacrés d'enthousiasme », « ses nombreuses libertés », bientôt ternie par « les eaux glacées du calcul égoïste bourgeois »? Les travaux historiques les plus convaincants de Bloch, d'Élias, de Duby, de Le Goff ou de Le Roy Ladurie, montrant à l'envi de quelles rapines, de quelle insécurité, l'état de guerre généralisée de l'anarchie féodale avait grevé le labeur paysan, n'ont guère entamé la nostal-

gie des « relations patriarcales et idylliques » du monde que
nous avons perdu.

La seigneurie, telle est, pour les légistes, l'antithèse de l'État-
souverain, comme le suzerain est l'opposé du souverain :
« Suzeraineté : mot qui est aussi étrange que cet aspect de la
seigneurie est absurde », lance Loyseau [22]. La critique peut
sembler déconcertante : avant de devenir princes souverains,
les rois de France, seigneurs fieffeux de leur royaume, « uni-
versels par-dessus », n'ont point dédaigné les avantages de la
suzeraineté.

Dans son développement, la monarchie a su s'aider des
principes médiévaux et des appuis que la féodalité était sus-
ceptible de lui procurer. Mandatée par Dieu, la royauté
traditionnelle représentait les intérêts du royaume tout entier,
utilitas totius regni, et devait protéger le royaume contre
l'ennemi extérieur, *tuitio regni*. A cette fin, le roi avait droit
de lever l'ost et de réunir le ban, il pouvait recourir à la
conscription et sa justice était souveraine. Les monarques ont
aussi essayé de faire du lien vassalique un moyen de gouvernement et de remédier aux difficultés administratives dont
souffrait le royaume franc dilaté à la suite des guerres caro-
lingiennes. Ils ont cherché à multiplier leurs vassaux et à
imposer à tous les grands seigneurs l'hommage vassalique.
Mais ils ne s'y sont point limités. Dans l'arsenal des armes du
pouvoir royal, la souveraineté vient concurrencer la
suzeraineté. S'instaure alors, du moins dans l'État français,
et ce, jusqu'à la Révolution, une sorte de *structure de double
pouvoir* où les monarques jouent tantôt sur leur titre de suzerain et tantôt sur celui de souverain. Cet aspect mixte, composite de la monarchie française, qui la distingue de l'anglaise,
est à l'origine de bien des faux débats entre historiens qui
privilégient un aspect au détriment de l'autre. Nos prédécesseurs avaient été sensibles à cette difficulté : Dareste de
Chavannes explique très bien : « La royauté ne se contente

plus de la suzeraineté à laquelle étaient attachés les droits patrimoniaux. Elle voulut y joindre la souveraineté à laquelle furent rattachés les droits politiques. » Et il ajoute : « Tous les rois ont été à la fois souverains et suzerains. Comme suzerains, ils ont gouverné la féodalité, comme souverains, ils l'ont combattue [23]. »

Or, c'est la souveraineté, l'idéal, l'essence de la souveraineté que défendent nos légistes, les partisans du pouvoir royal n'hésitant pas, le moment venu, à mettre en cause la seigneurie. De Jean Bodin à Jacob Nicolas Moreau, sans oublier les partisans de la doctrine de la souveraineté populaire, l'attaque contre la seigneurie est générale.

La seigneurie

La mise en cause de la seigneurie s'ordonne à partir de deux thèmes que les légistes n'ont pas inventés mais empruntés à l'aristocratie et selon lesquels le seigneur serait un conquérant et un maître.

Pour les légistes du XVIe siècle, il ne s'agissait pas de comparer des représentations historiques de la féodalité mais de confronter les modèles de pouvoir en train de s'affronter. Que leur conception ne soit pas fondée historiquement n'a pas ici une importance majeure, puisque leurs titres historiographiques (pour certains, tels Pasquier ou Bodin, ils sont loin d'être nuls), nous intéressent moins que leur réflexion politique. Le pouvoir souverain, nous disent-ils, est l'antithèse du pouvoir seigneurial. En quoi? En ce qu'il n'est ni un *imperium* ni un *dominium*; ni un *imperium* parce qu'il n'est pas fondé sur le pouvoir militaire, ni un *dominium* parce qu'il n'institue pas une relation d'assujettissement imitée de celle du maître sur l'esclave, parce qu'il n'est pas une maîtrise.

Que le pouvoir souverain n'est pas un imperium...

L'*imperium* est l'ensemble des pouvoirs civils et militaires marquant la plénitude de la puissance tels que le droit de commander l'armée, le droit de guerre et de paix *(jus belli ac pacis)*, le droit de vie et de mort *(jus vitae necisque)* dont furent investis à Rome d'abord les rois, puis les consuls et le temps de l'exercice de leur charge, les dictateurs, sous la République, avant que les empereurs ne se l'approprient. Dans l'énoncé des attributs de l'*imperium*, on aura donc reconnu des droits régaliens. Mais l'*imperium* c'est aussi l'empire, la conception romaine, impériale, du pouvoir telle que les légions l'avaient imposée au monde occidental, telle que le Saint Empire romain germanique essayait depuis Othon de la ressusciter. Or, les légistes classiques vont soigneusement distinguer le pouvoir souverain du pouvoir impérial, et la royauté de l'empire, dans le but essentiel de montrer que l'État souverain ne fonctionne pas à la guerre mais dans la paix, et qu'il préfère au bruit des armes la silencieuse confrontation des droits.

D'où le retour, comme Machiavel en donne le signal, à une conception de la justice fondée sur la paix du droit, et à une philosophie politique admiratrice de la *République* romaine. (L'histoire de Rome et le passage de la République à l'Empire est le lieu géométrique de toutes les comparaisons politiques.) On redécouvre la *majestas*, et le nom de *prince* qu'immortalise le Florentin chasse celui de seigneur.

Pourtant la théorie de la souveraineté n'a pas toujours été anti-impériale, loin s'en faut. A la fin du Moyen Age, avec l'extension et la réception du droit romain assurées en Europe de l'Ouest au XIIIe siècle par la Grande Glose d'Accurse et au début du XIVe siècle par la constitution du *Corpus Juris Canonicii*, les légistes royaux ont bien essayé de confisquer la notion d'*imperium* au profit des monarques. Les rois étaient alors soumis à la Papauté et au Saint Empire romain germanique comme le temporel au spirituel et le vassal au suzerain.

L'affirmation de la souveraineté royale, et surtout de la *suprema potestas,* de la souveraineté absolue, résonnait comme une proclamation d'indépendance. Depuis le relèvement de la dignité impériale au profit d'Othon, en 962, l'*imperium* était en effet l'argument juridique principal des empereurs allemands. Les *glossateurs* à la solde du Saint Empire et notamment, les quatre docteurs conseillers de Frédéric Barberousse, utilisent les formules de l'absolutisme romain, dressent la nomenclature des *regalia,* font de l'Empereur le maître du monde et la loi vivante, tentent d'accréditer la loi romaine comme *Lex Generalis.* Pour lutter contre ces prétentions, les rois de France et d'Angleterre ont combiné deux méthodes. D'une part, la *relégation* du droit romain tenu pour un agent de la germanité. En France, sa sphère d'application a été limitée au Midi où, coutume parmi d'autres, il est utilisé *consensus populi et ex permissione regis.* Son enseignement a été interdit par la décrétale *Super Specula* que Philippe-Auguste requiert et obtient du Pape en 1219, et la prohibition renouvelée en 1312 par Philippe le Bel fut maintenue jusqu'en 1673! D'autre part l'application à la royauté des compilations de textes sur le pouvoir souverain. « *Ce que plest au Prince vaut loy* », trouve-t-on dans le livre de *Jostice et de Plet,* coutumier anonyme d'origine orléanaise; « *ce qui li ples a fere doit estre tenu par loi* » dans le *Coutumier de Beauvoisis* de Beaumanoir; « *car li Roi n'a point de souverain es choses temporiex* », dans les *Établissements de saint Louis* [24]. Les rois d'Angleterre ne sont pas en reste : Richard II, Henri VIII excipent du même titre impérial [25]. L'utilisation de la notion d'*imperium* est alors essentiellement défensive et polémique. C'est à l'époque de Philippe le Bel que les légistes abattent leur jeu et sortent l'atout maître de la polémique anti-impériale en lançant la formule reprise ultérieurement, « le Roi de France est empereur en son royaume ».

Il faut entendre empereur autant que l'empereur lui-même, et par conséquent son égal et non pas son vassal. Plus tardive que la royauté, la souveraineté est donc une histoire autant qu'un pouvoir dont à juste titre le juriste allemand Georg Jellinek a souligné l'incertaine émergence. La doctrine créée pour les besoins de la lutte contre les pouvoirs de l'Église, de l'empire et des seigneuries qui menaçaient la pousse encore fragile de l'État, ne s'est affirmée que peu à peu[26]. Entre-temps, on a changé d'ennemis. Les rivaux extérieurs cèdent la place à l'adversaire intérieur et les doctrines de la souveraineté dirigent désormais leur polémique contre la seigneurie. Comme tous les fondateurs, Jean Bodin, qui proclame avec une certaine fierté : « Il est besoin ici de former la définition de la souveraineté parce qu'il n'y a ni jurisconsulte ni philosophie politique qui l'ait définie[27] » est un aboutissement et un tournant. A partir de lui, la seigneurie est devenue le repoussoir de l'État-souverain.

Les légistes estiment en effet que le pouvoir seigneurial militarise la politique et individualise la justice. Sa critique exige de révoquer en doute les deux principes que voici :

Premièrement que le pouvoir c'est la force : Entre le pouvoir seigneurial qui est toujours « au bout du fusil », ou, comme le dit joliment Duplessis-Mornay : « Au bout de l'épée, du bouclier et de l'étendard[28] », et le pouvoir souverain, rien ne va plus. Bodin distingue les fonctionnements des monarchies royales et seigneuriales : « La monarchie royale ou légitime est celle où les sujets obéissent aux lois du monarque et le monarque aux lois de nature... La monarchie seigneuriale est celle où le prince est fait seigneur des biens et des personnes par le droit des armes et de bonne guerre[29]. » Loyseau renchérit : « La monarchie seigneuriale est toujours introduite par la seule force ou par usurpation intestine du citoyen ou par conquête de l'étranger[30]. » Et J. N. Moreau, à la veille de la Révolution, dénonce toujours ce trait de la féodalité : « La même époque qui vit nos rois dépouillés de leur autorité, vit l'anéantissement ou, si vous l'aimez mieux, la suspension de toute législation politique. Nul concert pour le gouvernement général entre le Monarque et les vassaux. Ils se font la guerre[31]. » De là, une assignation restreinte et distincte des pouvoirs seigneuriaux et souverains. L'aire d'extension de la seigneurie se déploie selon l'axe spatio-temporel des conquêtes. Grandes civilisations du passé : l'Assyrie, l'Asie, la Perse ancienne[32]. Empires coloniaux du présent et du futur. Avec une belle lucidité, Bodin désigne les colonies de Charles Quint au Pérou comme seigneuriales. Seigneuries pérennisées de l'actualité, restes et « rejetons » comme « les marques de monarchie seigneuriale demeurée en Allemagne [33] ». Et enfin les seigneuries orientales, Turquie, Moscovie, Éthiopie — ainsi désignées par Loyseau — auxquelles Montesquieu réservera l'appellation despotique contrôlée. Vision mondiale et préhistorique du régime seigneurial qui permet de chiffrer la soustraction opérée par l'auteur de *l'Esprit des lois*, lorsqu'il a substitué le repoussoir despotisme au repoussoir seigneurie. Pour Montesquieu, le despotisme est un futurible oriental qui guette de loin nos aristocraties éprises de liberté. Pour les légistes, la seigneurie est un régime politique ancien qui déborde partout les frontières de la féodalité. (Il est vrai que ces derniers n'idéalisaient pas le régime féodal et que dans le féodal, ils ne voyaient que le seigneurial...) D'acquisition ou de brigandage, la seigneurie est récusée parce que le droit ne naît point de la force et que la justice ne s'établit pas sur la guerre. Écoutez les accents rousseauistes de Loyseau : « Son droit est encore plus difficile à fonder en raison parce que les seigneuries ayant été du commencement établies en confusion, par force et usurpation, il a été depuis comme impossible d'apporter un ordre à cette confusion, d'assigner un droit à cette force, de régler par la raison cette usurpation [34]. » Avant Jean-Jacques, voici donc établi que « force ne fait point droit et qu'on n'est obligé d'obéir qu'aux puissances légitimes ».

Deuxièmement que l'on doit assimiler la justice à un combat et l'ordre à un équilibre du sang versé. Les étatistes appuient l'effort monarchique de confiscation des justices et de monopolisation de la pénalité non seulement contre les guerres privées féodales mais aussi contre l'emprise des tribunaux ecclésiastiques. Lorsque Charles du Moulin fait le récit des progrès du pouvoir royal [35], il prend nettement un parti gallican et anti-pontifical dans la dispute du *sacerdotium* et du *regnum* et tente de justifier le développement des justices laïques. Auparavant, Claude du Seyssel, dans un livre qui, faisant une large place aux préoccupations nées des

guerres d'Italie, laisse échapper des résonances machiavé-
liennes n'en affirme pas moins tranquillement la suprématie
de la justice publique sur la force : « C'est le vray soustenal
et pilier de l'autorité royale car par le moyen de la justice, le
prince est obey partout indifféremment. Là où s'il n'usait
que de force il fauldroit avoir l'armée partout les quartiers
du royaume. Et si, ne pourroit la violence avoir tant de
pouvoir que la justice pour tant que naturellement on résiste
à la force et obeist-on bien aysément aux ministres de la justice [36]. » Il ne s'agit ni de narration ni de témoignage. On ne
trouve point chez les légistes classiques les récits indignés que
Guibert de Nogent, Pierre le Vénérable ou d'autres chroni-
queurs firent des exactions commises par la « justice seigneuriale » et des ravages causés par des guerres privées [37] ». Pas
davantage n'est restitué le processus historique par lequel la
justice moderne dont la devise, *Pax et Justitia* est aujourd'hui
inscrite aux frontons des palais, s'est, avec l'institution du
monopole étatique de la violence et la juridification des litiges
sociaux, substituée à la justice saxonne, *Bellum et Justitia* [38].
Ni la paix de Dieu, recommandée par l'Église, ni l'assure-
ment et la trêve imposés par les rois, ni la composition monétaire, tous ces moyens qui ont eu progressivement raison des
guerres privées médiévales par lesquelles se rendait la justice ancienne, ne sont évoqués ou invoqués. C'est qu'on
ne cherche plus les raisons de s'indigner du passé mais seulement les principes qui en ont triomphé et qu'on salue entre
tous, celui par lequel la justice est devenue l'affaire, l'office
de l'État. « Les seigneurs de France (qui ont converti les
offices en seigneuries) ont usurpé la propriété de leurs
charges [39]... » De là, le raisonnement de Loyseau : les charges
de justice qui sont des offices appartiennent irrévocable-
ment à l'État et sont inséparables de la puissance publique.
A la condamnation, la seigneurie c'est la guerre, le *jus vitae
necisque*, la conscription de la vie humaine, répond cette
correction : le pouvoir souverain c'est la paix, la sécurité et
l'interdiction d'ôter la vie. Il substitue le droit à la force et
l'ordre à la mort. Formidable restriction de la *patria potestas*
romaine, du droit de laisser-vivre et de faire mourir. Profilé

sur l'horizon de la société pacifiée et de la sécurité individuelle garantie, le pouvoir souverain vise la *vie*. Il se développe par la négociation des droits et non par l'expiation des armes.

Sans doute le temps de la *biopolitique* avec ses technologies thérapeutiques, ses contrôles démographiques, ses disciplines pédagogiques et pénales, dont Michel Foucault a montré le développement au XIXe siècle, n'est pas encore venu [40]. Mais nous voici déjà dans une symbolique politique de la vie. La seigneurie, c'était la guerre, l'État souverain, ce sera la paix.

...*ni un* dominium

Le *dominium* est l'asservissement, l'appropriation par un maître d'un corps humain comme sa chose. Les légistes disqualifient soigneusement la maîtrise comme définition du pouvoir, relèguent précautionneusement le lien de dépendance seigneurial, critiquent la servitude.

Vasselage, vilainage, servage. Relations directes et pouvoirs sur les corps. Lorsque nous gémissons sous le poids des relations sociales devenues abstraites, médiates, impersonnelles, nous oublions combien les « liens de dépendance [41] » féodaux étaient concrets, directs, *humains, trop humains,* et lorsque nous récusons les libertés « formelles » qui dans les États modernes garantissent les droits de l'homme et du citoyen, nous n'avons garde d'évoquer les chaînes essentielles qui engageaient la foi et la vie. Domination directe, la maîtrise seigneuriale vassalise ou servilise l'individu, naturalise l'homme et privatise la politique. De là, trois menaces que les étatistes veulent conjurer :

Faut-il traiter les sujets comme des esclaves? « Gouvernant ses sujets comme le père de famille ses esclaves », dit Bodin de la seigneurie [42], et Loyseau renchérit : « La monarchie seigneuriale est directement contre nature qui nous a tous fait libres » parce que : « On peut user de la seigneurie privée à discrétion et libre volonté, mais pour ce que la seigneurie publique concerne les choses qui sont à autrui et les personnes qui sont libres... » Double limite de la propriété et de l'appropriation par chacun de sa vie individuelle qui exclut la maîtrise comme définition de la politique. Façonnée sur le compromis avant d'être modelée sur le contrat par les philosophes jusnaturalistes, voici que la relation entre gouvernants et gouvernés élimine une série de références traditionnelles : maître et serviteur, chef et soldat, père et enfant. Voici surtout qu'elle rompt avec le rapport social que l'Antiquité a conçu entre l'homme libre et l'esclave. Le souverain qui désormais s'abstient d'ôter la vie et d'usurper les biens ne se conduit plus en maître. Les légistes, en invoquant les principes du christianisme, ont d'ailleurs beau jeu de reprocher à la seigneurie qui bafoue les droits de la personne humaine et traite les individus comme des choses, de proroger la servitude antique. Est ainsi justifiée la perçante et hostile remarque de Nietzsche selon laquelle « l'État moderne est un compromis avec les esclaves ».

Faut-il traiter l'homme comme une chose? Imiter les rapports des hommes en société des rapports de l'humanité avec la nature? A la conception médiévale qui justifiait le microcosme social par le macrocosme physique et dessinait l'homme comme une nature parmi les natures, les légistes, qui estiment que les richesses et la vie de chaque individu, *imperium in imperio,* constituent la borne infranchissable de la dépendance politique, « la liberté naturelle et propriété des biens aux sujets », dit Bodin pour définir ces droits individuels[43], opposent l'idée nominaliste d'un privilège de la subjectivité, objectent que l'animal politique relève d'une culture qui s'oppose à la nature. Le succès de la mécanique classique qui transforme la définition de la nature en substituant au cosmos hiérarchique et qualitatif d'Aristote, c'est-à-dire à un monde dont la loi naturelle est l'inégalité et la différence, la représentation d'un univers infini, quantitatif et homogène dans toutes ses directions et impose le modèle d'une nature dont la loi normale est l'égalité et l'isotropie, modifie les éléments de la réponse. Les philosophes jusnaturalistes du contrat social peuvent invoquer la nature elle-même pour récuser toute justification de la maîtrise. A l'intérieur de la *res publica, res natura,* ou non, l'individu lui-même n'est plus une chose, dont on peut devenir maître et possesseur. Les techniques de gouvernement de la *res cogitans* ne sauraient s'appliquer aux règles de possession de la *res extensa*. Les êtres moraux, dit Pufendorf, ne sont pas des choses comme les êtres physiques, « ils ne se possèdent que par institution[44] ».

Faut-il calquer le rapport politique sur le rapport de propriété ou, en d'autres termes, *la puissance est-elle une propriété*? La seigneurie, dit Loyseau dans une percutante définition qui fascinera l'historiographie du XIXᵉ siècle, c'est « la puissance en propriété ». Appréciation profonde. De là, ces reproches : le seigneur confond les relations publiques des individus avec les liens privés que l'homme noue pour les choses; il traite les personnes comme des biens, il exerce le pouvoir comme on use d'un droit de propriété. Jacob Nicolas Moreau, historiographe du roi, l'un des derniers sinon le dernier légiste, résume à la veille de la Révolution le vice fondamental du gouvernement féodal tel qu'il avait été dénoncé par ses prédécesseurs : *la confusion de la propriété et de la puissance :* « La puissance du gouvernement se change alors en puissance de propriété et ce désordre est le plus grand fléau qui puisse menacer l'humanité... Tout ce qu'avait possédé la puissance publique semble être une dépendance et un attribut de la propriété et les revenus deviennent les produits de la seigneurie[45]. » Et de là aussi, ces objectifs contraires : briser l'amalgame de la puissance et de la propriété, assurer l'autonomie du gouvernement des hommes et de la possession des choses. On est frappé de l'obstination têtue avec laquelle les légistes s'efforcent de faire triompher ce point de vue. Loyseau commence par affirmer la spécificité de l'office, de la « fonction publique » comme il l'appelle déjà, par rapport à la propriété : « La puissance est commune aux seigneuries et aux offices mais la propriété distingue la seigneurie d'avec les offices dont la puissance n'est que par fonction ou exercice et non pas en propriété. » La majeure de son raisonnement est que les offices n'appartiennent ni aux seigneurs ni au prince, ni même à l'État, parce qu'ils *sont* l'État lui-même. Le moyen terme de la déduction est qu'il n'y a pas de propriété du pouvoir; le prince n'a pas la propriété de l'office, l'office n'est pas une propriété : « Le *princeps* en latin et prince en français signifient proprement et originairement le premier chef; c'est-à-dire le premier officier de l'État qui y a le premier commandement et la puissance souveraine mais non pas en propriété... mais en a seulement l'administration et exerce comme tout officier ce qui dépend de sa charge [46]. » Conséquent avec lui-même, Loyseau s'oppose ainsi à la patrimonialité des offices [47]. Moreau ira encore plus loin, seul l'office, dit-il, a la puissance, seule la magistrature détient le pouvoir; la terre et la propriété, toujours privées, sont dénuées de puissance [48].

S'il existe une différence fondamentale entre le droit politique classique et la philosophie sociale du XIXe siècle, c'est bien celle-ci : l'une cherche à dissocier la puissance de la propriété et l'autre essaie de rabattre la politique sur l'économie. Dans l'appréciation de Simon Nicolas Linguet : « L'esprit des lois, c'est la propriété! » Marx lira la vérité du phénomène juridique : une sorte de traduction juxtalinéaire des seuls rapports réels, les rapports de propriété dont, maladroitement, les auteurs auraient essayé de masquer la référence. Linguet, que Marx cite chaque fois qu'il veut exposer sa propre conception de la dépendance juridico-politique et auquel il consacre un chapitre entier dans *Les Théories de la plus-value,* écoutons-le à notre tour pour mesurer son éloignement des classiques : « Les lois sont destinées à assurer les propriétés. Or, comme on peut enlever beaucoup plus à celui qui a qu'à celui qui n'a pas, elles sont évidemment une sauvegarde accordée au riche contre le pauvre... C'est là évidemment qu'est leur véritable esprit, et si c'est un inconvénient, il est inséparable de leur existence [49]. »

La négation de l'indépendance et de la transcendance de la politique qui étaient si précieuses aux doctrinaires classiques est le point de départ de la philosophie du social qui a généralisé à l'ensemble des formations le trait déprécié que les légistes avaient réservé à la féodalité, « la puissance en propriété », l'esprit des lois comme esprit de la propriété.

Il n'est pas exagéré de dire que la philosophie sociale revient en quelque sorte à la doctrine seigneuriale, elle qui, pour avoir perdu le sens de l'indépendance du juridico-politique, a fini par croire que le social était tout. A contre-courant, Moreau essayait encore dans les années 1780, de faire entendre le principe traditionnel : le droit public n'est pas une émanation du droit privé, le rapport politique ne dérive pas du rapport de propriété [50].

C'est que l'individu, pour les classiques, n'est pas esclave, chose ou propriété, mais sujet, homme, liberté. Là où le seigneur conquérait, le monarque ou l'État font profession d'élargir et ils libèrent les villes bourgeoises de la tutelle des châtellenies. L'heure de la *déclaration* des droits de l'homme et du citoyen n'a pas encore sonné, l'appel à l'émancipation des classes n'a pas encore retenti, mais la doctrine d'un pouvoir limité par les droits individuels se fait bel et bien entendre. La seigneurie, c'était la servitude; l'État souverain sera l'affranchissement.

C'est *après* qu'elle a été exprimée par les légistes que les philosophes du droit naturel et les tenants de la souveraineté populaire expriment cette double conviction que le pouvoir souverain ne peut exercer de droit sur la vie et qu'il n'est pas une propriété. Locke affirme à son tour que la société politique n'est ni conjugale, ni parentale, ni « dominiale », si nous pouvons risquer ce néologisme. Elle n'existe en effet, que là où les hommes acceptent, pour préserver « leur liberté, leur bien, leur *propriété* [51] » de substituer à la justice privée par la guerre, la justice publique par le droit. Le pouvoir politique est d'autant moins une propriété que sa fin est d'assurer et de garantir la propriété privée des individus. Le pouvoir despotique donné « aux seigneurs » ne s'exerce que sur ceux qui ont été, par une irrémédiable « déchéance », dépouillés de toute propriété [52].

La distinction tranchée des seigneuries privées et publiques fragilise la doctrine patrimoniale du pouvoir qui assimile la souveraineté à une possession des monarques, ouvrant ainsi un débat sur l'origine et les limites du souverain. Se fondant sur le caractère public de la puissance souveraine, Loyseau argue que les offices n'appartiennent ni aux magistrats, ni aux seigneurs, ni à l'État mais qu'ils *sont* l'État [53]. Après lui, utilisant l'argument, Barbeyrac, Diderot et Rousseau confondent la monarchie patrimoniale sous le chef de despotisme et défendent l'origine populaire de la souveraineté inaliénable et indivisible car « la couronne, le gouvernement et l'autorité publique sont des biens dont le corps de la nation est propriétaire et dont les princes sont les usufruitiers et les ministres, les dépositaires [54] ».

Le pouvoir souverain est-il encore une maîtrise? Rousseau le conteste : « Un peuple libre obéit mais il ne sert pas; il a des chefs, non pas des maîtres; il obéit aux lois mais il n'obéit qu'aux lois... [55] » D'où l'infléchissement sémantique du terme de *dominium*. Chez les Romains, il désigne la propriété des choses et relève non du droit mais du fait « *sive dominus sive qui jus in re habet* », dit l'adage [56]. Hobbes par exemple, qui parle de maîtrise des esclaves ou des enfants — tandis que le latin pour marquer la singularité des êtres animés disait *potestas dominica* ou *patria potestas* — ne reprend le terme que pour le rejeter aussitôt. Car la signification du *dominium* comme pouvoir-propriété et propriété-pouvoir, les classiques l'ont recueillie et refusée de la seigneurie. L'individualisme seigneurial avait dressé la liste des droits comme une prolongation de la puissance d'asservir et de s'approprier. La doctrine politique classique annonce à l'inverse que la politique n'est pas une servitude avant de protester qu'elle ne saurait davantage être une propriété.

Dire que le pouvoir n'est pas une seigneurie en ces jours où soir et matin l'on prie le seigneur, c'est beaucoup dire. Aveu d'une limite : le prince se refuse à concurrencer Dieu, à séculariser la foi. Reconnaissance d'une hiérarchie : observant plus bas la barrière visible des droits individuels, il respecte plus haut la frontière invisible de la transcendance. Jamais, si absolus qu'ils furent, les rois de France ne se couronnèrent eux-mêmes tel l'Empereur en un geste qui fascina les nationalistes allemands. Sacrés, oints du seigneur et soumis à une plus haute transcendance. Seigneurie, la royauté le fut longtemps; suzeraineté, la souveraineté ne le sera jamais. Le pouvoir souverain moderne s'est construit contre la double conception d'une domination établie sur la force et sur la maîtrise. A ceux qui lui reprochent d'être impérial et dominateur, il faut répondre : « pas lui », en rappelant que depuis cinq siècles déjà, les légistes ont débouté la doctrine impériale et dominiale du pouvoir.

ALORS LA SOUVERAINETÉ?

André Duchesne qui décrit les splendeurs du sacre, qui chef après chef, fléchit sous l'immortalité de la couronne, le front mortel des rois, où se pétrifie sous la pourpre et roidit sous le sceptre, leur trop mobile chair d'homme, insinue à sa manière que le souverain n'est pas la souveraineté [57].

La souveraineté articule une triple conception de l'État : l'indépendance extérieure, la consistance intérieure, la transcendance de la loi.

L'indépendance extérieure : la souveraineté est principe d'autonomie à l'égard des puissances étrangères, idée que « le roi n'a point de souverain es choses temporiex », comme le proclament *Les Établissements de saint Louis.* Émancipation précocement revendiquée à l'égard du Pape par Marsile de Padoue dans le *Defensor pacis* (1324) et le *Defensor minor* (1342) et par Guillaume d'Occam à la même époque dans le *Breviloquium.* Une telle affirmation vole haut, dans ces régions où le politique vient le disputer au théologique pour défendre le temporel des rois et réévaluer par des règles de moralité la fin profane de la cité. Logique d'une escalade laïque qui culmine dans la bombe lancée par Grotius, qu'applaudissent les philosophes du droit naturel : « Tout ce que nous venons de dire (sur l'organisation de la cité) aurait lieu, en quelque manière, quand même on accorderait ce qui ne peut se dire sans crime horrible qu'il n'y a point de Dieu ou s'il y en a un, qu'il ne s'intéresse pas aux choses humaines. » Liberté réclamée à l'égard de l'Empire et des autres États qui constituent la souveraineté comme un « milieu intérieur », au sens où les physiologistes emploient ce mot, bien différente de l'*imperium romanum*. Auparavant, le monde était une friche à occuper sur laquelle faute de temps ou d'hommes, les légions romaines n'étaient pas encore passées. Les États souverains labourent inlassablement leur jardin et ne grandissent que pour enclore. Une « nouvelle culture politique » intensive — dont Vauban donne le modèle dans l'image du pré carré — succède à la militarisation extensive du monde antique et germanique. Pause avant « la civilisation » de l'Afrique et le dépeçage de la Chine qu'ont entrepris les États-nations occidentaux de l'époque contemporaine? Ou même illusion d'optique, puisque la guerre n'est jamais finie tandis que les rois, semblables à l'Universelle Aragne, ne songent qu'à s'annexer les dépouilles des feudataires et s'emparer de toutes les Bourgognes? Pas tout à fait. Dans la tourmente des invasions et le grondement des batailles, perce une réalité du multiple : celle de la *pluralité* des États. Finis *La* chrétienté, *Le* Saint Empire, Rome. Le monde de l'équilibre commence. On veut être premier, *nec pluribus impar,* selon la dénégation superbe de Louis le Grand. Il est devenu impossible de rester, comme la ville, seule au monde. Ce rêve de Charles Quint, qui empoisonne l'Espagne de Philippe II, se brise dans le cauchemar des galions échoués aux flancs crayeux de l'Angleterre. L'absoluité de la souveraineté ne contredit pas la multiplicité des États-nations. L'école de Salamanque et Pufendorf réinventent le *jus gentium,* pour régler les relations d'État à État.

Cohérence intérieure : État de paix et territoire. Retourner la parcelle. En un sens, les guerres européennes poursuivent la vieille tâche seigneuriale, agrandir le fief, repousser les bornes de la possession, chasser l'occupant, ou cèdent à l'antique impulsion d'annexer et de coloniser. Mais en l'autre sens, non. Travail à huis clos, remaniement de la géographie interne, territorialisation. Machiavel et Claude du Seysell imaginent les moyens de naturaliser les conquêtes en effaçant les duretés de l'annexion. Méthodiquement, lentement, non sans sadisme, les États de droit s'attaquent aux maquis hirsutes des vieilles topographies pour rendre le territoire administrable. Officialiser, gagner la société à l'office, effort par quoi la justice, la fiscalité, la conscription nivellent et quadrillent de part en part le territoire, gigantesque effort d'emblavement juridico-politique qui arase les sols, compile les cadastres et relève les cartes. Aujourd'hui, la principauté de Monaco ou la République d'Andorre, comme deux herbes folles sauvées du labour, témoignent seules de la géopolitique féodale. L'autonomie périphérique fonde la nécessité de définir la société politique à partir du centre, de tresser, du sujet au roi et du citoyen à la République, un imputrescible cordon ombilical. La République est « un droit gouvernement avec une puissance souveraine », dit Bodin [58]. Il ne s'agit pas seulement de souligner comme Aristote que la famille est la première cellule sociale — le jurisconsulte conteste d'ailleurs aux anciens des lumières définitives sur le problème politique — mais d'associer à l'intérieur d'un même corps politique la société et l'État, en couplant communauté et souveraineté. Au lieu de séparer la *Gesellschaft* de la *Gemeinschaft* (la société de la communauté) comme le feront les romantiques allemands, Bodin fait dériver l'une de l'autre. La souveraineté, c'est la puissance publique et la cohésion intérieure institue autant la république que l'émancipation à l'égard des puissances extérieures [59]. Pour insister sur ce trait proprement interne de la souveraineté. Loyseau reprend le vocabulaire de Bodin *(suprema potestas* [60]). Puissance d'un corps fermé sur soi, vie intérieure que cimente et conforte un consensus, la souveraineté ne joute pas avec la communauté, même si dans une société hiérarchique qui conserve la division en ordres, sa définition s'avère incertaine. Pour les uns, qui retiennent la leçon thomiste, elle est une *institution,* un *consortium* tel, que dans le bien commun, le bien propre est aussi compris. Pour les autres, comme Hobbes, elle est une *obligation,* un *vinculum,* un contrat, moins une relation institutionnelle intériorisée qu'un lien contractuel explicite [61]. La nature même du contrat social est l'objet d'un débat : pacte de *soumission* comme le défend Pufendorf ou d'*association* comme le réclame Rousseau. Mais au-delà de la pluralité des définitions, s'affirme, débarrassée du lien intersubjectif de dépendance, la formation d'une unité politico-civile, le *corps politique*...

Transcendance de la loi : reste la définition de la souveraineté comme un absolu. Définition équivoque : inaugurée, lorsqu'au milieu de la guerre civile qui fait rage entre protestants et ligueurs, Henri III connaît les pires difficultés, par Bodin, le fondateur de la doctrine : « Puissance *absolue* et perpétuelle d'une république que les Latins appellent *majestatem* », elle est reprise par les autres doctrinaires de la notion, Loyseau, Hobbes, Domat [62]. « La souveraineté, dit encore Bodin, n'est limitée ni en puissance, ni en charge, ni en certain temps [63]. » Puissance absolue, gravité absolue, temps absolu. Transcendance de la souveraineté. Profanation que ce transfert de transcendance autrefois réservée à Dieu? Peut-être pas. Prééminence du souverain sur la souveraineté ou de la puissance sur la loi? Ni l'une ni l'autre : ni transcendance du souverain parce que les zélateurs les plus empressés de la monarchie affirment l'indifférence du principe souverain à l'égard des divers types de régime monarchique, aristocratique ou démocratique [64].

Même si pour la plupart des légistes, la doctrine de la souveraineté s'unit à l'exaltation de la monarchie : « La monarchie étant le plus universel et le plus ancien et le plus naturel et le plus utile des régimes [65] » ils ne confondent pas pour autant la thèse du plus haut pouvoir *de* l'État avec celle du plus haut pouvoir *dans* l'État, selon l'heureuse formule de Jellinek. Absolu, le pouvoir souverain est toujours limité. Faute de quoi, aux yeux des plus statolâtres, la souveraineté serait une seigneurie. Limité par la loi, sous ses trois occurrences divine, naturelle, fondamentale [66]. Le souverain absolu, précise Domat, n'a pas seulement des droits mais aussi des devoirs. A l'égard de la loi divine, son devoir est d'accorder la loi à la justice [67]. A l'égard des lois naturelles, il doit respecter les droits personnels de ses sujets, la liberté et sa propriété. Le citoyen de la république bodinienne n'est ni un esclave ni un sujet, mais un « franc-sujet [68] » qui participe à la société politique « a droit de corps et de collège et quelques autres privilèges [69] » « a part à tous ou à certains offices et bénéfices desquels l'étranger est débouté quasi en république [70] » peut tester librement, etc. A l'égard des lois fondamentales, les lois de la couronne, la loi salique, l'hérédité et l'inaliénabilité du domaine royal sont le plus fréquemment invoquées [71]. Sur cette question, les théoriciens « libéraux » de l'école du droit naturel, Pufendorf, Grotius, Barbeyrac, Burlamaqui, etc. [72] n'ont rien inventé. Lorsque Jurieu écrit : « Il faut ici exactement distinguer deux choses que bien des gens confondent, c'est le pouvoir absolu et le pouvoir sans bornes, prétendant que c'est la même chose... » Il enfonce une porte ouverte [73]. Les partisans les plus zélés, voire les plus serviles de la royauté n'ont rien dit d'autre.

Voyez Bossuet, l'adversaire acharné, impitoyable de Fénelon qui avait courageusement censuré le despotisme monarchique : il oppose avec force le gouvernement arbitraire au gouvernement absolu [74]. Même si la seule garantie imaginée par l'évêque de Meaux pour borner la volonté du prince est la soumission à la loi divine, il n'en souligne pas moins qu'à la différence du gouvernement arbitraire secoué de caprices et de fantaisies, celui de la monarchie absolue est réglé par la loi. Voyez Massillon s'adressant aux rois : « Vous ne commandez pas à des esclaves, vous commandez à une nation libre et belliqueuse, aussi jalouse de sa liberté que de sa fidélité [75]. » Ce n'est donc pas le souverain, c'est la loi qui doit régner sur les peuples. Les prêtres qui consacrent l'absolutisme et élèvent l'autorité des rois par-dessus la puissance humaine n'oublient pas dans le même temps d'abaisser leur magnificence devant la plus haute splendeur de Dieu. Ils transmettent au pouvoir spirituel les moyens de contrôle que la noblesse et les parlementaires demandaient pour « les corps intermédiaires ». Tous concourent à établir *la suprématie des lois sur les rois*. Ainsi le roi, s'il peut être « par-dessus les lois » n'est jamais « seigneur des lois » (Duplessis-Mornay). La doctrine de la souveraineté déploie la bourgeonnante croissance de la fonction législative. Citant Pindare, Bodin observe « que la loy est royne si les sujets obéissent aux lois du roi et le roi aux lois de nature » et que la tyrannie, à l'inverse, est le régime où les lois sont foulées au pied [76].

La doctrine de la souveraineté qui établit la suprématie de l'État et la légitimité de cette suprématie ne fonde pas un pouvoir sans limites mais constitue un pouvoir autodéterminé, ne reconnaissant aucun joug que la loi qu'il se donne, n'acceptant juridiquement aucune sujétion émanant de l'étranger, mais se contraignant et se restreignant lui-même par la mise en place d'un ordre juridique dont il dépend. « La souveraineté a la capacité exclusive de se déterminer et de se lier soi-même au point de vue de la loi » (Jellinek). Kant a calqué le fonctionnement de la morale individuelle et de l'auto-législation de la bonne volonté sur le modèle du pouvoir souverain.

La toute-puissance de l'État est donc intentionnelle, elle concerne le droit et la constitution d'un pouvoir soumis au droit. Plus durable que telle ou telle limite de la souveraineté est la limitation même de l'État par la loi et pour commencer par les droits individuels.

3. Les droits de l'homme

« Comme selon le droit de nature, cascun doit naître franc et par aucuns usages ou coutumes qui de grande ancienneté ont été encrédités et gardés jusque-ci en notre royaume et par aventure par le méfait de leurs prédécesseurs beaucoup de personnes de nostre commun peuple soient echeues en liens de servitude et de diverses conditions qui grandement nous déplaît, nous considérant que notre royaume est dit et nommé le royaume des Francs, et voulant que la chose en vérité soit accordant au nom et la condition des gens amendée de nous en la venue de notre nouvel gouvernement... »

Louis X le Hutin

« Tous les droits ne sont pas aliénables. »

Hobbes

Antériorité de la notion droits de l'homme par rapport aux déclarations des Droits du XVIIIe siècle. Les libertés civiles. La liberté humaine. Le droit politique classique anti-esclavagiste. Maître et serviteur. L'aliénation est-elle une servitude? Europe de l'Ouest, Europe de l'Est. La disparition du servage en Europe de l'Ouest, son maintien et son extension en Europe de l'Est.

Levons une équivoque : Les droits individuels, *les droits de l'homme,* comme on dit aujourd'hui, sont moins récents que nous ne le croyons. Touchés par les actes d'accusation que sous forme de documents numérotés, ordonnés, quantifiés, *Amnesty International* a pris l'habitude de publier sur les atteintes quotidiennement infligées aux droits individuels par les États, cachots où l'on engouffre sans rime ni raison, jugements sans procès, tortures avec science et patience, nous nous accrochons désespérément au mythe de Robinson. Il y aurait eu, à partir du XVIIIe siècle, cette île neuve, cette origine sans partage, la doctrine *individualiste* des droits de l'homme. Pure, lisse, ronde, saine et nue comme « les potirons au sortir de terre », la déclaration de Vendredi avant que Dimanche ne soit rouge. Il y aurait eu le Bon Sauvage, le Huron, l'Iroquois, le Caraïbe, l'homme-nature et ses volontés, images où le XVIIIe siècle a vu les droits de l'homme. Dans les mégalopoles noires, tordues d'échangeurs et de bruits, il est réconfortant d'imaginer cette doctrine au sortir des eaux, prodiguant à chacun les tables de la loi particulières. Nous sommes las des collectivités immenses, des hivers interminables de l'État moderne, nous aspirons à la « petite » liberté immédiate et privée. L'état de nature nous fascine et nous aspire. Nous imaginons les droits de l'homme comme un texte brandi à bout de bras par un individu seul contre tous, comme une immense et unique banderole qui serait à soi seule tout le défilé.

Il y a pourtant chez les théoriciens classiques anglais et français, une doctrine des droits individuels qui n'est *ni libérale, ni démocratique* au sens moderne, qui ne s'enferme par conséquent ni dans la déduction strictement individualiste chère aux libéraux, ni dans la revendication populiste précieuse aux démocrates, il y a une doctrine des droits individuels qui n'est pas *civiliste, sociétiste,* ou *sociale,* mais qui s'inscrit dans une perspective résolument *étatiste* où il s'agit de définir le rapport et les limites des droits du pouvoir et de l'individu. La doctrine des droits individuels ne date pas en effet des Déclarations des droits du XVIIIe siècle dont les plus fameuses sont l'américaine et la française, et du développement des libertés civiles qui ne se sont épanouies qu'au XIXe siècle. Elle leur est bien antérieure, elle n'est pas capitaliste, elle n'est pas liée au mouvement de pensée civiliste qui a magnifié la société contre l'État. Elle ne vient pas non plus des démocraties politiques antiques qui réservent les droits à la minorité des hommes libres. Elle leur est bien postérieure, elle n'est pas antique.

Pour qu'une doctrine des droits de l'homme puisse en effet s'affirmer, trois conditions étaient requises. D'abord que l'homme en tant que tel fût reconnu comme valeur, promu comme idéalité. Ensuite que cette idéalité eût un statut juridique. Enfin que ce statut juridique fût garanti par l'autorité politique. L'idée de l'homme est biblique. L'Ancien Testament a proposé la conception de la valeur inaliénable de la personne humaine pour autant qu'elle est créée par Dieu et alliée à lui et que son destin collectif, scellé par la loi, a un sens transcendant. Le Nouveau Testament a ajouté la pensée de la valeur inaliénable de l'individu pour autant que le salut est, à travers la rédemption, une affaire singulière. Notion de *l'homme,* introuvable dans la pensée antique classique qui ne se représentait pas l'homme, mais distribuait des Grecs et des Romains d'un côté, des Barbares de l'autre, qui ne connaissait pas des individus mais distinguait des catégories politiques, citoyens et hommes libres d'un côté, métèques et esclaves de l'autre. C'est la raison pour laquelle la doctrine de l'homme n'a d'abord reçu qu'un statut *théologique.* Celui pour partie défini par l'augustinisme et institutionnalisé par Grégoire VII lorsqu'il a imposé au pénitent de Canossa la doctrine de la séparation des pouvoirs spirituel et temporel, proclamant que la puissance ne pouvait s'approprier l'homme. Ensuite, la *via moderna* qui a exalté l'existence des droits individuels et fondé la notion de droit subjectif a été ouverte dès le XIIIe siècle par les nominalistes franciscains. Duns Scott, « le docteur subtil », s'est défié de l'ordre naturel et a valorisé l'individu singulier et volontaire. Guillaume d'Occam, *le venerabilis inceptor,* compagnon de Marsile de Padoue, à la cour de Louis de Bavière, a élaboré la notion de droit subjectif qui rompt avec la doctrine du droit romain et avec la conception thomiste du droit[1]. Enfin, ce sont les légistes des États de droit anglais et français qui ont inclu l'idée des droits individuels inaliénables à l'intérieur du droit politique classique. Mais, dira-t-on, pourquoi ce long temps d'implosion entre le statut théologique de l'homme et son statut juridico-politique? Pourquoi 1688 et 1789, le *Bill of Rights* et la prise de la Bastille? Pourquoi a-t-il fallu attendre le XVIIIe siècle pour que retentissent enfin les Déclarations des droits de l'homme?

LIBERTÉ HUMAINE ET LIBERTÉS CIVILES

C'est qu'il y a, dans la doctrine des droits de l'homme, deux aspects bien distincts; la liberté humaine d'une part, les libertés civiles d'autre part. Appelons-les : *status libertatis* et *status civitatis.* Le *status libertatis,* c'est le statut de liberté, ou la sécurité et la liberté personnelles, le droit pour chacun à l'appropriation de son corps propre, le droit à la vie. Le *status civitatis,* c'est le statut de citoyenneté, ou les libertés civiles et les droits politiques[2].

Les libertés civiles

Depuis le XVIIIe siècle, les théoriciens civilistes libéraux nous ont accoutumés, par l'intérêt privilégié qu'ils y portaient, à restreindre les droits de l'homme aux libertés, au *status civitatis* : liberté de propriété, d'opinion, de réunion, d'association, etc., et à négliger la sûreté et la liberté personnelles. Incontestablement, les libertés civiles sont plus modernes : elles impliquent un partage et un contrôle des citoyens sur le pouvoir et elles sont liées à l'essor de la démocratie. Incontestablement, et si paradoxal que cela puisse paraître, ces libertés procèdent des contrats privés établis entre pairs, des liens de dépendance seigneuriaux, des privilèges et, avec Boulainvilliers, Montesquieu, Tocqueville, il faut admettre qu'elles ont une origine aristocratique.

La notion de droit subjectif est en effet introuvable dans le droit romain [3]. En restreignant le statut de sujet autonome du droit au seul père de famille — homme libre, cela va de soi — en multipliant l'anomie des esclaves, des femmes et des enfants, les juristes romains ont généralisé ce que le droit moderne a raréfié : l'incapacité en droit. Ils ont aussi étriqué la juridification des libertés individuelles. Même si Rome a su protéger quelques libertés et réalités civiles — « les justes noces », la famille, et à un moindre degré, la liberté de tester [4], de commercer et d'entreprendre — elle n'a pas garanti la sûreté personnelle, le droit de disposer librement de soi, ni assuré ce que nous appelons les libertés tout court — liberté d'opinion, de réunion, d'association, etc.

D'où viennent les libertés civiles? On connaît le mot de Montesquieu sur le gouvernement représentatif : « Ce beau système a été trouvé dans les bois. » L'auteur de *l'Esprit des lois* croyait à l'origine germanique de la liberté et était convaincu que les monarchies restent libres dans la mesure où elles conservent l'esprit de leur fondateur germain. Il a glorifié les peuples du Nord « ces nations vaillantes qui sortent de leur pays pour détruire les tyrans et les esclaves [5] ». Il a partagé avec les théoriciens (pré-)libéraux du XVIIIᵉ siècle l'idée que les guerriers barbares, violents par humeur mais jamais oppresseurs par système, avaient apporté aux Gaulois amollis par un despotisme décadent le principe énergétique de leur indépendance [6]. Il a pensé que la liberté émanait des franchises et des privilèges seigneuriaux, qu'elle était au sens étymologique, l'expression de la loi privée des Francs, bâtisseurs du régime féodal. Opinion à laquelle souscrit la majorité des historiens « germanistes [7] » qui comptabilisent l'idée libérale dans la balance positive des productions que les tribus germaines, génératrices des oligarchies aristocratiques auraient exportées en Europe. Interprétation qui trouve une confirmation dans les travaux de Marc Bloch où il montre que la seigneurie ne se réduisait pas à une hiérarchie unilatérale, mais que, dans la mesure où le suzerain s'engageait à protéger son vassal, le lien de dépendance avec ses aveux et ses dénombrements impliquait une réciprocité et prenait la forme d'un contrat personnel [8]. Au sein de l'anarchie féodale qui succédait à l'effondrement de la civilisation ancienne et devant les périls extérieurs et intérieurs, de multiples groupements spontanés se sont esquissés et hiérarchisés. Laborieusement et lentement, s'est imposée l'idée d'un ensemble organique de services et de devoirs réciproques soumis à la clause tacite d'un contrat où le supérieur est partie et qui le lie en même temps qu'il oblige l'inférieur. Le développepement de la société civile procède peut-être de ce contrat réciproque entre personnes libres que les principes néotestamentaires avaient fortement contribué à affirmer.

C'est donc dans les privilèges seigneuriaux indépendants du pouvoir royal et dans les liens directs de dépendance qu'il faudrait chercher l'origine de la liberté et du contrat individuel. C'est en fonction de la partition dévolue aux aristocraties que les divers pays européens résonneraient d'une tonalité plus ou moins libérale, assourdie dans la France qui a aboli le rôle de la noblesse, éclatante dans l'Angleterre qui l'a pérennisé.

En dépit de la blessure narcissique qu'elle inflige aux prétentions démocratiques, cette filiation aristocratique des libertés n'est guère discutable. A une condition cependant : préciser que l'origine seigneuriale de la liberté individuelle et notamment sa reconnaissance juridique ne concernent qu'un seul aspect de ce qu'on désigne par liberté : *l'indépendance* et non *la libération, l'autonomie* et non *l'émancipation,* ou encore *les* libertés et non *la* liberté. Indépendance et autonomie sont en effet indissociables de l'existence d'un royaume indépendant et d'une enclave protégée à l'intérieur d'un ensemble coercitif, fût-ce celle, extrêmement réduite d'un individu. En tant que droits individuels privés, les libertés ont la même origine que les libertés seigneuriales, car elles expriment le privilège de la personne. D'où le rôle précieux et indispensable des aristocraties — oligarchies, contre-pouvoirs ou élites — dans la défense des libertés. Ce n'est pas un hasard si la défense de la liberté d'opinion — voyez le libertinage érudit — a reçu l'appui des grands seigneurs et ce n'est pas fortuit si là où, comme dans la Russie tsariste et dans la France révolutionnaire, les aristocraties ont été abaissées, avec elles la liberté a vacillé.

Les théoriciens seigneuriaux disaient vrai : les aristocraties ont inventé les libertés. Mais non pas découvert l'Amérique ni imaginé la libération et l'émancipation de l'esclavage, la sécurité juridique et l'*habeas corpus.* La liberté du serf, qui s'est instaurée sans elles et quelquefois contre elles, ne leur doit rien. C'est au christianisme proclamant l'éminente dignité de la personne humaine qu'il revient d'avoir rendu insupportable l'esclavage; ce sont les rois qui, en publiant les édits d'affranchissement des serfs du domaine royal, ont voulu l'émancipation et c'est l'État de droit anglais qui, bien plus précocement encore, a garanti la libre disposition individuelle du corps propre qui constitue la première liberté et la première propriété. Dans la mesure où la liberté ne s'épuise pas dans le droit de contracter mais commence *par la sécurité de la vie garantie par la loi,* il y a un aspect du droit subjectif qui est directement lié à la conception antiesclavagiste et antidominial du pouvoir, il y a un droit subjectif qui est inséparable d'une organisation étatique nouvelle et de la conception du droit comme loi.

Le servage a trop longtemps duré. A la veille de la Révolution il y avait encore plus de 100 000 serfs en France. Et l'esclavage a trop vite été reconstitué. Deux ans après la mort de Colbert, le code noir était promulgué. Et cependant, c'est l'État de droit qui, — dans les seules limites hélas de ses frontières — a détruit les raisons, les justifications et l'utilité de la servitude tandis que ses légistes en rejetaient le principe. La revendication des libertés civiles pour lesquelles se battront et mourront les hommes du XIXe siècle est absente du programme des jurisconsultes classiques mais patiemment, obstinément, ils se sont en revanche appliqués à fonder la sûreté et la liberté personnelles, ces droits fondamentaux par lesquels nous nous sommes émancipés de l'état de guerre et de servitude et que pourtant nous oublions parce qu'aucun individu ne s'étonne davantage de sa liberté que de l'air qu'il respire. Qu'on imagine pourtant ce que pouvait être, pour un peuple de paysans, vilains et serfs courbés au sol, attachés à la glèbe, assujettis au droit mortifère des seigneuries, le statut de liberté par lequel l'État souverain reconnaissait à chacun la libre appropriation de sa vie et la libre possession de son corps propre. Strictement limité au rapport du pouvoir central et de ses sujets, ce statut ne détruisait pas le rapport seigneurial mais il instaurait à ses côtés un nouveau rapport civil qui le concurrençait, le minait et finalement l'a détruit.

Le statut de liberté, premier des droits de l'homme, a été en tant que *droit,* distinct et distant du fait, très tôt et très solennellement affirmé par les légistes. Non qu'ils ne prêtent attention à l'existence rebelle de la servitude et qu'ils ne se mêlent parfois de la réglementer, mais ils la traitent comme une dérogation au droit naturel, une survivance de la seigneurie, une résistance du passé. Le droit, le droit véritable, c'est la « franchise ». « Selon le droit naturel, cascuns est franc mes ceste francise est corrompue » proclame Beaumanoir dès le XIIIe siècle [9]. Le texte de Louis le Hutin que nous avons mis en épigraphe de ce chapitre et qui est extrait du préambule de la commission donnée aux fonctionnaires chargés de mettre en œuvre les affranchissements dans l'un des bailliages du domaine royal ne dit pas autre chose : « Comme selon le droit de nature chacun doit naître franc [10]... » Le jusnaturalisme moderne n'avait pas la même idée de la nature que le jusnaturalisme antique pour lequel l'esclavage existait « par nature » [11]. Encore prennent-ils soin, ces légistes, de préciser que le servage résiduel diffère de l'esclavage antique : « ...la franchise en tant qu'elle est opposée à l'esclavage, car en France il y a encore des serfs qui ne sont point personnes franches et qui ne sont point esclaves », souligne Antoine Loysel [12], et Guy Coquille à son tour : « Les servitudes qui sont en France ne sont pas semblables à celles qui estoient en usage auprès des Romains qui faisoient trafic des personnes serves comme d'animaux brutes... » énumère les raisons de cette distinction [13]. Elles ne tiennent pas seulement à la reconnaissance de quelques droits octroyés aux serfs qui contrastent avec l'inexistence civile des esclaves, mais surtout à la différence d'origine : l'esclavage est le résultat de la guerre et la conséquence d'une défaite militaire, tandis que la servitude est le produit de la colonisation des terres et l'effet d'une entreprise économique.

Sous l'Ancien Régime, ce droit reconnu par le souverain à chaque franc-sujet de s'approprier librement son corps propre et de posséder sa vie n'a pas débordé l'étroite sphère du rapport politique et il n'a pas empiété directement sur les liens seigneuriaux [14] limités au domaine de la souveraineté; néanmoins le statut de liberté n'a pas été seulement affirmé sous la forme d'une vague pétition de principe, mais théorisé par les doctrinaires pourtant réputés absolutistes comme Bodin et Loyseau, et fondé de la manière la plus éclatante par Hobbes.

Il est intéressant d'étudier la doctrine des droits individuels chez les théoriciens absolutistes car ce sont des cas limites. Nul ne se trouve apparemment moins disposé qu'ils ne le sont à protéger les droits individuels des abus de l'autorité et s'ils les défendent si peu que ce soit, cela devrait témoigner de ce qu'à l'intérieur des États de droit, les champions les plus zélés de la monarchie ne sacrifiaient pas les droits individuels à la toute-puissance de l'État.

Les droits individuels chez Hobbes, Bodin et Loyseau

Qu'on nous pardonne l'exposé quelque peu technique de l'argumentation hobbienne. Sur ce point controversé et litigieux, il est nécessaire d'entrer dans le détail. De nombreux travaux, parmi lesquels — pour ne citer que les chercheurs français — ceux de Robert Derathé, Raymond Polin et plus récemment Simone Goyard Fabre, ont mis en évidence, contre certaines mésinterprétations, l'importance de la réflexion que Hobbes a consacrée aux droits individuels. Le grand Michel Villey voit même dans l'auteur du *Léviathan* le véritable fondateur de la doctrine moderne du droit subjectif dont aux XIIIe et XIVe siècles, les nominalistes franciscains avaient été les précurseurs. A de multiples reprises dans tous ces grands textes politiques [15], Hobbes définit en effet le droit comme un attribut de l'individu et, avant Spinoza, le désigne comme la triple équation de l'individu, de sa volonté de conservation et de sa puissance [16].

Une telle définition qui rapporte le droit à l'individu et à sa *libertas* rompt, on le sait, avec l'aristotélisme et le jusnaturalisme antique. Au lieu de concevoir le droit comme une *relation* d'équité à l'intérieur d'une société politique naturelle ou l'expression cherchée par les juristes de la plus juste distribution dans l'ordre des choses, Hobbes le pense comme l'attribut d'un individu et comme une manifestation de sa puissance dans l'état de nature. A la place d'un droit réaliste et objectif, nous sommes en face d'un droit subjectif et naturaliste. Le droit c'est la force naturelle de l'individu. Si on la compare à la conception juridique seigneuriale qui avait accoutumé de représenter le droit et les liens de dépendance féodaux, en contrepoint de la puissance, et qui déjà avait défini le droit comme *aptitudo, facultas, libertas,* l'analyse de Hobbes ne constitue pas une véritable innovation. Mais il ne l'arrête point là, non plus qu'il ne se limite au nominalisme qui avait marqué sa formation. Au sein de la force naturelle, notre philosophe privilégie en effet le désir de *sûreté personnelle* et de conservation de la vie individuelle qui n'était pas l'inquiétude majeure des franciscains. « Chacun, dit-il, peut employer tout son pouvoir et toutes ses forces à la conservation de sa vie et de ses membres [17]. » Manifestation de la puissance, le droit est bien la preuve d'une agressivité tournée vers l'extérieur, mais aussi la présomption d'une appropriation de soi dirigée vers l'intérieur, le témoignage du désir de persévérer dans son être, conserver sa vie, garantir sa sécurité. Or, c'est la volonté de sûreté personnelle, affirmation du droit subjectif qui est le réquisit principal et l'essentielle motivation du pacte. L'édifice civil, à travers le contrat qui le fonde, s'établit par cession réciproque des droits individuels au souverain, sur la volonté de chaque individu d'assurer sa sécurité menacée dans l'État de nature. Ainsi de proche en proche et par degrés successifs, puisque le pacte établit à son tour le droit civil et politique, mais aussi le droit successoral et familial, c'est tout le droit qui, pour Hobbes est fondé sur le droit subjectif. Au départ du système hobbien se dessinent bien, incontournables et irrécusables, le droit subjectif et la liberté individuelle. S'il n'est pas à la fin comme le concept hégélien, le droit individuel hobbien est, du moins, au début.

Reste le point d'arrivée : les modalités du pacte imaginé par Hobbes prévoient une très rigoureuse aliénation des droits subjectifs qui, de son vivant même, tranche avec des conceptions nettement plus libérales. Une fois la convention contractuelle passée, Hobbes estime en effet illégitime la désobéissance au souverain que les monarchomaques avaient justifiée jusqu'à la conséquence du régicide, laquelle s'inscrit à l'état civil de l'histoire en 1648 avec le supplice de Charles Ier (rappelons que la parution du *Léviathan* est de 1651) de même qu'il déclare invalide contre la Chief-Justice Coke dont les conceptions triompheront en Angleterre, le contrôle du souverain absolu par les institutions qui, tel le Parlement, se prétendent dépositaires des lois. Aliénation implacable en raison du modèle mécaniste auquel se conforme le pacte :

l'union des individus aboutit à *l'unité* de l'État et le contrat donne naissance à une véritable personne civile comme Hobbes l'explique dans le *De Cive*[18].

L'identité politique appartient non à chaque citoyen pris séparément mais au corps politique dans son entier. Perte d'identité singulière que le mécanisme politique illustre de manière saisissante : à l'intérieur du Léviathan, la grande machine, chaque individu n'est qu'un élément de l'ensemble. Le souverain a confisqué, pour lui seul, la subjectivité.

Dans la cité politique imaginée par Hobbes, il n'y a donc aucune des libertés civiles individuelles réclamées par Locke dans le *Second traité du gouvernement civil*, et proclamées par les solennelles Déclarations des droits du XVIIIe siècle. Hobbes ne définit pas un *status civitatis*, ne magnifie point la société civile. Est-ce l'effondrement définitif des droits individuels et l'inéluctable dérive despotique de l'absolutisme?

Il faut sans doute répondre par la négative. Si sévère qu'il soit, le mécanisme de l'aliénation des droits subjectifs n'est pas, comme Georges Lyon et Robert Derathé l'ont remarqué, exhaustif. Le pacte social qui établit le corps politique ne dissout pas tous les droits individuels parce que selon le titre même que Hobbes donne à l'un des paragraphes du Léviathan, *tous les droits ne sont pas aliénables*[19].

Fin et but de la transaction sociale[20], la sécurité personnelle ne peut être l'objet d'un marché. Aliéner la sûreté? Ce serait absurde! Le désir de la conserver est le plus grand désir de l'homme et dans le calcul d'utilité qui préside à toutes les conduites humaines, il ne peut jamais être soustrait d'aucun autre. La cession du droit de se conserver est contraire à la nature même du pacte. A ce point, le farouche partisan de l'autorité royale n'hésite plus à justifier le droit de résistance lorsqu'un individu est menacé dans sa vie[21].

Parmi tous les droits individuels, le droit à la sûreté a donc force de monopole. Il est le seul incessible et surtout, il est le seul droit *civil*. Dans l'État de nature, la sûreté n'est qu'un désir, une aspiration ou une tension de l'individu, non une réalité. *Homo homini lupus,* l'usage anarchique et collectif du droit de glaive menace constamment l'intégrité physique de chacun. Dans l'état civil en revanche, la confiscation par le souverain des actes de guerre, le monopole de l'épée de justice, instaurent la sûreté individuelle par la sécurité juridique. L'état civil réalise un droit qui demeurait virtuel à l'État de nature.

Est ainsi fondé, à l'intérieur du droit politique, un droit de l'homme et du citoyen au sens moderne du mot; un droit qui est en même temps *naturel* et *civil*. Il fera partie du *corpus* des lois anglaises analysé ultérieurement par William Blackstone : « Les droits absolus ou libertés civiles des Anglais souvent proclamés au Parlement sont au nombre de trois : 1º le droit de sécurité personnelle, 2º le droit de liberté personnelle, 3º celui de propriété privée. » Et Blackstone ajoute : « Le droit de sûreté personnelle consiste dans la puissance légale de la vie, de ses membres, de son corps, de sa santé et de sa réputation [22]. » Il sera inscrit dans la Déclaration française de 1789 : « Le but de toute association politique est la conservation des droits naturels et imprescriptibles de l'homme : les droits sont la liberté, la propriété, la sûreté et la résistance à l'oppression. » La sûreté, on le voit, y est seulement rangée en troisième position.

Bodin et Loyseau défendent, comme le philosophe anglais, le droit individuel à la sécurité mais, au statut de sécurité, ils ajoutent un statut de liberté. Bodin, rappelons-le, souligne que la double borne du pouvoir est « la liberté naturelle et propriété des biens aux sujets », et Loyseau, ayant expliqué que « la seigneurie publique concerne les choses qui sont à autrui et les personnes qui sont libres », conclut qu' « il faut en user avec raison et justice. » Pour Hobbes, le droit à la sûreté est le premier mais aussi, hélas, le dernier des droits individuels. Les légistes français qui tiennent la sûreté pour une émancipation, la sécurité juridique pour une liberté personnelle et l'appropriation par chacun de sa vie pour une propriété apparaissent, bien qu'ils ne postulent, à l'exemple du théoricien « moderne » du pacte social, aucune égalité originelle, plus généreux dans la définition qu'ils donnent des droits individuels.

Malgré leur différence, ces doctrines ont une commune originalité : les droits individuels n'y sont pas individualistes, les droits civils n'y sont pas civilistes. Chez Hobbes, le droit à la sûreté que le pacte garantit par la sécurité juridique, est le résultat *d'un rapport des pouvoirs et du citoyen,* il est la conséquence de la théorie politique de la souveraineté, il dépend d'une organisation anti-impériale du pouvoir. Garantir la sécurité individuelle n'est pas donné à tous les États mais à celui-là seulement qui se refuse à user du droit de vie et de mort sur ses citoyens. Le Léviathan, l'État souverain (l'État de droit) est capable d'extirper les guerres du corps politique parce qu'il ne se transforme pas en conquérant et en chef militaire à l'égard de ses propres citoyens et parce qu'il a le bien du peuple pour objectif.

La défense du droit du citoyen s'associe donc à une conception anti-impériale du pouvoir mais aussi bien s'y arrête. Chez les légistes français, la sécurité des francs-sujets, solidaire de l'existence d'un corps politique pacifié et partant, d'un fonctionnement anti-impérial de la puissance, est prolongée, nous l'avons vu, par une conception antidominiale. Là où Hobbes ne craint pas d'esquisser le rapprochement qui lui a été souvent reproché entre « les gouvernements par institution » et « les dominations paternelles et despotiques [23] », les Français préfèrent tracer une frontière.

La doctrine des droits individuels vient donc faire écho à la doctrine du pouvoir souverain. Car l'affirmation du droit à la sécurité juridique et à la liberté personnelle touche directement à la question du pouvoir, puisque ces droits ne peuvent être établis en dehors de la définition d'un certain type d'État, l'État souverain, c'est-à-dire, l'État de droit. Pour que la sûreté et l'émancipation soient assurées, deux conditions sont en effet requises. Premièrement, que le pouvoir n'ait pas de droit de vie et de mort sur les citoyens, qu'il ne détienne pas le fameux *jus vitae necisque* de l'*imperator* romain ou du chef de guerre, bref qu'il ne soit pas impérial, qu'il ne fonctionne pas à la guerre mais dans la paix. Deuxièmement, que le pouvoir ne soit pas une propriété, que la relation entre souverain et sujet ne soit pas une relation de propriété, qu'elle ne soit pas dominiale, ne s'exerce pas à la maîtrise mais à la loi.

La liberté humaine et les libertés civiles ne sont identiques ainsi ni logiquement ni chronologiquement. Logiquement, parce que ces droits ne sont pas pris dans les mêmes logiques juridiques. La liberté humaine ressortit à la conception moderne et antidominiale du pouvoir, elle est solidaire d'un pacte d'alliance, associée à la conception du *droit comme loi*. Le droit y est garanti par la forme de l'État. Les libertés civiles, en revanche, et tout particulièrement dans l'énoncé des Déclarations des droits du XVIIIe siècle, s'inscrivent à l'intérieur d'une déduction purement individualiste, elles relèvent du contrat et du droit privé. Le droit ne s'y épanouit que par les limites de l'État. Chronologiquement parce que l'émancipation — l'histoire du détournement de signification de la *mancipatio* romaine, qui avait pour signification primitive un châtiment et qui était restreinte à l'élargissement du fils de famille mériterait d'être traitée — a ouvert la carrière des libertés civiles et de l'autonomie individuelle. C'est elle que la masse des francs-sujets a conquise en premier lieu et c'est ce droit pour chacun de conserver sa vie propre que Hobbes déclare inaliénable. La liberté que les seigneurs étayaient sur leur puissance, l'indépendance qu'ils tenaient de la guerre, les francs-sujets la posséderont de la paix juridique qui instaure l'État de droit et qu'autorise cette doctrine du pouvoir où la souveraineté trouve sa fin — son but et sa limite — dans la sécurité des individus.

La liberté humaine, droit individuel, est aussi un droit politique *anti-esclavagiste*. Pour la première fois en politique, des théoriciens reconnaissent aux gouvernés, aux dominés, aux sujets, un droit personnel à la sûreté et à la liberté qui limite les gouvernants, *restreint* la domination, oblige le Prince. Il ne s'agit pas encore d'une liberté politique; un tel droit n'est pas la suppression de toutes les *inégalités*, l'abolition de toutes les oppressions, la destruction de toutes les disciplines. Ce n'est pas la fin *d'homo hierarchicus*. Faut-il pour autant le croire nul et tenir qu'il ne modifie rien parce qu'il ne change pas tout?

On atténue la portée du statut de liberté de deux façons : en estimant que la persistance du rapport entre maîtres et serviteurs ou entre patrons et ouvriers est la continuation par d'autres moyens de la relation entre l'homme libre et l'esclave ou en négligeant le sens contraire des vents d'ouest et des vents d'est qui ont débarrassé l'Europe de l'Atlantique de la servitude et l'ont acclimatée de la Prusse à l'Oural.

Deux questions qu'il n'est donc pas inutile d'examiner en guise de contre-épreuve.

MAÎTRES ET SERVITEURS

Maîtres et serviteurs. Problème capital. Nous nous séparons ici des conclusions énoncées par A. Matheron dont la très minutieuse analyse s'efforce de mettre en évidence le résidu d'esclavagisme ou de servitude accepté comme légitime par la philosophie politique classique [24]. L'enjeu n'est pas mince : en amont il porte sur l'appréciation de l'irréductible inimitié ou de la complicité molle des doctrines classiques et seigneuriales, et en aval il concerne le bien — ou le mal — fondé de la doctrine de l'exploitation par quoi Marx a fait du prolétaire qui aliène sa force de travail le successeur et strict équivalent du serf et de l'esclave et par quoi également il a pu estimer formelles les libertés juridiques qui déguisaient l'assujettissement économique.

L'argument invoqué pour lire dans la doctrine classique la reconduction de la servitude n'est pas circonstanciel : il ne se réduit ni aux observations d'un Pierre Charron qui, dans *Les Trois Traités de la sagesse,* souligne l'analogie entre « le louage » des vagabonds et mendiants issus d'affranchis et la servitude de leurs pères, ni même à l'approbation sans pudeur que, dans *Le Droit de la Guerre et de la Paix* (1625), Grotius, champion anticipé de la bonne conscience coloniale, dispense à l'esclavage consécutif à une victoire militaire. Car on pourrait faire valoir le manque de rigueur de l'analogie entre esclavage antique et servitude moderne esquissée par Pierre Charron en lui objectant sa propre indignation — fort classique — sur « la chose monstrueuse et honteuse en la nature humaine » qui est « l'usage des esclaves et la puissance des seigneurs ou maîtres sur eux » et sa propre déclaration selon laquelle la chrétienté a supprimé lentement l'esclavage faute de pouvoir l'abolir d'un seul coup [25]. Et l'on pourrait relever contre Grotius les critiques indignées de sa concession au « droit » d'esclavage qu'énoncent ses successeurs, Locke, Rousseau, etc. Il ne s'agirait alors que d'une impropriété d'expression ici ou d'une concession là, destinées à être corrigées ou reprises. Mais A. Matheron exhibe un argument plus essentiel : *la théorie de l'aliénation* développée chez tous par laquelle, de même que le citoyen *aliène* sa liberté politique dans le pacte social, le serviteur *aliène* sa liberté économique dans le pacte productif [26]. C'est elle qui, en partageant maîtres et serviteurs, fonderait de Hobbes à Rousseau une servitude renouvelée.

Mais l'aliénation est-elle une servitude?

Soit cette aliénation : pour établir qu'elle induit et légitime l'esclavage, encore faut-il connaître son point d'application, sa portée et ses limites. *Tous les droits ne sont pas aliénables.* La conviction hobbienne tient lieu de *credo* aux doctrinaires classiques qui exigent l'intégrité de la sécurité individuelle. Le raisonnement de Grotius et après lui, celui de Pufendorf, reprennent en quelque sorte l'argument de Hobbes. Là où le droit à la vie est sauvegardé par un maître ou un chef militaire, la sûreté acquise établit un pacte et légitime la servitude volontaire [27]. Robert Derathé, dans le résumé qu'il a fait de la discussion engagée par Rousseau avec les deux jurisconsultes, a souligné la modernité de cette théorie de la servitude volontaire introuvable dans le droit romain. « Pour les Romains, dit-il, l'esclavage ne résulte pas d'un contrat; c'est toujours une privation involontaire de la liberté, une déchéance que l'on subit contre son gré... [28] » Les Romains tiennent l'esclavage pour un fait non un droit, un résultat de l'état de guerre, non une organisation de l'état civil. C'est que, à la suite de Hobbes, Grotius et Pufendorf réduisent les droits individuels au droit à la survie et l'institution du corps politique à la garantie de cette survie. En quoi, ils se trouvent isolés dans la tradition du droit politique classique puisque la majorité des auteurs définit le droit inaliénable comme *status libertatis*. Après les légistes, c'est le cas, dit Robert Derathé de Locke, Jurieu, Montesquieu [29], mais s'il suffit à fonder un pacte social, le droit à la sûreté s'avère défaillant pour établir l'émancipation. L'ordre ne garantit pas la liberté.

Cependant, c'est Grotius, si peu ferme au goût de Rousseau sur la nécessité absolue de rejeter l'esclavage, qui expose avec la plus grande netteté, le partage entre la propriété du corps propre à tous, jamais incessible, et la liberté, capacité de chacun à commander ses actions qu'il peut en revanche aliéner. L'âme et le corps, l'homme comme substance psychophysique. Les classiques raisonnent cartésiennement. Le nouvel axiome de la philosophie politique est dualiste, il interdit qu'on monnaie la vie et que soit confisquée la personne physique mais autorise le prêt des libertés et le change des décisions. Rupture avec l'esclavagisme qui fait marché de la vie et trafique des corps. Sauf à jouer sur les mots, la servitude n'est jamais que le droit de vie et de mort sur un individu, le *jus vitae necisque* comme fondement d'appropriation de la force de travail. Principe que Rousseau brandit lorsqu'il veut ruiner définitivement le fondement juridique de l'esclavage pour en exhiber l'invalidité : là où il n'y a pas de droit de vie et de mort, et Rousseau prétend en bonne logique qu'il n'y en a *jamais* puisque la vie est un droit subjectif, il n'y a pas non plus d'esclavage. Droit de vie et de mort et droit d'esclavage se courent après dans un cercle vicieux. D'où son abrupte conclusion : « C'est donc un échange inique de faire acheter à un homme au prix de sa liberté sa vie sur laquelle on n'a aucun droit. En établissant le droit de vie et de mort sur le droit d'esclavage, n'est-il pas clair qu'on tombe dans le cercle vicieux [30] ? » Si le droit de protéger sa propre vie et d'assurer sa sécurité est inaliénable, la convention fondée sur la mise à mort putative est nulle de plein droit et entre un maître et un esclave, l'état de guerre n'est jamais aboli.

L'aliénation de la liberté pour une durée limitée qui caractérise le service domestique et le travail salarié n'est à aucun moment confondue par les classiques avec la servitude. Le serviteur n'est pas un esclave, le « servant », n'est pas le « slave » et il n'y a pas, dans la philosophie politique antique d'équivalent de cette nouvelle condition. Il ne faudrait pas non plus en effet confondre le salariat avec le mercenariat que Cicéron distinguait de l'esclavage dans le *De Officiis*. Guerre et paix, nature et culture. Le salariat relève de la rétribution pacifique d'un travail social, le mercenariat compense les risques d'une action militaire. Ce dernier est l'enregistrement disciplinaire d'hommes qui a pour finalité l'asservissement d'autres hommes et dans le système antique, comme dans le monde féodal, il participe indirectement au rassemblement des forces productives en tant que bureau d'embauche forcée et recrutement *manu militari* de main-d'œuvre : l'armée, machine à fabriquer des esclaves, et la guerre, machine à conquérir des forces productives. Le salariat en revanche enrôle des individus dans le but d'une transformation économique de la nature et appartient directement à la production. Il naturalise les rapports humains, là où le mercenariat les militarise. Le salariat médiatise le rapport social par le moyen juridique là où le mercenariat immédiatisait le même rapport par la guerre et la domination. Voici pourquoi, domestiques et salariés sont coupés de la guerre, éloignés de l'*imperium* autant que du *dominium*. Sur ce point essentiel, la doctrine politique classique qui précède et légitime, il est vrai, les conditions du salariat, s'affirme pour l'essentiel antidominiale et anti-esclavagiste. La vie ni le corps n'appartiennent au maître et c'est la raison pour laquelle, loin de pouvoir posséder le travail, il ne peut s'approprier que la force de travail, c'est-à-dire un principe abstrait, l'esprit du travail, en l'occurrence, derrière une virtualité, une volonté et une liberté. Le salarié doit être libre pour contracter et les classiques découvrent la réversibilité de la liberté et de l'aliénation. S'il faut toujours remonter à une première convention, il faut, pour toute aliénation, retrouver un arbitrage, une liberté originelle; la liberté est ici — comme le droit — formelle sans doute. Mais la vie — l'ensemble des forces qui résistent à la mort — est aussi un principe abstrait. La politique classique manipule des idéalités et préserve les corps, tandis que la féodale ou l'antique manœuvrait des forces en préservant des idéaux. Le paradoxe de cette situation — équivalent au paradoxe éprouvé par les Grecs de l'efficacité des idéalités mathématiques, qui malgré leur abstraction étaient plus utiles que les techniques empiriques de calcul — est que l'abstraction classique libère la force productive. Sauvegardé dans sa sécurité biologique, le corps devient intouchable, il devient machine, machinique et pire, comme F. Guery et G. Deleule l'ont montré, intégrable au corps productif [31]. Le salariat ne lie que des volontés, ne contracte que des décisions, n'associe que des forces abstraites et le corps devient productif parce que le principe de la production est déraciné de lui et investi dans une liberté qui le manœuvre et le discipline.

Ici encore, la doctrine classique ruine la philosophie seigneuriale et antique pour laquelle il n'y a pas de volonté libre, il n'y a que des volontés de puissance, et pour laquelle il n'y a pas d'aliénation consentie, il n'y a que des assujettissements perpétrés. La théorie de l'aliénation ne supporte pas la légitimation de la servitude mais son invalidation comme le montre — nous le verrons plus loin [32] — le fait que la renaissance de la philosophie seigneuriale passe obligatoirement par une critique de cette théorie. Comment expliquer qu'on puisse donc s'égarer? Peut-être pour cette raison que du point de vue de la doctrine esclavagiste, la seigneurie ne transforme pas véritablement le point de vue antique mais plutôt le conserve et le nuance. Lorsqu'on ne prend pas garde à la polémique antiseigneuriale menée par les classiques dont la cible est justement la servitude, il est facile de manquer cet événement pourtant capital d'une doctrine politique anti-esclavagiste, facile d'oublier ce qu'a dit Rousseau : « Ces deux mots esclavage et droit sont contradictoires. »

En épigraphe, l'observation de Pierre Chaunu : « L'institution monarchique issue pour l'essentiel des structures du monde plein a su protéger l'Europe heureuse contre les catastrophiques remontées de la seigneurie aliénante et esclavagiste qui se produisent à l'Est [33]. » Le critère discriminant qui invalide tout rabattement des États absolutistes les uns sur les autres est peut-être la disparition progressive du servage en Europe de l'Ouest, sa consolidation et son expansion cumulative en Europe de l'Est. L'observation d'Antoine Loysel : « Toutes personnes sont franches en ce royaume et sitôt qu'un esclave a atteind les marches d'icelui, se faisant baptiser, il est affranchi », s'appliquait presque à la France du XIIIe siècle. Irrépressible, le mouvement d'affranchissement s'accomplit en deux temps par dissolution précoce du premier servage et la désagrégation chronique du second [34].

Premier servage, celui des esclaves carolingiens : ils ne partagent plus la condition économique et juridique des esclaves antiques. Ni susceptibles d'être à tout moment vendus ou détruits comme de vulgaires marchandises, ni totalement dépourvus de personnalité. Ils peuvent se marier, fonder une famille; les hommes exercent la puissance maritale ou paternelle, certains possèdent biens, meubles et immeubles. Encore largement esclavagiste au VIe siècle selon Grégoire de Tours, la société s'est modifiée au VIIe siècle. Par la pratique des « chasures » les *domini* ont concédé à leurs esclaves des tenures et, installée sur la masse servile, identifiée à la parcelle qu'il cultive, la condition du serf mue imperceptiblement du servage personnel au servage réel. Mais les devoirs prolifèrent et les droits défaillent. Les hommes croulent sous les taxes : le *chevage,* fixé à quatre deniers, signe infamant de servilité, la *taxe à merci* qui paye la protection seigneuriale, la *mainmorte,* impôt sur les successions ne frappant que le pauvre patrimoine du serf décédé sans héritiers directs, la *taxe de formariage* en cas d'exogamie. Ils étouffent sous les incapacités civiles : interdiction d'entrer en religion, interdiction de figurer dans les tribunaux publics comme juge ou comme témoin. Comment une lueur a percé cette nuit? Comment s'est transformée la condition des serfs? Peut-être par le nivellement. Les historiens discutent pour savoir s'il s'est effectué de l'inférieur au supérieur — ou l'inverse — de la situation empirée des anciens colons dont le titre s'évanouit vers l'an mil à la condition améliorée des serfs. Tous les rustres deviennent demi-libres et le premier servage s'efface. A partir du XIe siècle, on confond serf et vilain. Le second servage, qui commence, incline massivement à devenir plus réel que personnel et moins fondé sur la naissance que lié aux charges qui grèvent la glèbe. Il tend aussi à reculer sous l'effet d'une triple pression. La prédication chrétienne d'abord, destinée notamment à permettre aux serfs animés de vocation d'entrer dans les ordres. Sur ses terrains, l'Église ouvre des « sauvetés » où elle abolit la condition servile. Certaines abbayes comme Saint-Denis en 1232, Sainte-Geneviève en 1246 et 1248 pratiquent l'affranchissement collectif. Puis l'émancipation des communes puissamment encouragée par les rois. Le premier privilège de l'habitant de la ville à charte est la liberté civile. Un serf qui réussit à s'enfuir obtient, après un an et un jour de clandestinité dans une ville libre, l'émancipation officielle. Chance pour le rustre, risque pour le seigneur, l'urbanisation et surtout l'urbanisation accélérée perturbe irréversiblement les règles du système domanial. Enfin l'esprit pionnier et le grand mouvement de défrichement, qui précipite contre les maquis dévorant les garrigues et les taillis rongeant les champs, l'armée vaillante des paysans. Soutenant le mouvement de reconquête des terres dont ils sortent enrichis, certains seigneurs créent des *hostises*, tenures libres pour les hôtes volontaires. Villeneuve, Villefranche, Bastide, Neuville, Neuvic, Bourgneuf, etc., la carte de France est cloutée de ces noms de liberté où se sont installés les paysans affranchis, propriétaires de leurs corps. Dans le même temps, les graphes du servage se resserrent, s'étiolent, se décolorent. Au XIe siècle, le servage évacue la Normandie, au XIIe siècle, il s'efface du Poitou, du Roussillon, de l'Ouest et du Midi, au XIIIe siècle, il disparaît en Touraine [35]. A la fin du XIIIe siècle, il n'y a plus de serfs dans la région parisienne ni dans le Senonais. Du XIIe au XIVe siècle, les monarques réitèrent l'exemple des affranchissements collectifs : Louis VII et Philippe Auguste émancipent les serfs de l'Orléanais. Saint Louis libère ceux de Villeneuve-le-Roi, Philippe le Bel continue le mouvement dans les sénéchaussées de Toulouse, de l'Agenais et du Rouergue [36].

Ainsi donc, au XIVe siècle, toutes les populations urbaines et la grande majorité des populations rurales sont libres en France.

Un servage résiduel subsistera cependant jusqu'à la Révolution française à la veille de laquelle on chiffre encore approximativement 140 000 ou 150 000 personnes serves. Il faut attendre la nuit du 4 août 1789, où le duc de la Rochefoucault-Liancourt fait voter l'abolition sans indemnité de toute servitude tant réelle que personnelle, pour que la France devienne un pays réellement libre. Mais exclue du modèle politique, la servitude qui persistait à l'intérieur de la propriété foncière offre l'aspect d'une survivance désuète et contestable. Le caractère fossile du servage qui tombe massivement en déshérence apparaît nettement lors de la rédaction des coutumes à partir du XVIe siècle : à l'exception d'une dizaine de coutumiers (Bourgogne, Auvergne, Bourbonnais, Manche, Nivernais, etc.), la plupart manquent de dispositions le concernant [37]. L'ensemble de la législation tendait vers sa suppression. Après que les États de Blois (1576) et ceux de Paris (1614) eurent demandé la suppression de la servitude personnelle, après les campagnes de Voltaire pour secourir notamment les serfs de l'Abbaye de Saint-Claude, Louis XVI, par l'édit du 8 août 1776, abolit sans indemnité toutes les formes de servage sur l'ensemble des domaines de la couronne, même les domaines engagés, exprimant le regret que l'état de ses finances ne lui permette pas le rachat de toutes les tenures serviles sur l'ensemble du royaume. A l'intérieur de son domaine, le roi convertit les terres mainmortables en terres libres [38].

De là ce que les juristes classiques appelaient « l'honnête

liberté » des Français ou « liberté commune ». Olivier-Martin a relevé toutes les expressions de la liberté : en 1596, un évêque remontre à Henri IV que les rois de France « aiment en leurs sujets l'honnête liberté et non la vile servitude ». En 1607, en des circonstances analogues, un archevêque exprime le désir de s'adresser au Roi « avec la liberté française ». En 1641, le prince-évêque de Grenoble réclame la liberté de l'Église de Dieu dans « la plus libre monarchie qui soit au monde [39] ».

En Angleterre, la disparition du servage fut beaucoup plus précoce qu'en France. A peine d'ailleurs, le vilainage anglais fut-il un servage, le mot *villanus* qui désigne le vilain anglais et domine tout le vocabulaire indique bien que le servage y fut davantage fondé sur la tenure réelle que sur l'assujettissement personnel. Sous Élisabeth, il ne reste plus que 10 000 vilains et bien avant les Tudor, ils avaient cessé de constituer la majorité des paysans. Le mot vilain lui-même disparaît du vocabulaire au XVIe siècle, le dernier cas de vilainage relevé datant de 1618 [40]. On peut considérer l'*habeas corpus* comme une extension dans le domaine de la pénalité des limites imposées à l'autorité centrale par le droit de chaque citoyen à s'approprier son corps propre. Tardivement appliquée en France où l'on continue d'ériger des bastilles et d'utiliser des lettres de cachet jusqu'en 1789, cette conséquence du statut de liberté fut précocement tirée en Angleterre puisque son principe, énoncé dans la Grande Charte de 1215 est établi dans ses détails juridiques par l'Acte de 1679.

Pendant ce temps, en Allemagne, en Russie et dans l'Europe de l'Est en général, la *macula servitutis,* la tâche de servitude, s'incruste, indélébile. C'est au XVIIIe siècle que s'installe, imbibant les sols, l'ombre noire du second servage. A observer l'exemple russe, on est forcé de conclure à l'intervention directe et au rôle actif de l'État [41]. A partir de la seconde moitié du XVe siècle, la lourdeur des charges imposées par l'État moscovite en formation exerçant son autorité sur un vaste territoire de faible densité — l'inverse du monde plein ouest-européen — incline les paysans à s'en dégager par la fuite et le vagabondage. L'État en retour rogne implacablement le droit de départ. Le code de 1494 interdit aux fermiers de quitter leur maître avant la Saint-Georges d'automne. Accentuée au XVIIᵉ siècle, l'évolution atteint son point de non-retour avec les grands tsars, Pierre le Grand, Élisabeth, Catherine II. Pierre le Grand étend la servitude aux fuyards, aux esclaves affranchis, aux bourgeois ruinés, aux vagabonds et mendiants professionnels et jusqu'aux paysans libres de Novgorod et d'Arkhangelsk. Élisabeth l'aggrave en autorisant les seigneurs à faire déporter leurs serfs récalcitrants en Sibérie, la Grande Catherine la renforce en permettant de vendre le paysan sans la terre.

Les auteurs dominés par un point de vue économiste comme Perry Anderson ne disconviennent pas de la réalité de cette distinction entre l'Europe de l'Est et l'Europe de l'Ouest. « A l'Ouest, l'État absolutiste était une nouvelle forme de l'appareil politique d'une classe féodale qui avait accepté la transformation des redevances. Il s'agissait d'une *compensation pour la disparition du servage...* A l'Est, au contraire, l'État absolutiste était la machine répressive d'une classe féodale, qui venait de supprimer les libertés communales traditionnelles des classes pauvres, c'était un instrument de conservation du servage. » Mais ils s'abstiennent d'en tirer toutes les conséquences et refusent notamment celle qui conduit à distinguer la féodalité de l'aristocratie. L'État absolutiste qui gère l'abolition du servage est peut-être demeuré un État aristocratique, mais il a cessé de constituer un État féodal, un système de pouvoir impérial et dominial semblable à celui des États est-européens. L'absolutisme, ou ce qui, à l'intérieur de l'État moderne ressortit précisément à l'absolutisme, relève peut-être aussi du système seigneurial mais non du système féodal. Les historiens de l'impôt en ont donné leurs raisons de cette division entre l'Est et l'Ouest : dans une société à économie agricole fermée, avec une main-d'œuvre insuffisante, l'État avait pour des raisons fiscales tendance à contraindre le paysan à demeurer fixé au sol et à favoriser le mouvement de dominialisation. En revanche, l'accroissement de la puissance de l'État dans une économie monétaire a produit l'évolution inverse et profité à l'affranchissement du paysan[42].

Privée de l'État de droit qui, aux bords de la Manche et de l'Océan, affleure à l'âge classique, l'Europe de l'Est fut aussi démunie de *status libertatis*. Son destin en a été changé.

LIBERTÉ... LIBERTÉ CHÉRIE

Le statut de liberté individuelle est la grande nouveauté de l'État de droit, car ce n'est rien d'autre à notre sens que l'émergence à l'intérieur de l'État moderne, du premier droit politique anti-esclavagiste. Dans la cité antique, l'affranchissement et l'émancipation étaient des affaires privées et des actions à la marge. La sécurité juridique instaure une loi générale qui modifie l'exercice du pouvoir dans l'État de droit parce que la garantie des droits individuels suppose un pouvoir anti-impérial et antidominial qui requiert la paix et la loi. Les États de droit n'ont pas donné le pouvoir au peuple ni la liberté politique au citoyen. Ils n'étaient ni démocrates ni libéraux. Mais, en préservant le droit de chacun à l'appropriation de sa vie individuelle, ils ont libéré les hommes de l'esclavage. Là où passe l'État de droit, s'efface le servage; là où s'amasse le servage, indéfiniment vieillissent les empires, ces formes antiques, si antiques de la politique...

Le statut de liberté nous apprend encore ceci : sans garantie politique du statut juridique, il n'y a pas de droits individuels, il n'y a que de pieuses protestations sur la valeur de l'homme. Sans État de droit il n'y a pas de droits de l'homme. Il est peut-être temps de remarquer que l'État de droit est le seul terrain sur lequel ont germé les démocraties libérales, parce qu'un peuple ne peut diriger son destin, jouir des libertés politiques et des droits civils que s'il est composé d'hommes libérés. Le statut de liberté nous explique enfin pourquoi les États qui aujourd'hui bafouent les libertés individuelles, après les avoir déclarées formelles, commettent un crime plus grand que celui d'anéantir les libertés civiles, ils mordent sur le *status libertatis* et recréent immanquablement, avec les formes dominiales du pouvoir, les conditions politiques de l'esclavage.

Entre la doctrine du pouvoir souverain et celle de la garantie des droits individuels s'institue l'espace de leur relation. Les classiques l'ont nommé *corps politique* et ils ont réfléchi les modalités de son fonctionnement et de sa cohésion. Avant que la régulation du social ait été pensée à travers les thèmes économiques de la pensée libérale qui détache le social de l'État, elle a été analysée à travers les impératifs moraux de la pensée juridique qui rapporte le civil au politique. Les historiens du droit savent que le second renversement opéré par le droit politique moderne par rapport au droit antique est, à côté de la doctrine du droit subjectif, la conception du droit comme loi. Le consensus civil classique fonctionne en effet selon la morale politique de la loi.

4. La morale de la loi [1]

« Trouver une forme de gouvernement qui mette la loi au-
dessus de l'homme. »

ROUSSEAU

*La loi en question. Les attaques contre la loi et le silence sur l'influence
des Écritures à la Renaissance, à l'Age classique. La morale de la loi :
le système des idéalités morales de l'Ancien Testament. La morale de la
foi : le système des idéalités morales du Nouveau Testament.* La critique
de l'augustinisme politique. Le dépassement du droit romain. *Différence
entre le jusnaturalisme antique et le jusnaturalisme moderne. La naissance
du droit politique.* Germanistes et romanistes. Rome et Jérusalem. *Le droit
comme loi.*

LA LOI EN QUESTION

Souvent, l'attaque de l'État s'accompagne d'une offensive
contre la loi. Dans les stigmates qui creusent la chair des
hommes voués au calvaire, prisonniers ou prolétaires, il faudrait déchiffrer la paléographie de la loi et observer à travers
les sombres liturgies de la justice un antique marquage des
corps et du *socius* au chiffre des cruels commandements. La
haine de l'État se nourrit de la haine de la loi. Suite logique :
l'État moderne en effet s'est placé sous le signe de la loi.
Hegel l'a bien vu [2] : l'un des rares philosophes allemands à
résister à l'emballement romantique explique, en prolongeant

la réflexion politique des lumières, qu'il n'y a pas d'État sans moralité publique, ou, comme il le dit dans son vocabulaire, sans *Sittlichkeit*, sans *vie éthique*, caractère que le vocabulaire sociologique moderne traduit imparfaitement lorsqu'il parle de *consensus*. Le principe de la moralité publique n'est pas *l'amour* qui est le sentiment propre à la moralité familiale et, Hegel le dit aussi, à la *foi;* ce principe, *c'est la loi*[3]. Assujettissement de l'individu? La vie éthique n'existe que pour une communauté d'hommes, ou, pour reprendre la formule de Bodin « de francs-sujets ». Elle est « l'idée de liberté[4] » où les individus peuvent affirmer leur particularité, et l'ordre éthique « où le sujet a des droits dans la mesure où il a des devoirs » est dépourvu de signification pour l'esclave[5]. L'obligation intérieure de la loi n'est que la réciproque d'un droit satisfait.

Au printemps de l'État moderne, le renouveau de la loi puise sa sève dans la recollection de trois sources anciennes : la source grecque de la loi naturelle, la source romaine des lois civiles et la source judaïque de la loi morale. Une constatation : alors que l'on convient aisément de l'efficacité de l'héritage gréco-romain, on néglige plus volontiers l'influence des Écritures. Ici encore Montesquieu, qui dénonce sa dette à l'égard de la loi divine et s'efforce d'arracher « l'esprit » des lois à la théologie, nous gêne.

Du rôle capital de la relecture de l'Ancien Testament dans la constitution d'une moralité civile fondée sur la loi, il y a pourtant d'éclatants symptômes :

L'acharnement philologique des humanistes relayés par les protestants, qui traduisent, épurent, et restituent la première partie de la Bible, savent non seulement « du grec » mais la langue des juifs anciens et combattent, comme Reuchlin, pour la création de chaires d'hébreu, suivis par les théologiens du XVIIe siècle, fondateurs de l'histoire savante moderne, les Richard Simon, les Mabillon qui entretiennent d'érudits échanges avec les talmudistes. Par-delà l'historicisme « faible » des Évangiles, retrouvailles avec la philosophie de l'histoire « forte » de l'Ancien Testament. Toutes les sciences sociales sont issues, dira Renan, de la philologie.

La rentrée des Juifs dans le siècle avec l'immigration spectaculaire de Spinoza portent comme viatique l'œuvre capitale sur laquelle la philosophie française du XVIIIe siècle [6] tire des débits avant d'investir, malgré les dénégations ou le désavœu, les réflexions de Leibniz, Lessing, Jacobi, Fichte et Schelling.

La prolifération des morales de la loi dont *La critique de la raison pratique* sera l'expression achevée et l'aboutissement. On s'achemine vers la constitution d'une moralité publique influencée de façon décisive par les débats théologiques.

D'où l'importance *politique* soulignée par Trevor Roper [7], Bernard Plongeron [8] et Michel de Certeau [9] des débats théologiques pendant la Renaissance et les Temps modernes. Protestants et catholiques, luthériens et calvinistes, arminiens et sociniens, jansénistes et quiétistes ne disputaient pas seulement de l'essence du salut, du sexe des anges et de la cité de Dieu, mais aussi de la définition de la justice, de la « condition humaine » et de la « nouvelle Jérusalem ». Ce lien n'a pas été démenti et la réflexion théologique demeure d'une brûlante actualité. On s'intéresse aujourd'hui aux effets religieux de la politique qu'on avait crue trop longtemps séculière : le fanatisme militant, les conséquences dévastatrices de l'idéologie, tout concourt à repenser les relations invisibles et efficaces de la politique et de la religion. Mieux, la proximité à quelques siècles de distance, des sectes religieuses et militantes qui peuplent le destin de l'idéologie française et, pour ne prendre que ces exemples, l'air de famille entre l'agitation quiétiste du Grand Siècle et la sotériologie gauchiste post-soixante-huit, la morne gravité et la terreur dans les lettres que depuis toujours le style janséniste avec le contrepoint sourd du libertinage érudit imprime à l'intelligentsia, la part très calculée que juifs et chrétiens s'adjugent réciproquement dans l'histoire du socialisme, la foi efficace du grand Soljenitsyne, la foi de charbonnier des militants, autant d'avertissements pour ne plus négliger les effets prolongés et permanents de la religion en politique. Pas d'importation directe ni de conséquences univoques cependant. Il est vain de rabattre comme certains le font trop vite, l'État moderne sur l'Église chrétienne, les lois fondamentales du royaume sur le droit canon, ou d'excommunier l'État après l'avoir convaincu de s'être approprié le cléricalisme et d'avoir confisqué la violence et le sacré. Peut-être faudrait-il plutôt analyser les affinités électives entre les divers types d'Église et d'État, découvrir que les États ont les Églises qu'ils méritent et réciproquement. Comme la parole de Dieu par le prophète et la grâce par l'élu, la religion ne s'avance en politique que masquée par un médium à visage humain : la morale.

Découvrir une morale d'État, une morale civile, une morale laïque, telle était l'Inde nouvelle vers quoi cinglaient les grands « immoralistes », Machiavel, Spinoza, Bayle. L'effort des étatistes classiques portait sur la recherche d'une légitimation qui ne fût pas fondée, comme on le leur reprochait, sur le droit du plus fort, et qui ne fût pas prisonnière de l'Église, ou des rois catholiques. Il leur fallait en quelque sorte une *moralité*. Spinoza, l'athée vertueux que le Grand Condé voulut rencontrer, Bayle montrant que l'immoralité abonde dans le christianisme et que la vertu n'est pas absente du paganisme, mettaient cette recherche en œuvre. Mais si, sans *consensus*, sans idéaux partagés par une majorité des citoyens, aucune société ne peut fonctionner convenablement, il faut admettre après Freud et les anthropologues que le pouvoir moderne n'a pas innové. La morale, système d'obligations qui fonde les devoirs, idéalités qui manœuvrent les comportements comme la stratégie commande les divisions disciplinées, ne s'improvise pas. La généalogie de la morale est une vieille histoire où, sur des débris archaïques se superposent encore des sédiments anciens. L'État n'a donc rien inventé; il s'est contenté d'accommoder les restes, c'est-à-dire les Écritures.

En matière de morale, — rendons cette justice à Nietzsche — l'héritage gréco-romain incorporé a perdu sa saveur première et c'est le judéo-christianisme qui a été l'éducateur moral de l'Occident comme l'hellénisme son pédagogue ès sciences et Rome son professeur de droit.

A partir de quoi, la morale étatiste classique a eu le choix entre deux systèmes : la morale de la loi, qui se fonde sur l'Ancien Testament, et la morale de la foi, qui vient des

Évangiles. Nous soutenons ici que la chance du monde européen extrême-occidental fut, en faisant retour à un canon constitué par *l'ensemble* des Écritures, en privatisant complètement la religion à l'instar de la Réforme, ou en respectant l'autonomie de l'Église à l'exemple de la France, d'avoir échappé à une sécularisation politique de la foi à l'inverse de ce qui se produira au XIXᵉ siècle en Europe de l'Est. L'éthique politique *collective* a emprunté ses valeurs à une morale de la loi, *réservant* aux seuls droits subjectifs l'importation d'une morale de la foi. Pour préciser ce point, il n'est peut-être pas inutile d'analyser les caractéristiques de la morale de la loi et de la morale de la foi. A chacune d'elles son partage, son inconvénient ou son avantage; elles peuvent aussi s'affronter : « Pour qu'un sanctuaire soit construit, il faut qu'un sanctuaire soit détruit. » Versants déjumelés d'un même cours qui n'oppose pas, comme on le croit trop vite, les juifs aux chrétiens, ou les protestants aux catholiques, mais plutôt des points d'application, une histoire et des géographies de la religion. Depuis la Renaissance, toute la foi occidentale, celle de la Réforme comme celle de la contre-réforme a fait retour à un canon constitué par *l'ensemble* des Écritures [10], tandis qu'en Europe de l'Est on a continué à laisser dormir l'Ancien Testament [11]. Évaluer une morale, c'est donc déterminer la nature du sacrifice, le tribut payé aux valeurs, et puisqu'il n'y a pas de bénéfices sans coûts, d'économie sans restriction, et de morale sans dépense, refaire les comptes du moraliste. En un sens, la morale de la loi s'oppose à la morale de la foi : « Sans le commandement de la loi, le juste cherche la vérité et la justice », dit l'Écriture. « Sans les œuvres de la loi, l'homme est justifié par la foi », profère Paul.

LA MORALE DE LA LOI

Morale juive, archaïque, effarante. Étrange idéal d'un peuple étrange qui n'accède à son identité que par le défilé jugulaire de la loi. Aux Hébreux, petit clan nomade caucasosémitique coincé entre les grands empires assyrien et égyptien, appartient le destin étonnant de survivre par une voie inédite et inespérée. Tandis que la conquête assure aux grandes civilisations la territorialisation qui scelle l'inscription des nations à l'état civil de l'histoire et que la force victorieuse décide du destin des maîtres, les Juifs trouvent un autre passeport pour le futur : la Loi. Les tables écrites de valeurs acceptées par tous et pour tous, la Loi qui libère de l'esclavage, conquiert l'identité nationale, rend le pays perdu. C'est après avoir reçu et donné les Tables de la Loi que Moïse a conduit son peuple vers les blancs troupeaux de Canaan. C'est pour les avoir gardées que perdure, dispersée, la collectivité. La Loi, en effet, qui défie territoire et défaite, et surplombe, inaltérée, l'éphémère durée des individus, assure, lorsqu'elle est gardée et transmise, la perpétuation d'une *identité*. Que périsse la liberté, que s'efface la terre ou que s'écroule le temple autour d'un mur aride, que meurent des milliers et des millions d'hommes, la nation malmenée par la vie qui continue d'exalter sa justice et ses valeurs, survit tant qu'il demeure un dernier juste. Lorsqu'on a perdu le particularisme du territoire, cette chair de la patrie, la répétition abstraite et obstinée de la Loi emporte dans l'âme ce que la semelle des souliers a laissé sur le sol. La morale de la loi assure l'identité nationale par la transcendance.

Ses valeurs que met strictement en prescription le *Deutéronome*, et qu'énoncent dans le Décalogue, les « moralia », saint Thomas les tenait pour les principes de la justice et de la loi naturelle. Morale de justice et de jugement, de l'égalité et du rite, des œuvres et de la cité, du rejet de la mort — tu ne tueras point — et de l'écrit. Morale de la paix et du père où la justice, affaire de tous, délaisse chacun car elle suppose la loi transcendante et contraignante... La loi révélée, la loi inscrite, la forme dure, lapidaire de l'écriture sur les tables et dans les pratiques du corps, son formalisme et sa littéralité. Et que nul ne soit au-dessus ou en dehors de la loi, sauf à n'être plus rien, que nul César ni tribun ne dépasse. La justice pour tous et tous sous la crainte de la justice, tous juges et justiciables. Rendre à chacun le sien, honorer le partage et la distribution, connaître la différence du bien et du mal, oindre le juste, fustiger le pervers, connaître. La morale de la loi ou l'exaltation de la justice collective.

LA MORALE DE LA FOI

Mais la loi devient pierreuse, grès qui grève les comportements sans justice. Avec la transgression répétée et impunie, le péché et le mal grandissent. Il y a toujours comme du signifiant sur le signifié, un excès de formalité sur la forme qui étouffe la vie, il y a toujours un individu qui tente de respirer contre l'asphyxie collective, il y a toujours un rebelle qui a raison de se révolter. Des Esséniens et des maîtres de vérité de la mer Morte jusqu'à Christ, se noue et se renoue la lutte de l'esprit contre la lettre, le sursaut de la foi contre la loi et même si celui-ci ne vient pas pour abolir la loi mais pour l'accomplir, bientôt celui-là proclame que le pécheur est justifié par la foi sans les œuvres de la loi. Morale de la foi, morale de la grâce et du salut, de la hiérarchie et du sacrement, de l'ascèse d'Éros, et de la parole, morale du fils et de l'enfant où le salut, souci de chacun, déserte la cité car il suppose la rédemption unique et la crucifixion d'un seul. Le salut appelle la grâce transcendante et libre et pour chacun la foi prêchée, la foi prédite, le pain vivant de la parole sur les tables de la chair, son vitalisme et sa spiritualité et que chacun ait la foi en partage, circoncis et incirconcis, et rende à César ce qui est à César. La foi pour l'élu au désert de l'individualité et tous seront appelés mais peu seront élus. Ne jugez pas si vous ne voulez pas être jugés, pardonnez à ceux qui vous ont offensés, aimez votre prochain comme vous-mêmes. Le sacrifice à accomplir dans la morale de la foi, c'est de traiter sa vie comme moyen et sa mort comme fin, d'accepter de mourir pour cette cité afin de naître à un autre royaume. « Celui qui aime sa vie la perdra et celui qui hait sa vie dans ce monde-ci la gardera pour la vie éternelle. » « Car c'est l'esprit qui vivifie et la chair ne profite de rien. »

La morale de la foi, ou l'annonce de la rédemption singulière.

Entre ces deux voies différentes pour penser et vivre la transcendance, celle d'une justice collective et celle de la grâce individuelle, la morale politique classique choisit de s'inspirer de la première et évite ainsi d'identifier l'État au Christ. L'État moderne n'a pas eu le projet — il y a de quoi s'en réjouir — de *sauver* la société ni d'ordonner « l'émancipation », il a laissé à chacun et à l'Église le soin de méditer le salut pour se soucier seulement d'établir la justice. Jamais le Dieu mortel — la définition, comme on le sait, est de Hobbes — n'a voulu prendre la place de l'Immortel, jamais Léviathan n'a voulu devenir Behemoth.

Dix pieds de glace ne sont pas venus d'un jour de gel. Le triomphe de la morale politique de la loi est l'aboutissement d'un combat pluriséculaire marqué par le renversement d'un double obstacle : il a fallu que la philosophie politique moderne dépasse l'antijuridisme médiéval, en l'occurrence l'augustinisme politique mais aussi qu'elle abandonne le jusnaturalisme antique et qu'elle délaisse le droit romain.

La critique de l'augustinisme politique

1. L'augustinisme politique est en effet l'aveu prolixe de l'*absence* d'une doctrine philosophique de la loi. Le mythe d'une époque livrée à la dévastation d'Attila, à l'indifférence des Mérovingiens et à l'oraison des saints, l'inaction d'un monde de désordre et de trouble où la foi aurait *entièrement* remplacé la loi ne rend certes pas compte de la réalité. Le droit romain a continué ici, le droit saxon s'est développé là, à l'intérieur du droit canon. Le *jus novum* concurrent du *jus antiquum* retrouve l'idée de la loi [12]. Le droit civil moderne est autant sorti de leurs ajustements et concessions réciproques que du grand effort de la réflexion politique classique. Cela dit, entre le haut Moyen Age et la précoce pré-renaissance, entre l'augustinisme et le thomisme s'inscrit la rupture qui sépare le mépris de la loi de son apologie, la négligence du droit de

sa recherche, la dénégation de la justice terrestre de son effort pour la promouvoir.

Cette indifférence à la loi et au droit, nul mieux que saint Augustin, le plus grand des anciens Pères de l'Église, ne l'a attestée, en rejetant l'une et l'autre comme les expressions négligeables de l'arbitraire des pouvoirs et des caprices de l'histoire. Bien qu'il prescrive l'obéissance aux lois profanes, « jusqu'à ce que l'iniquité passe et que toute damnation humaine soit anéantie lorsque Dieu fera toute chose en nous », l'évêque d'Hippone, qui estime à la suite de Paul que la foi est le vrai droit, rejette l'idée d'une justice terrestre ou d'une loi naturelle [13]. Avec des accents qui trahissent sa formation manichéenne le fils de sainte Monique dénonce la mystification de tout espoir en la justice des hommes.

C'est par saint Thomas qui renoue avec l'aristotélisme que s'effectue le dépassement du point de vue augustinien. Reconnaissant qu'il n'y a pas de doctrine juridique propre au christianisme, l'auteur de la *Somme théologique* se propose pourtant de briser avec l'indifférence envers la justice humaine et de développer le droit profane en prenant appui sur l'idée aristotélicienne de loi naturelle. Confiant dans « la compétence essentielle de la raison à connaître par l'observation, l'ordre temporel [14] », c'est lui qui, comme le montre Michel Villey, ouvre la voie empruntée plus tard par Hobbes, Pufendorf et Wolff d'un droit laïc fondé sur la raison et ce, en rupture avec les monuments du Moyen Age comme le décret de Gratien et les Décrétales qui se plaçaient délibérément sous le patronage divin.

La pensée politique classique ne lui demeure cependant pas fidèle parce que la plupart des auteurs modernes vont penser le droit sous le concept de la loi, c'est-à-dire de commandements écrits qui dérivent soit de la nature humaine, la raison et les droits imprescriptibles de l'individu, liberté, sécurité, propriété, soit d'une décision volontaire d'un souverain, monarque, aristocrate ou peuple. *Le second dépassement est donc celui du jusnaturalisme antique* tel qu'il a été recueilli par saint Thomas. Qu'on l'approuve ou qu'on le regrette, la philosophie politique classique trop vite qualifiée de jusnaturaliste, partisane du droit naturel, s'éloigne de la conception antique de la loi et de l'interprétation romaine du droit.

Le dépassement du droit romain

L'écart, le grand écart avec le droit romain, fonde l'originalité du droit politique classique et l'étape qui, à l'intérieur des États de droit, succède à celle du ressourcement romaniste du XIIᵉ siècle, est peut-être l'étape fondamentale. Tant qu'on luttait contre le nihilisme juridique, tant qu'on était avant tout occupé à mettre de l'ordre juridique là où régnait le désordre militaire, tant qu'il fallait accepter et faire admettre la légitimité du *principe* du droit, l'exemple de l'activité juridique de Rome était nécessaire et, venue d'Italie, l'exégèse romaniste florissante. Mais lorsqu'il s'est agi de passer du principe à son application, d'aller de la forme au fond, d'établir le droit politique moderne qui règle le gouvernement des affranchis, juridifie l'émancipation des serfs et garantit les droits subjectifs, on ne pouvait plus se satisfaire de la leçon romaine et du droit antique.

Renonçant à concevoir le droit comme la recherche du juste, *jus id quod justum est,* et la justice des hommes comme un reflet de l'ordre des choses, la plupart des philosophes du contrat imaginent le droit comme une application des lois civiles et se montrent ainsi étrangers au jusnaturalisme strict.

Le concept du droit naturel est au demeurant fort complexe, qui articule plusieurs idées : la première, d'une intelligibilité égale du droit civil et de l'ordre de la nature. Celle-ci en tant que prime à la rationalisation de l'activité juridique, les classiques l'acceptent volontiers. Lorsqu'il faut préciser l'identité du concept de nature (nous avons déjà signalé quels changements dans le sens d'un refus de la hiérarchie et d'une promotion de l'égalité, la mécanique classique avait fait subir à la définition aristotélicienne), tous les théoriciens du pacte qui essaient de rendre raison du passage de l'état de nature — caractérisé, à l'image du monde physique, par une stricte égalité — à un état civil où se sont instaurées l'inégalité et la hiérarchie, demeurent avec leur robinsonade moquée par Marx, fidèles à un jusnaturalisme rénové.

La seconde signification du droit naturel est qu'il faut traiter les rapports juridiques entre les hommes comme des rapports entre des *choses* et la juridification comme un ordre des choses parce que l'homme est une nature parmi les natures. Cette idée, les classiques la refusent tout net : estimant que les êtres « moraux » ne sont pas des êtres physiques (Pufendorf), que les *jura* ne sont pas des usages juridiques des choses mais des droits humains subjectifs, ils imaginent la juridification comme un ordre purement civil. Évitant de calquer le droit civil sur le modèle du droit romain jurisprudentiel et fondé sur le droit privé, ce droit romain dont Jhering dira qu'il était « une politique de la force » — ce que feront bien entendu les romantiques allemands et à leur suite les pandectistes — la philosophie politique classique fraye une voie inconnue. C'est qu'elle a aussi un programme inédit : codifier les litiges sociaux encore étrangers au droit et juridifier la *potestas*, la puissance théoriquement incluse dans la sphère du fait; soumettre la puissance au droit et faire réciproquement du droit une puissance. Pour contredire Pascal, faire que la force soit juste.

LA NAISSANCE DU DROIT POLITIQUE

La prodigieuse floraison des doctrines du pouvoir à la Renaissance et à l'Age classique, avec l'école italienne, Guichardin, Machiavel, l'école espagnole, Suarez, Vitoria, l'école française, Bodin, les monarchomaques, l'école anglaise, Hobbes, Locke, lève sans doute sur le terrain fécond de l'étatisation. Mais elle est aussi la preuve d'une transformation de l'essence de la politique car s'il n'y avait eu qu'une simple rémanence de l'État antique, qu'une reconstitution d'empires, on aurait pu s'en tenir à la réception du droit romain et à la remise au jour de la théorie politique antique. Or la doctrine politique moderne a des objectifs originaux : mesurer les pouvoirs et non seulement répartir les choses ou encore, *juridifier la politique*. Un tel programme explique sans doute l'interpénétration de la politique et du droit, caractéristiques de l'Age classique qui ne finit pas de surprendre, en dépit de nos bonnes intentions pluridisciplinaires, nos recherches spécialisées. Chez Bodin, Grotius, Domat, un juriste trouve de la politique là où il cherchait du droit, et un politologue qui espérait de la politique découvre du droit. C'est que, pour les modernes, le nouvel objet du droit est précisément la politique et que, réciproquement, la politique est pensée en termes de droit. Doctrine du *droit politique*, doublement étrangère à la conception juridique romaine et à la science politique actuelle : le droit romain ne pense pas le droit en termes de pouvoir et notre politologie, obnubilée par les grands soirs de la prise du pouvoir, oublie volontiers le petit jour des techniques juridiques de l'exercice du gouvernement et ne conçoit pas le pouvoir en terme de droit. A ce droit, que nous avons appelé la sécurité juridique, on ne trouvera évidemment pas de précédent dans le droit romain. Mais on n'exhumera pas non plus d'antécédents dans le droit seigneurial, car son développement procède plutôt d'un dépassement réciproque de chacun des deux droits par l'autre.

Pour fonder le droit abstrait et non territorial de la souveraineté, les légistes, par opposition au droit territorial et dominial de la seigneurie, n'ont pas manqué de faire appel à l'abstraction du droit qu'est le droit romain. Et pour établir un lien entre la politique et le droit, ils n'ont pas hésité à s'inspirer du droit seigneurial qui est l'auteur de cette innovation absolue dans l'histoire du droit par rapport au droit romain, d'une puissance juridifiée, d'un pouvoir devenu droit. Outre les analyses de Michel Villey [15], nous renvoyons ici aux appréciations injustement décriées de l'école dite du régime domanial. L'interprétation mise au point par Fustel de Coulanges et poussée à son terme par Henri Sée [16] ne s'est pas contentée de remarquer que le régime domanial de la seigneurie avait émergé de la villa gallo-romaine et ce faisant, était surgi du monde antique; elle a surtout insisté sur l'amalgame réalisé par la seigneurie entre la propriété et le pouvoir. Devenu un maître qui gouverne, le grand propriétaire a droit de juridiction et de correction sur les hommes de sa terre, il est responsable de leurs actes, perçoit des redevances, impose des corvées et règne sur un conglomérat économico-politique; c'est bien « la puissance en propriété » décrite par Loyseau où le pouvoir est devenu droit, et où le droit a été politisé en même temps que privatisé.

Germanistes et romanistes

Nous n'entrerons pas ici dans le détail de la discussion complexe qui sépare germanistes et romanistes. Dans la deuxième moitié du XVIIIe siècle, le débat sur la conquête germaine qui occupait auparavant tous les esprits, a peu à peu cédé la place à une discussion sur la nature de la féodalité, discussion qui s'est poursuivie dans l'historiographie du XIXe siècle. Les « germanistes », parmi lesquels on comptait Boulainvilliers, Montesquieu, Mlle de Lezardière, Mably et, au XIXe siècle, Tocqueville, mettent l'accent sur la *coupure historique* effectuée par les grandes migrations des tribus germaines et insistent sur l'originalité de la féodalité. Les « romanistes », qui regroupent Dubos, d'Argenson, Moreau, et au XIXe siècle, Fustel de Coulanges et Henri Sée, sont plus sensibles à la lente agonie de l'empire romain et déplacent la coupure vers le monde moderne. A « la légalité du coup de force », chère aux premiers, les seconds opposent la lente inflexion des formes juridico-politiques antiques.

Nous prêterions volontiers attention aux arguments de Fustel de Coulanges parce que, en refusant d'étudier la féodalité à partir du terminus *ad quem*, il rejoint le point de vue des légistes classiques qui détachaient la féodalité de la royauté en estimant qu'elle constituait moins une usurpation des privilèges régaliens que le développement pathologique de la puissance en propriété.

Mais il faut observer que, si le débat a rebondi avec les travaux d'Esmein [17], c'est que les deux points de vue ont leur légitimité. Elle tient peut-être à ce que chacun d'entre eux apprécie et rend compte de déplacements historiques fondamentaux. Les romanistes, de la pérennité de la politique antique que masque le servage. Les germanistes, de la transformation des rapports humains. C'est la seigneurie il est vrai qui, avec le domaine retenu et les droits seigneuriaux afférents, censive, corvées, banalités, inaugure ce nouveau et fantastique rapport d'amalgame entre la puissance et la propriété. C'est elle qui brouille les traces respectives du droit privé et du droit civil. C'est elle qui les trouble par une double et illégitime extension de la sphère juridique au regard du droit romain. Le droit seigneurial — droit du maître — est un droit sur l'homme. Le droit seigneurial est un droit civil issu de la propriété et l'esprit de sa loi est la propriété. Alors qu'à l'intérieur du droit romain, les droits étaient des droits sur les choses et la maîtrise, la servitude, la puissance, étaient des faits, des rapports de faits et de force, non des droits.

De là une double correction apportée par le droit politique moderne : d'abord séparer la propriété de la souveraineté, distinguer la *domanialisation* de la *dominialisation*. Faire du domaine un territoire et rejeter la maîtrise. Le roi ou l'État seront souverains sur des sujets ou des citoyens qui résident sur un espace mais n'appartiennent pas à un domaine. Ensuite, assujettir le maître au droit et libérer le droit du maître.

Ce lien entre le pouvoir et le droit inventé par la seigneurie, les doctrinaires de la souveraineté et les apologistes de l'État de droit vont donc le conserver, mais en l'inversant; au lieu de politiser le droit, ils vont juridifier le pouvoir, au lieu de dresser la liste des droits en contrepoint de celle des puissances, ils vont assujettir le pouvoir à la loi et au lieu enfin de privatiser le droit, ils vont le civiliser.

Inversion formidable pour laquelle n'existait aucun modèle juridique. Le droit romain n'a jamais individualisé le droit, et le droit seigneurial n'a pas davantage imaginé de contrat social, de pacte à l'échelle de la collectivité où l'ordre soit assujetti à la loi et la sécurité à la libération. Sortir de l'esclavage, promulguer un droit qui garantisse la libération, trouver la loi d'alliance pour cette libération, tel est l'horizon inédit de la politique moderne. Le chemin, cette fois, ne mène pas à Rome. Cette voie, aucun *droit* antique ne l'a carrossée et ce n'est pas dans le droit que les théoriciens modernes l'ont cherchée, mais dans un texte peu juridique, la Bible.

Le symptôme tenace, touffu, énorme, de la réitérative référence biblique dans la philosophie politique classique comme dans les écrits des légistes, c'est à peine si nous y prêtons attention, convaincus que nous sommes qu'il est un résidu irrédent des concessions obligées que les modernes devaient faire aux traditions, une précaution, une apparence, l'habile vernis de la prudence. Hobbes d'ailleurs n'a-t-il pas donné le « la » en proclamant dans la conclusion du Léviathan : « La vérité de toute doctrine dépend de la raison »? C'est ainsi qu'à quelques exceptions près, comme l'intéressante tentative de Jean-Pierre Duprat, nous avons pris l'habitude de négliger la *moitié* du Léviathan, puisque c'est bien la moitié de son œuvre maîtresse que l'athée Hobbes consacre à réfléchir le pacte d'alliance et la sortie de la servitude à travers les textes de l'Ancien Testament. Digression originale? Nullement. Hotman, Bodin, Grotius et *alii* cherchent aussi dans les textes sacrés un appui, et un étayage. Qu'espéraient-ils trouver? La libération par la loi comme métaphore, la loi pour la libération. Dans la mesure où il n'existe aucun modèle juridique qui garantisse l'émancipation collective des esclaves par la loi, les modernes en trouvent un *analogon* dans la loi d'alliance de l'Ancien Testament et dans l'émancipation du peuple par la loi. Ce n'est pas une religion mais un idéal politique, une *autorité théologico-politique* que les classiques demandent aux *Écritures*. Ils leur empruntent la métaphore de la terre promise par la loi d'alliance, par quoi le peuple juif a trouvé le moyen d'échapper à l'esclavage et de fonder une nation. « Le Royaume de Dieu, explique Hobbes, est proprement sa souveraineté civile sur un peuple particulier institué par un pacte [18]. » C'est ainsi à notre sens qu'il faut interpréter l'archéologie biblique qui foisonne dans le droit politique classique.

Dans le même temps, on observe (en France et en Angleterre) une répétitive relégation du droit romain. La Bible en exergue, la Bible comme repoussoir des droits romains ou seigneuriaux, est invoquée chaque fois qu'est exhibée l'intention de cimenter la libération des hommes par la loi et de juridifier la politique. Entre le droit romain et les droits nationaux, le siège des jurisconsultes classiques est bientôt fait : « Ce serait crime de lèse-majesté, dit Bodin, d'opposer le droit romain à l'ordonnance royale [19]. » La majorité des jurisconsultes français (Guy Coquille, Étienne Pasquier, etc.) se rangent à la solution énoncée par Charles du Moulin. On ne doit recourir au droit romain qu'à titre de raison écrite et non de loi commune, *non ratione imperii sed rationis imperio* [20]. Guy Coquille l'exprime ainsi : « En la France coutumière, le droit civil romain n'est pas le droit commun, il n'a pas force de loy, mais sert seulement pour la raison et nos coustumes sont nostre vray droit civil [21]. »

Ainsi Loysel, du Moulin, célèbrent les mérites du droit coutumier et l'obsolescence du droit romain, tandis que les philosophes imposent l'autorité des *Écritures*. La dévaluation de la jurisprudence romaniste et la déshérence de la dialectique falsifient même l'image du droit romain et occasionnent la confection de faux tableaux. Sous prétexte de se débarrasser des *addenda* médiévaux, les modernes se déchaînent contre les *Pandectes*, s'attaquent au *Digeste* et imaginent la problématique figure du *droit classique* dont le statut à l'intérieur de la pensée juridique n'est pas sans rappeler le statut non moins problématique de la république romaine dans la pensée politique. Bientôt les synthèses juridiques les plus audacieuses, comme celles de Domat, abandonnent le plan triparti des *Institutes* de Gaïus — personnes, choses, actions, — au profit d'une construction rationaliste et individualiste qui classe les droits et impose le système du droit comme loi [22].

Sans doute la fixation du droit coutumier, empreint d'archaïsmes seigneuriaux, a-t-elle été un obstacle important à la réception du droit romain. Mais là n'est pas la seule raison. Les classiques avaient aussi des motivations modernes, des raisons politiques de se défier du droit romain. Le droit antique brille en effet par ces absences : il n'y a pas de doctrine du contrat social, d'échange et d'équilibre entre le pouvoir et l'individu, de théorie de l'alliance, il n'y a pas de doctrine réciproque de loi et de l'ordre, de la libération et de la sécurité. Dans ces conditions, la réserve que les modernes trahissent devant ce droit romain vient peut-être moins de ce qu'il est objectiviste — alors qu'ils sont subjectivistes — moins de ce qu'il évalue les choses là où ils apprécient des hommes, que de ce qu'il est le droit d'une société esclavagiste et de ce qu'aucune société esclavagiste, dans la mesure où elle s'approprie collectivement la vie d'individus réduits en esclavage, ne peut reconnaître la liberté individuelle d'appropriation de la vie. Là gît l'écart entre le *status libertatis* du citoyen romain qui est l'état de non-esclavage du père de famille libre et la sécurité juridique de l'ancien affranchi. Le dépôt vétéro-testamentaire qui affleure dans les textes classiques est alors moins un sédiment archaïque, une ancienne alluvion, qu'un instrument pour résister à la jurisprudence romaniste au moment même où se forme la romanistique moderne déviationniste. Entrée de la religion en politique? Pas tout à fait.

En l'absence de modèle juridique, l'emprunt fait aux *Écritures* est soigneusement calculé pour que, toutes taxes institutionnelles déduites, la morale soit seule importée — et mieux, pour que cette morale soit précisément la morale de la loi. Dès lors, le lien établi entre l'individu libéré et le pouvoir souverain n'est pas totalement juridifié : disons qu'il se forme plutôt à *la morale de la loi* par la double obligation consentie entre le citoyen et le souverain dans le pacte d'alliance de s'assujettir réciproquement et de s'en tenir à la loi. Moins rigoureuse pour le prince que pour le citoyen, l'obligation, dans la marge d'indétermination juridique qu'elle laisse subsister, n'élimine pas toute dérive despotique du pouvoir. Se constitue néanmoins une extension considérable de la sphère juridique : là où n'existaient que des droits partiels et partiaux s'installe la loi collective; là où ne se trouvaient que des règles limitées et des cas d'espèces, s'instaure un système général; là où ne régnait que le droit civil se développe un droit politique. La politique moderne file vers la démocratie mais elle ne retourne pas à la démocratie oligarchique antique, qui était, sur fond d'esclavage, une oligodémocratie. La démocratie moderne, démocratie de fils et petits-fils d'ingénus, fraie sa voie vers le macrodémocratique.

LE DROIT COMME LOI

Or il n'y a qu'une voie pour parvenir à cette juridification de la politique : la distinction du droit et de la loi et l'instauration de la suprématie de la loi dans le fonctionnement du corps politique.

Si d'un auteur l'autre, les définitions de la loi varient : une pour les uns, « *la* loi » disent Hobbes et Rousseau, plurielle pour les autres « *les* lois », corrige Locke, si elle est ici originelle et là récurrente, « les lois sont faites après coup comme on calfate des vaisseaux qui ont des voies d'eau », écrit plaisamment Voltaire [23], le justificatif de la loi demeure partout le même : *la loi, c'est l'obligation du corps politique dans son entier de se soumettre et de s'assujettir à la juridification.* Différente en ceci du droit qui peut être un avantage particulier, un privilège, un droit du plus fort, la loi seule, sur le modèle de la loi d'alliance avec Dieu oblige chaque individu envers l'ensemble d'une collectivité. C'est Hobbes, le théoricien de l'État moderne *in statu nascendi* qui l'exprime avec le plus de netteté : « On confond souvent les noms *lex* et *jus* c'est-à-dire la loi et le droit et cependant c'est à peine s'il y a deux mots qui soient plus contradictoires. Car le droit est la liberté que nous laisse la loi et les lois sont les restrictions par quoi nous accordons tout pour restreindre nos libertés réciproques. La loi et le droit ne sont donc pas moins différents que contrainte et liberté qui sont contraires [24]. » *La loi, de quel droit?* Du droit d'alliance de toute la collectivité, du droit du plus faible. En guise de contre-épreuve, Hobbes désigne la différence entre une charte et une loi : la première est un don, une concession (*dedi, concessi,* dit le monarque) qui découle de l'expression d'un bon plaisir, la seconde est un commandement (*judeo, injungo* proclame le souverain) qui relève de l'obligation nécessaire de l'ordre civil. L'une est particulière, l'autre est universelle [25], c'est pourquoi, ajoute le grand mécaniste, il faut que la loi soit écrite et connue [26], faute de quoi elle se réduirait à la loi naturelle. Rousseau insistera à son tour sur ce caractère général, universel de la loi : il ne la dépeint pas seulement à l'instar de Pufendorf comme « la volonté d'un supérieur » ne considère pas comme suffisant — même si ces conditions sont nécessaires — qu'elle soit promulguée ou écrite, il veut aussi que la *forme* de la loi et l'autorité qui statue soient générales autant que sa matière et l'objet sur lequel la loi statue : « Qu'est-ce qu'une loi? C'est une déclaration publique et solennelle de la volonté générale sur un objet d'intérêt commun [27]. » C'est donc la double universalité de la volonté générale et de l'objet sur lequel porte la loi qui fait son caractère [28]. Transcendance de la loi et par là, émergence à l'intérieur de l'État, de justice, d'office et de finances, de la fonction législative et proclamation de sa suprématie. Le justificatif de l'importance conférée à la loi se trouve dans l'essor du pouvoir législatif : « Ce n'est point par les lois que l'État subsiste, c'est par le pouvoir législatif », dit encore Rousseau [29] et Locke : « Le pouvoir législatif est le pouvoir suprême de toute société politique [30]. »

Dans un magistral exposé, Locke explique que le pouvoir législatif n'est pas un pouvoir sur la vie [31] ni non plus un pouvoir arbitraire [32] ni davantage un pouvoir sur la propriété. Les limites qu'à la loi imposent les droits subjectifs, cette dimension fondamentale de la conscience juridique moderne venue de la méditation franciscaine dessinent une transcendance bien distincte de celle de la foi. Pour autant que la loi ne requiert pas la vie, elle n'appelle ni martyr ni sacrifice et ne donne aucun sens à la mort : *elle ne joue pas de la mort.* Pour autant qu'elle n'est pas l'expression d'une volonté arbitraire mais d'un entendement législatif — d'une volonté générale, dit Rousseau — elle ne travaille pas sur la table rase, l'argile immaculée, la page blanche, *elle ne rivalise pas avec Dieu.* Pour autant qu'elle n'est pas un pouvoir sur la propriété d'autrui, qu'elle est limitée par les droits de l'homme, *elle n'est pas une servitude.*

L'élévation de la loi : voici donc dans l'État de droit la forme que prend la transcendance d'une politique qui organise l'espace social en se gardant de capter les prestiges et les investissements de la foi. Ne nous en plaignons pas : là où l'inverse se produit et où la forme de la transcendance politique est empruntée à la foi, la barbarie, le totalitarisme, le despotisme viennent. Dans l'État de droit moderne, la fonction législative s'est limitée à la justice, laissant à chaque individu le soin de régler la question du salut. Une politique de la loi se nourrit et se limite aisément de la foi singulière. La suprématie de la loi dans le droit témoigne enfin d'une extension rectificatrice de la sphère du droit : *la politique devient l'objet du droit* et les droits politiques sont juridifiés comme droits individuels. Infidélité au droit romain; autant que de répartir les choses, il s'agit désormais de mesurer des pouvoirs, autant que de définir des usages humains des choses, de désigner des usages humains des hommes. Le droit n'est plus le fait de valeur de la politique de la force, et la force, la puissance ne sont plus de simples faits, mais des « estats » car la force doit s'assujettir au droit, le droit doit devenir puissance et force, l'État se désigne « de droit ». Faire de la politique un objet du droit, ceci n'est possible qu'à condition d'assujettir le pouvoir lui-même à la loi, de juridifier les propriétaires autant que la propriété, les puissants autant que la puissance.

5. Réflexions pour l'histoire de l'État français

*Question de vocabulaire. Origine de la notion d'*Estat. *Limites de l'écono-misme. Critique de l'interprétation de Perry Anderson. France-Angleterre. Comparaison des systèmes politiques anglais et français. Les difficultés de l'étatisation de droit en France. Centralisation gouvernementale et centralisation administrative. L'avance du droit public et la centralisa-tion gouvernementale. Le retard du droit civil et la centralisation admi-nistrative. La dérive administrative.* Princeps legibus solutus est.

Tel qu'il se dégage des œuvres des légistes et des juris-consultes, le modèle de l'État de droit n'a qu'une validité rétrospective et une vérité approchée. C'est en quelque sorte un idéal, un étalon, au mieux un programme que l'on s'ef-force de réaliser et que les moyens d'application déforment ou trahissent. Si zélés qu'ils se montrent à obtenir gain de cause, les théoriciens demeurent des éclaireurs ou des francs-tireurs que le gros de la troupe suit ou abandonne selon l'oc-casion. L'histoire concrète des formations étatiques reste à entreprendre.

QUESTION DE VOCABULAIRE

Elle pourrait commencer par une remarque linguistique. L'histoire de l'émergence d'un vocabulaire a toujours été une bonne piste.

A réalité nouvelle, mot nouveau : dûment parrainée par les

monarques sur les fonts baptismaux de la politique moderne, l'institution État ne fait pas exception. Dans une constellation sémantique indistincte resplendit malgré ses halos l'astre enfin révélé. Au xv⁰ siècle, Claude du Seysell et Machiavel emploient le terme dans son acception moderne, pouvoir de commandement sur les hommes et par extension, gouvernement, régime. Primitivement, le terme *Status* ne se dissocie pas d'un génitif : on dit *Status Rei publicae, Imperii, Regni, Regis* [1]. Un peu plus tôt on disait *Res publica, Corona, Regnum*, l'État dormait encore au creux des royaumes comme une fleur dans sa tige. Mais en Angleterre et en Bohême, la couronne elle-même devient à la fin du Moyen Age une notion abstraite qui, de son prestige, efface les singularités du *rex*. Germination d'un vocabulaire neuf où l'on voit grandir, émanciper des personnes, enraciner dans une institution, le système politique de l'État.

Il faudrait dire avec Georges de Lagarde « au début était l'État de droit ». L'auteur de la *Naissance de l'esprit laïque au déclin du Moyen Age* [2] met en évidence, dans son chapitre intitulé : « Qu'est-ce qu'un Estat? » ce fait troublant : le statut par lequel est définie la condition juridique d'une collectivité, d'une association, le plus souvent d'une ville, déroge au vieux contrat du fief. Celui-ci, fondé sur la situation des terres, engageait des individus, liait des vivants, stipulait une dépendance personnelle et transitoire; celui-là, établi sur la condition des personnes, organise une collectivité, enrégimente plusieurs générations, contraint à l'intérieur de nœuds durables le fonctionnement d'une institution. Les règles coercitives « fixent en somme le statut juridique d'une communauté [3] ». C'est ce statut qui définit alors *l'estat* d'un groupe, l'ensemble de ses droits, lesquels droits sont primitivement franchises et privilèges au sens médiéval, mais aussi règles communes et principes collectifs au sens moderne. L'*Estat*, c'est un statut de droit juridique et collectif. Il a fallu au moins « deux siècles pour constituer ainsi en marge des seigneuries féodales et des immunités ecclésiastiques ces innombrables cercles juridiques disparates au sein desquels les personnes voulant échapper au régime féodal ont fait remanier le statut de leur liberté collective [4] ». Peu à peu, les divers groupes sociaux, la bourgeoisie, la noblesse, le clergé ont acquis à leur tour des statuts. Georges de Lagarde y voit l'origine des différents *estats* qui composeront les états généraux. L'intérêt de ces observations, prolongées par une discussion critique des interprétations traditionnelles de E. Lousse et d'Otto Hintze est d'assigner à la théorie du pacte social que les philosophes jusnaturalistes élaboreront ultérieurement, une origine historique concrète, distincte de la charte féodale. Elles conduisent Georges de Lagarde à émettre l'hypothèse que l'*Estat*, en raison de sa dimension juridique collective et communautaire, ne procède pas du contrat privé — il souligne d'ailleurs plus loin le caractère anti-individualiste des statuts corporatistes. Analyse précieuse qui distingue les généalogies : le contrat social — *estat* de droit — n'est pas une charte privée. Le lien de ces *estats* avec l'État ? Il se trouverait peut-être dans le mécanisme par lequel les princes territoriaux ont multiplié et convoqué les estats, dans le but de conforter et de faciliter l'exercice de leur propre pouvoir. Il serait à chercher dans le mécanisme du *gouvernement associatif*.

L'histoire de l'État français pourrait peut-être aussi s'ordonner à partir d'une étude juridico-institutionnelle.

LIMITES DE L'ÉCONOMISME

Que l'idée d'une histoire de l'État dégagée du préjugé économiste qui, trop longtemps, « a assimilé le politique au conjoncturel » — selon la formule de Pierre Chaunu — ne soit pas absolument vaine, nous voudrions en prendre pour témoignage les limites de la récente tentative de Perry Anderson, un historien anglais, dans son étude de l'État absolutiste [5]. L'ouvrage, intéressant et vigoureux, ne manque pas de qualités. Engels avait écrit : « La monarchie absolue des XVIIe et XVIIIe siècles maintint la balance égale entre la noblesse et la bourgeoisie [6] », et son analyse suffisait à ranger derrière Boris Porchnev toute une génération d'historiens, convaincue que l'État était une mer morte, un espace vide, un degré zéro de l'histoire. Contre cette mauvaise habitude, Anderson s'efforce de redonner à l'histoire politique une pertinence fondée sur une indépendance. Bousculant les divisions spatio-temporelles admises, il choisit le bon « trend » et une géopolitique adéquate : le rythme propre à l'histoire de l'État absolutiste se développe sur quatre siècles et son territoire est celui de l'Europe. Anderson se promène ainsi en Espagne, en France, en Angleterre, en Italie, en Suède, en Prusse, en Pologne, en Autriche et en Russie, sans même dédaigner, pour asseoir plus solidement sa comparaison, une incursion au Japon et en Russie, et cela du XVe au XVIIIe siècle. Dans un champ aussi vaste, il n'était sans doute pas question d'entreprendre à propos de chaque État une recherche de première main et l'étude d'Anderson est essentiellement une synthèse réfléchie des travaux disponibles. Ce dispositif conduit l'auteur à présenter l'*État absolutiste comme un État seigneurial* organisé au service de la classe féodale dominante dans le but d'extraire de la nation la rente féodale non plus locale mais centrale, un État, dit-il, *militariste, mercantiliste* et *patrimonial*[7].

L'interprétation a ses atouts qui rend compte de nombreuses données. L'unité de civilisation qui, dans l'Europe de l'Atlantique à l'Oural, a présidé à l'émergence des sociétés industrielles; l'état permanent de conflit armé virtuel caractéristique de la période; la rémanence des aristocraties et la prolifération des sociétés de cour. Anderson conclut que l'État absolutiste est un prolongement de la féodalité et le capitalisme une conséquence du féodalisme. Dividende supplémentaire, le développement industriel du Japon, l'un des rares pays asiatiques qui ait connu une organisation féodale comparable à la nôtre, s'en trouverait élucidé. La problématique d'Anderson rejoint ainsi celle des historiens allemands du XIXe siècle qui ont attribué à la germanité féodale la responsabilité de l'évolution de l'Europe. Mais les faiblesses de l'explication sont peut-être plus graves parce qu'elle néglige des aspects non moins importants. Indifférent à la spécificité des formes étatiques, le modèle d'Anderson conduit à rabattre tous les États les uns sur les autres. Les États anglais et français sur l'État espagnol, les États occidentaux sur les États orientaux. Certaines formes étatiques s'en trouvent hypostasiées, d'autres occultées. Tel est précisément le cas de l'Angleterre et Anderson l'avoue volontiers : « L'Angleterre ne connut qu'une variante curieusement contractée à tous les sens du terme de l'"État absolutiste[8]". » Autant dire que l'interprétation proposée ne s'y applique pas.

Mais, et c'est là toute notre objection, le concept d'État seigneurial convient-il à des pouvoirs qui œuvrent pour la disparition du servage, distinguent la puissance de la propriété, traquent sans trêve la politique fondée sur l'*imperium* et le *dominium,* prennent peu à peu[9] l'habitude de régler les litiges sociaux par le droit au lieu de les trancher par la guerre, sont limités en haut par la loi et bornés en bas par les droits individuels? En un mot, le concept d'État absolutiste seigneurial est-il approprié à l'État de droit? A l'évidence non, et c'est la limite où bute la problématique économiste d'Anderson, obsédée par l'extraction de la plus-value et la lutte des classes; *elle est aveugle aux formes juridico-institutionnelles* qui, plus précocement en Angleterre, plus tardivement et plus partiellement en France, ont engendré une organisation étatique nouvelle. En Europe de l'Ouest, les attributs de l'État seigneurial mercantiliste, militariste et patrimonial ont été contestés, mis en déséquilibre et quelquefois détruits par les attributs de l'État de droit : la souveraineté contre la suzeraineté, l'inaliénabilité des biens de la couronne contre leur patrimonialité, etc. Ce que manque Anderson, c'est précisément l'État de droit qui, par des codifications et des institutions inédites, déforme les flancs du régime féodal.

Les historiens des institutions avaient perçu l'insuffisance d'une explication purement économiste. Cheruel a donné un exemple qui, pour être ponctuel, n'en est pas moins éclairant parce qu'il dégage la spécificité de l'intervention étatique. Il s'agit de l'évolution différenciée des communes bourgeoises italiennes et françaises qui ont bourgeonné à la Renaissance. Terre classique des libertés municipales, l'Italie offre le brillant spectacle de Pise, Gênes, Venise,

Florence, mais donne aussi la représentation affligeante de leur inlassable rivalité. Les mêmes divisions menaçaient les communes françaises. Du XIIIe au XIVe siècle, Paris et Rouen se disputent lamentablement les fruits du péage sur la navigation de la Seine et n'hésitent point, en gage de mécontentement, à bloquer la libre circulation et à entraver le commerce [10]. Sur la terre d'Italie, l'État fit défaut; en France, il s'imposa et alors qu'au-delà des Alpes, les querelles tisonnaient de plus belle, Charles VII s'élevant au-dessus des mesquines rivalités municipales imposa la libre circulation sur la Seine et la fin du combat privé entre les communes.

Il serait aussi vain de prétendre que l'économie explique tout, que d'assurer qu'elle n'élucide rien. Si l'économisme et le politisme rivalisent sottement, l'histoire économique et l'histoire politique sont destinées à s'entendre. L'étude des formes juridico-institutionnelles qui ont présidé à la naissance de l'État de droit n'est donc peut-être pas inutile. Nous ne cherchons ici qu'à poser quelques jalons et à susciter quelques questions. D'abord sur un exemple de prédilection de l'histoire comparative, France-Angleterre, puis sur les difficultés de l'étatisation de droit en France.

FRANCE-ANGLETERRE

La comparaison des régimes politiques français et anglais est, en science politique, un exercice d'école couramment pratiqué. Aux questions : comment se sont formés en Angleterre l'unité nationale, la notion de l'État, l'unité de l'impôt et la loi, la liberté et ses organes juridiques à une époque où aucune nation n'en avait le pressentiment? il existe des réponses communément admises : le développement de la société civile, le rôle de l'aristocratie, l'abaissement de l'État auraient été ses bonnes fées comme le languissement du corps social, la défaite de la noblesse, les exactions autoritaires de la puissance publique, nos mauvais génies. Ici, un État fort et centralisé, une société abaissée et contrainte nourrissant la réaction plébéienne et la tendance à l'égalité; là-bas un pouvoir décongestionné et décentralisé, une aristocratie imbattable pour sa longévité, animant l'inégalable zèle britannique pour les libertés. La fière Albion, un vieux pays féodal avec son roi, ses lords célébrant les rites admirables et désuets d'une nation obstinément tournée vers ses traditions. Et pourtant précoce, tel est son paradoxe...

En France, à quelques détails près, cette version a été accréditée par les civilistes français en quête d'un modèle anti-despotique, au nombre desquels Montesquieu et Voltaire : « L'Angleterre est le pays le plus libre qui soit au monde », s'exclame celui qui va transformer son parc de La Brède en jardin à l'anglaise [11]. Voltaire partage cet avis : « Le fruit des guerres à Rome a été l'esclavage et celui des troubles de l'Angleterre la liberté. La nation anglaise est la seule qui soit parvenue à régler le pouvoir des rois en leur résistant [12]. » « Germaniste » convaincu — « des Barbares qui, sur les bords de la Baltique, fondaient sur le reste de l'Europe, apportèrent avec eux l'usage de ces États ou Parlements dont on fait tant de bruit et qu'on connaît si peu [13]. » — il propage, dans les *Lettres philosophiques* qui déchaînent l'anglomanie du continent, un véritable conte de l'histoire anglaise.

Mais les Français ne sont pas seuls responsables, ils n'écrivent que « de seconde main ». Les fables de l'histoire politique anglaise doivent d'abord beaucoup aux Britanniques eux-mêmes, et surtout à leurs écrivains et penseurs du XVIIIᵉ siècle. C'est à cette époque que se fixe, adossé à l'événement de la Glorieuse Révolution, dans les œuvres de Boling-broke, Shaftesbury et plus précocement de Hume et de Coke, le schème idéal de l'évolution du royaume breton [4]. Il n'a guère à envier à celui de l'historiographie française du XIXᵉ siècle hypnotisée par la Révolution. Question d'accommodation, au sens optique du terme : de même que les historiens français deviennent myopes pour avoir trop longuement fixé le terme rapproché du cataclysme révolutionnaire, de même les idéologues anglais rivés à leur histoire immédiate pratiquent une restriction mentale fondée sur une restriction de temps. Elle aboutit généralement à détacher de l'histoire anglaise une partie de son passé en l'amputant de la parenthèse de la conquête. Le Lord-Chief Justice Coke, dont Hobbes combattra les arguments, popularise l'idée du *joug* normand [15]. Avant 1066, les Anglo-Saxons auraient vécu en citoyens libres et égaux d'un État où existait le système représentatif; la défense des libertés parlementaires ne serait pas la revendication de nouvelles franchises mais le retour à l'ordre ancien des libertés immémoriales [16]. Avidement, les érudits anglais se jettent sur l'exégèse des articles de la Grande Charte, frayant la voie à l'historiographie française du XVIIIe siècle, elle aussi préoccupée de retrouver dans les champs de Mars et de Mai la trace des libertés originaires. S'abstenant de prendre en compte la période qui suit la conquête, magnifiant les grands épisodes contractuels de l'histoire anglaise comme l'expression d'une *nature* indégradable, l'interprétation historique des idéologues anglais du XVIIIe siècle a la force des évidences conjoncturelles. Pour celui qui se serre sans réserve contre l'événement 1789-1793, l'idée d'une rupture totale entre l'Ancien Régime et la Révolution n'est pas moins forte. L'observation n'a de chance d'être nuancée que si l'on consent à prendre un peu de champs. C'est ce qu'ont fait précisément au XIXe et au XXe siècle, et en réaction contre leurs prédécesseurs, un certain nombre d'historiens du droit constitutionnel anglais, Stubbs, Freemann, qui ont donné à l'expédition de Guillaume le Conquérant et à ses conséquences une place qui n'était plus celle du péché de jeunesse ou du vice caché [17]. A quel point cette réinsertion d'une époque, arbitrairement expulsée de l'histoire, influence l'intelligibilité du régime politique anglais et modifie les données de la comparaison avec l'État français, on le saisira en lisant l'analyse sur le *Développement de la Constitution et de la Société politique en Angleterre*, publié par Émile Boutmy en 1887. En élaborant une synthèse des connaissances sur la période qui suit directement la conquête, le fondateur de l'École des sciences politiques a écrit un petit livre saisissant et subtil qui est aussi une profonde réflexion d'histoire politique. Elle permet de repenser à nouveaux frais et dans des termes notablement distincts de la tradition libérale, le problème de l'évolution comparative des États anglais et français et de la genèse du gouvernement moderne. C'est cette interprétation, dans sa convergence avec celle d'autres historiens du droit politique de l'Angleterre — notamment celle de Glasson — qu'il nous semble utile de présenter.

L'interprétation d'Émile Boutmy

Trois paradoxes résument pour Boutmy l'histoire anglaise, « l'intensité extrême du pouvoir royal dans un siècle encore barbare a donné à l'Angleterre un parlement représentant un pays homogène, organe d'un gouvernement libre, la concentration précoce de la haute féodalité en un corps d'aristocratie politique lui a donné l'égalité devant la loi et l'impôt et l'a préservée des privilèges abusifs d'une noblesse de sang. Le développement hâtif de la centralisation personnifiée des juges ambulants lui a donné l'administration du pays par lui-même, consolidé le self-government [18] ». Réduisant en cendre les idées reçues, Boutmy observe l'existence anticipée d'un État fort, d'une féodalité faible, d'une prompte centralisation, là où d'autorité et de coutume on postulait l'inverse.

La précocité anglaise

L'Angleterre politique moderne s'est constituée entre le XIe et le XIVe siècle, elle a su, dès cette époque, unifier son territoire, son pouvoir et son droit. Avance formidable vis-à-vis de la France. Alors que le royaume des Capétiens n'est qu'une lentille sur la table marquetée des fiefs, le royaume anglais est, après 1100, constitué et homogène. Nous attendrons sept siècles l'unité géographique et l'identité nationale et nous ne les obtiendrons qu'au moyen d'un cataclysme. En Grande Bretagne, observe Boutmy, l'esprit provincial avec ses égoïsmes et ses étroitesses a disparu dès le XIIe siècle. Cela n'empêche pas la société civile anglaise de se développer et le gouvernement local de se mettre en place parce que de même qu'il y a États et États, il y a société civile et société civile. Lorsque l'Angleterre sous la dynastie des Plantagenêts, entre dans la grande histoire européenne, règnent déjà « une seule loi, une seule coutume ». Alors que sous les apparences d'un pouvoir arbitraire et d'une royauté prestigieuse, l'État français demeure au XVIIe siècle un État *faible*, assiégé, (en témoigne — observe subtilement Boutmy — le caractère défensif, militaire, des commissaires politiques et des intendants qui révèle combien l'État a gardé de la période d'anarchie féodale les habitudes de la forteresse encerclée) la puissance de la monarchie anglaise à ses débuts sait ployer tout le peuple sous son joug juridique et fiscal. A l'intérieur de leur royaume unifié, les monarques imposent leur volonté à la différence de leurs homologues français. Lorsque Henri II et Philippe Auguste qui s'étaient entendus pour organiser la croisade, instituent l'un et l'autre la « dîme saladine », le roi de France doit renoncer à la percevoir tandis que le roi d'Angleterre, passant outre aux récriminations, réussit à faire lever l'impôt [19]. Alors qu'au XVIIIe siècle enfin, avec son amertume savoureuse, Linguet comparait le droit français au manteau indéfiniment usé et rapiécé d'un mendiant, le droit national était unifié en 1200 par la haute justice ambulante anglaise.

Rétrocession au Moyen Age de l'épisode ascensionnel de l'État anglais qui bouscule les termes de la comparaison avec la France. Boutmy ne se satisfait pas d'une évaluation purement *synchronique* des différences de régimes, mais tente d'apprécier sur une échelle *diachronique* les formations institutionnelles les unes par rapport aux autres. Perspective féconde : elle permet de scruter dans l'État anglais non seulement ce qu'il a de différent et de radicalement étranger à l'État français, mais aussi, mais d'abord, ce qu'il peut avoir de commun, de familier, ce qui en lui, est tout simplement prestesse, avance, anticipation.

Force de la royauté et faiblesse de la féodalité

Sur le continent, la fragilité de la royauté a fait la force de la féodalité; sur l'île britannique, la vigueur de la monarchie a précipité la faiblesse de la féodalité. Vigueur originelle si l'on veut bien prendre la conquête pour origine. Les monarques anglais n'ont pas instrumentalisé le lien de vassalité et les dotations foncières pour gouverner. Ils n'ont pas suivi la pratique carolingienne qui a entraîné sur le continent le dépeçage, la dispersion et finalement la dissolution de la souveraineté sous la tutelle des châtellenies. Quand la souveraineté se démembre ici, en Angleterre, c'est la féodalité qui se dissocie. Diviser pour régner : l'adage devenu tardivement le maître mot de la politique royale française est hâtivement appliqué par la monarchie anglaise : la féodalité subit une division sur tous les fronts, division foncière, politique, militaire et sociale. Division foncière : le roi anglais demeure le seul propriétaire de la terre et au lieu de distribuer des grands domaines, il dote les barons de terrains multiples, disséminés en plusieurs points du territoire [20]. Seigneurs de propriétés éparpillées, les principaux vassaux ne sont ni souverains, ni justiciers et donc incapables de s'emparer des attributs de l'autorité royale. On ne trouve rien de comparable sur le sol anglais à la menace des grands fiefs susceptibles de devenir des royaumes concurrents comme l'Aquitaine ou la Bourgogne en France. La féodalité anglaise, « féodalité parcellaire » dit Boutmy, ne naît pas d'une décomposition et d'une désagrégation de l'État, d'une parcellisation de la souveraineté, mais d'une délégation de territoire accomplie par la volonté et sous le contrôle d'un monarque puissant qui entend mettre en œuvre des modalités qui ne lui soient point défavorables. Division politique : à l'exception des comtes palatins de Chester et de Durham, investis de droits régaliens dans la mesure où ils sont chargés de lutter aux marches du royaume contre les Gallois et les Écossais, les grands barons n'obtiennent pas les pouvoirs dont sont investis les grands feudataires continentaux. La distinction entre pays d'obéissance et pays de non-obéissance à la discrétion féodale est introuvable en Angleterre, où les monarques se réservent soigneusement de distribuer la puissance d'un côté et la propriété de l'autre.

Le roi Étienne, rapporte Boutmy, a créé des comtes sans

terre pensionnés sur le trésor royal. La seigneurie anglaise forme alors une sorte d'institution mixte, à mi-chemin de l'archaïque compagnonnage normand et de l'association moderne de la cour, encore dominée par le lien personnel et déjà entretenue par le système des libéralités princières au moment où la féodalité française se présente comme une hiérarchie territoriale constituée de dynastes indépendants et tout-puissants[21]. Davantage, dans les comtés, le pouvoir administratif est ôté à la baronnie, et la couronne est représentée par le vicomte, fonctionnaire royal, qui en aucune manière ne dépend du comte. A partir de 1170, on applique la règle de choisir les sheriffs parmi les officiers de justice; l'édifice administratif est complété en 1176 par l'organisation des juges ambulants. L'administration est aux ordres de la Monarchie. « A tout propos, dit Boutmy, le roi gourmande ses vicomtes, les déplace, les destitue en masse et en détail[22]. » Affaiblissement militaire : les monarques britanniques sont aussi les premiers à priver la féodalité de son monopole militaire en levant une armée royale supérieure aux troupes seigneuriales, tandis qu'il faut attendre Charles VII en France pour que la création d'une armée permanente, rassemblant un groupe spécialisé et national de militaires, rende possible la démilitarisation de la société[23]. Division sociale enfin : l'aristocratie anglaise n'est pas devenue une *caste* arrogante, aussi sourcilleuse de ses privilèges qu'oublieuse de ses véritables origines, ennemie de toutes les concurrences, fixée à ses signes, crispée sur son sang, hébétée par son déclin inintelligible, cette classe pleine de rogne et de morgue qui a produit ici un duc de Saint-Simon obsédé par les titres, les rangs, les filiations, les préséances, fasciné et englouti par les affres des familles — légitimation, adultère, bâtardise — démuni et angoissé devant les vents du grand large social. Les dignitaires britanniques dont nous raillons sottement les perruques, les robes, les hermines, ne furent jamais hypnotisés par les dignités au point de vouloir donner à chacun une forme de canne et de chapeau qui eût permis à tout instant de reconnaître sa qualité et son grade dans l'édifice social — ce fantastique projet par lequel le duc de Saint-Simon continue de nous magnétiser par delà nos révolutions. La raison? Le baronnage normand s'est rapidement brisé sans rigidification excessive à sa césure entre une haute et une basse aristocratie. Peu à peu, la haute aristocratie des lords, promise à l'exercice professionnel du pouvoir délégué par le roi va constituer une sorte de *techno-structure* étatique de haut rang. Définie par une fonction, la pairie, liée à un office indivisible strictement héréditaire par primogéniture, la haute noblesse, au lieu de rassembler comme en France « un ordre de *familles* privilégiées » ne réunit qu'un groupe restreint d'individus fonctionnalisés. Ici, par prolifération des branches puînées, la noblesse de sang et les immunités liées au nom se multiplient; outre-Manche, la haute aristocratie se limite au grand personnel politique et il faut de nouvelles créations pour l'empêcher de s'éteindre. Quant à la basse aristocratie, la chevalerie, engagée dans l'entreprise foncière, elle ne forme pas davantage une caste à la semblance des hobereaux français, mais se mue insensiblement en une haute classe rurale, la *gentry*, plus accueillante qu'hostile à la pénétration de la classe moyenne agricole, la *yeomanry*. Perméabilité, plasticité, fonctionnalisation et professionnalisation de la noblesse ont retenu l'attention de Tocqueville : « Je suis toujours étonné qu'un fait qui singularise à ce point l'Angleterre au milieu de toutes les nations modernes et qui seul peut faire comprendre les particularités de ses lois, de son esprit et de son histoire n'ait pas plus fixé encore qu'il ne l'a fait l'attention des philosophes et des hommes d'État... C'est bien moins son parlement, sa liberté, sa publicité, son jury qui rendaient dès lors en effet l'Angleterre si dissemblable du reste de l'Europe que quelque chose de plus particulier encore et de plus efficace. L'Angleterre était le seul pays où l'on eût non pas altéré mais effectivement détruit le système de la caste [24]. » Tocqueville a dit les regrets qu'il fallait concevoir de notre situation antagoniste : le privilège lié au sang et non à la fonction perd sa légitimité et sa dignité, provoque le ressentiment de tous ceux qui en sont exclus, se change en barrière visible et inutile, en coûteux et scandaleux obstacle à la communication sociale. En retour, les fonctions publiques tendent à se muer en privilèges qui distinguent les individus; elles désertent leur mission publique pour glisser dans l'appropriation privée et dans la parcimonie singulière. Tout devient rite, cloisonnement. Partout s'installent des bornages, qui sont autant d'esquilles et d'échardes, qui blessent et endolorissent le corps social.

Sur notre sol, la noblesse tirée vers son passé lourd de magnificences est demeurée longtemps faction fomenteuse de troubles, corps opaque, matière intermédiaire entre le pouvoir royal et son action, « calcul » qui gêne la circulation fluide de l'ordre politique moderne. Précocement délestée des regrets, l'aristocratie anglaise, divisée, affaiblie, s'est coulée dans les organes indiscutés de la monarchie administrative, a cherché l'appui du peuple, est devenue étatiste et patriote. En Angleterre, la baronnie territoriale a disparu précocement et la féodalité a été tôt vaincue. Leur défaite a permis la constitution de l'État de droit.

L'unification juridique

La mystifiante mythologie de l'histoire anglaise marque une prédilection pour l'interprétation du système juridique de la *Common Law*. Par confusion entre son fonctionnement jurisprudentiel et son origine, celle-ci se voit assignée une généalogie locale. Rien n'est moins exact. La *Common Law* est d'extraction royale. La falsification de l'histoire de la *Common Law* débute avec Coke au XVIIe siècle, se poursuit obstinément avec Blasckstone. Le champion classique des libertés parlementaires avait une ambition, montrer qu'à l'opposé de l'absolutisme continental l'Angleterre n'avait pas permis le développement du pouvoir absolu des rois; il présente le droit national comme une émanation du pays, explique que la *Common Law* était une sorte de *corpus juris,* élaboré spontanément et coutumièrement par la pratique selon la justice naturelle [25]. Cette interprétation s'officialise dan la science juridique anglaise et on la trouve intacte chez Blasckstone qui ne rougit pas d'écrire : « Les coutumes générales, ou *Common Law,* proprement dites sont fondées sur un usage immémorial et universel dont témoignent les décisions judiciaires conservées dans des registres publics, expliquées dans des annuaires et rapportées et rédigées par des écrivains d'une autorité reconnue [26]. »

En vérité, s'il est exact, comme l'a souligné W. Stubbs, que le droit anglais fut épargné par le fléau de l'idée impérialiste et de l'union oppressive avec l'Italie, se développant ainsi, à l'écart des tendances absolutistes du droit romain [27], il n'est pas moins vrai qu'il fut aussi le fruit de l'activité volontaire d'un petit nombre de législateurs : l'intervention royale, l'œuvre de la *Curia Regis* et des développements casuistiques effectués par une administration de la justice rigoureusement centralisée et étroitement soumise à l'autorité royale. Le droit anglais est beaucoup moins coutumier par ses origines que le droit continental. Il est né à la suite d'interventions royales et parlementaires et il est le résultat de l'œuvre créatrice des juristes appartenant à l'administration centralisée de la justice. L'essor de la *Common Law* et de ses procédures par documents en bonne et due forme, où un *writ* ordonne au sujet de la couronne de se présenter pour répondre d'une accusation sous peine de *penalty* pour *contempt of writ* et dont la formule de base est *ne vi ac armis,* est intimement lié à l'institution des juges « portables ». La loi commune est la loi unifiée par les juges royaux ambulants, dépêchés par le monarque pour régler en tous lieux les litiges qui désarticulent le corps social, et menacent *the king's peace.* Ne nous fions pas à l'apparence erratique ou improvisatrice de la justice royale ambulatoire : le déplacement n'est pas la marque d'une hésitation ni l'itinéraire, le prétexte à des palinodies. Boutmy l'explique clairement : les juges anglais ont été les missionnaires de l'unification étatique [28].

Point important : la centralisation en Angleterre s'est accomplie par le droit, elle a été, elle est restée un État de droit. A juste titre, les historiens du droit anglais, Holdsworth, Allen, observent que le développement de la société politique et du droit ne sont pas des processus alternatifs : le juge est homme d'État dans la mesure même où il est juge. Cette donnée actuelle a son fondement dans la formation de l'État de droit anglais où la souveraineté s'est instaurée et accomplie par la mise en œuvre du droit. La couronne est la source du droit, *fountain of justice,* parce qu'à l'inverse, la puissance du Droit donne au souverain son autorité. Le légiste anglais Bracton a proclamé bien avant les légistes français : « *for the law maketh the king* ». Si le juge a joué un grand rôle dans la société anglaise, c'est peut-être parce qu'il a été dès l'origine un mur porteur de l'État et si le droit a conservé une indiscutable autorité, c'est peut-être aussi, parce que s'insurger contre lui, c'était s'insurger contre une société qui tout entière se soumettait à lui en même temps qu'elle s'arrogeait, selon sa morale de la loi, la faculté de juger à son tour qui lui désobéissait ou le transgressait.

Bien différente, la voie suivie ultérieurement par la France. L'Angleterre est un État de droit « pur », la France n'est qu'un État de droit approché. La centralisation chez nous s'est effectuée tardivement par la voie administrative des commissaires royaux et des intendants des finances, contre le personnel de justice devenu un corps intermédiaire rebelle à l'autorité centrale; la centralisation en Angleterre s'est opérée précocement par la voie juridique au moyen des juges royaux, agents zélés de l'autorité monarchique. Aussi bien, ce n'est pas le juge qui détient, chez nous, l'autorité, c'est le fonctionnaire et parmi tous les fonctionnaires, c'est le percepteur. (Mais honore-t-on le percepteur?) De là, l'extrême précocité de l'unité juridique anglaise : la rédaction *officielle* des coutumiers ne débute réellement en France qu'au xve siècle après l'ordonnance de Moutils les Tours (1454), en Angleterre, elle commence au xie siècle sous l'impulsion de Guillaume le Bâtard. Cinq cents ans d'avance! Les grands juristes du xiie et du xiiie siècle, Ranulphe de Glanville et Henry Bracton sont les authentiques fondateurs de la science juridique anglaise et du droit politique moderne étranger au droit romain [29]. Dans son maître ouvrage, Bracton a souligné la supériorité du droit moderne : tandis que le droit romain privilégie l'intérêt royal, fait retomber un affranchi en esclavage pour ingratitude, interdit à la femme d'intercéder pour autrui, de témoigner en testament, défend au fils d'acquérir des possessions sans le consentement du *pater-*

familias, le droit anglais protège l'intérêt de la nation, interdit le retour des affranchis à la servitude, autorise le plaid féminin et permet au fils d'acquérir librement des possessions. Bracton valorise également le système judiciaire anglais avec son jury, sa procédure verbale et publique[30]. De cette modernité du royaume britannique, la disparition précoce du servage et la promulgation de l'*habeas corpus* sont des certificats éclatants[31].

L'étude de Boutmy sur les débuts de la monarchie anglaise bouscule donc tous nos préjugés. Un État faible? L'État le plus fort qui soit a imposé l'unité territoriale et administrative en s'appuyant sur le juge et non sur le percepteur. Une aristocratie toute-puissante? La concentration précoce de la haute féodalité en technostructure politique et la fusion du reste avec les propriétaires fonciers ont évité la propagation des privilèges d'une noblesse de sang et généralisé l'égalité devant la loi et l'impôt. Une société décentralisée? Le développement hâtif de la centralisation gouvernementale réalisée par les juges ambulants a opéré l'unité juridique du pays. L'Angleterre n'a pas été, en ses débuts, moins étatiste que la France, elle l'a été plus diligemment, plus fougueusement, plus radicalement. A tire-d'aile, elle a constitué son État de droit.

Même si l'on accepte cette analyse de la monarchie administrative qui précède la Grande Charte, le retournement de la situation qui donne lieu à la naissance du parlement, de l'administration locale et au contrôle du pouvoir royal reste à comprendre. Au bout du compte, c'est bien un État plus contrôlé, une société plus active, une administration plus décentralisée qui caractérisent le pays.

La dialectique de la centralisation et de la décentralisation

Quoique incomplète, l'explication proposée par Boutmy pour rendre compte de l'évolution du régime anglais ne manque pas de finesse. La révolte des barons, qui donne naissance à la Grande Charte de 1215, doit être interprétée, à son avis, comme une conséquence logique de l'absoluité de l'autorité royale. Confrontés à un pouvoir résolu et cimenté à l'extrême, les grands feudataires anglais ne pouvaient se proposer comme but de se dérober, de résister ou de se rendre indépendants, et il ne leur restait, devant l'impossibilité d'échapper à son emprise, qu'à imaginer l'association, le partage, le contrôle, bref, la participation à l'exercice du pouvoir. Devenue nécessaire et indéracinable, la souveraineté constituée peut faire l'objet d'une appropriation collective. Boutmy argue d'un raisonnement à peu près identique pour expliquer la mise en place des *justices of peace*, du *self-government*, de l'administration locale. A leur origine, la réactivation par les juges ambulants d'une vieille institution saxonne, la cour de comté, qui change de nature sous l'emprise royale et est officialisée en 1361 par Édouard II. En Angleterre, dit Boutmy « c'est la centralisation qui a donné l'éveil à la décentralisation [32] ». Les juges de paix, en effet, sont nommés par la couronne et choisis dans la chevalerie puis bientôt dans toute la masse des propriétaires libres. Leur mission est de veiller au maintien de l'ordre, de réprimer les infractions, de surveiller les *constables* des paroisses. Étonnant système que toute l'Europe a envié à l'île britannique par lequel gratuitement, les notables ruraux issus de la *gentry* et bientôt de la *yeomanry*, accomplissent l'essentiel de l'immense travail confié partout ailleurs à une bureaucratie centrale. Boutmy souligne l'orientation fortement antiféodale des justices de paix : juridiction collégiale et non pas personnelle, délégation de justice révocable et non pas héréditaire, office rempli par une commission de fonctionnaires et non pas démembrement de la souveraineté arraché d'une concession de la couronne, service public marqué par l'égalité des jurés d'origine roturière avec les gentlemen et non pas action privée de jurisconsultes à la solde du seigneur [33]. Tous les propriétaires ont le loisir d'être jugés mais la propriété n'est plus le fondement de l'exercice du droit de justice. « On voit une fois de plus dans cet exemple l'unité de l'État se révéler de bonne heure en Angleterre, le pouvoir central déposséder la féodalité et prendre pour instrument une haute classe foncière, qui confond et nivelle bientôt dans ses rangs tout ce qui reste de l'ancienne hiérarchie », écrit Boutmy [34]. La création de la chambre basse, esquissée en 1295, acquise en 1341 est pour notre historien une conséquence et une consécration du rôle joué par la chevalerie dans les justices de paix et de l'importance des services rendus à l'État.

A ce point, l'étude de Boutmy apporte un bénéfice plus considérable. Après avoir modifié le schéma traditionnel de la comparaison France-Angleterre, elle remanie l'énoncé du problème classique de la science politique relatif à la genèse du gouvernement moderne, tel qu'il a été codifié par Montesquieu à propos précisément de la constitution d'Angleterre. Soit la définition donnée par l'auteur de l'*Esprit des lois* : « Il y a dans chaque état trois sortes de pouvoirs, la puissance législative, la puissance exécutrice des choses qui dépendent du droit des gens et la puissance exécutrice de celles qui dépendent du droit civil... Lorsque dans la même personne ou dans le même corps de magistrature, la puissance législative est réunie à la puissance exécutive, il n'y a point de liberté... Il n'y a point de liberté si la puissance des juges n'est pas séparée de la puissance législative et de l'exécutrice... Tout serait perdu si le même homme ou le même corps des principaux ou des nobles ou du peuple exerçait ces trois pouvoirs [35]. »

Montesquieu y expose la thèse célèbre de la séparation ou division des pouvoirs comme la caractéristique et la condition du gouvernement libre dont l'Angleterre est l'incarnation. Division des pouvoirs qui dès lors a été tenue pour l'essence du gouvernement représentatif moderne.

Les réflexions historiques de Boutmy laissent entrevoir une tout autre interprétation de la constitution de l'Angleterre : une division des fonctions qui ne serait pas conditionnelle, originelle, principielle, mais conséquente, récurrente, résultante; une séparation des pouvoirs qui ne serait pas un début mais un aboutissement; une décentralisation qui ne serait pas un préalable mais une clause additionnelle. Ce que Boutmy indique, c'est une genèse ignorée du gouvernement moderne qui partirait d'une réflexion non du mécanisme de la *représentation,* mais de celui de *l'association.* Là où les libéraux explorent la division des fonctions législatives, juridiques, exécutives, Boutmy pèse l'unité juridique qui suborne et asservit toutes les autres attributions à son empire. Là où les démocrates conçoivent l'assemblée représentative comme une délégation de la volonté populaire s'exerçant de bas en haut à des organes qui la représentent et l'exécutent, Boutmy propose à l'examen le fonctionnement de l'imputation de l'ordre royal s'effectuant de haut en bas à des institutions qui s'en saisissent. Là où nous attendons une énième description du *gouvernement représentatif*, partant de la société pour interpréter l'État, Boutmy laisse percevoir la trace encore mal dégagée du *gouvernement associatif*, par lequel l'État de droit a informé la société. Par quoi il est plus fidèle à la réalité historique que les historiens « germanistes », pressés de plaquer sur la « réalité qui n'en peut mais » le fantasme originaire du parlement. Il est impossible de distinguer les divers pouvoirs à l'intérieur du *King's Council*, le conseil du roi, et malaisé d'essayer d'interpréter l'ordre constitutionnel anglais en appliquant la doctrine de la séparation de l'exécutif et du judiciaire. Avec son habituelle perspicacité, Elie Halévy a également souligné l'amalgame des pouvoirs judiciaire et législatif en Angleterre, au début du XIXe siècle. La constitution britannique permet au juge d'exercer des fonctions législatives, comme elle autorise le législateur à exercer des fonctions judiciaires. Halévy en conclut : « Une fois de plus, il faut reviser l'interprétation proposée par Montesquieu de la constitution anglaise. Les deux définitions qu'il énonçait — constitution fondée sur la division des pouvoirs, constitution mixte — ne sont pas équivalentes et la deuxième est la plus exacte. Le gouvernement britannique n'est pas un gouvernement où tous les pouvoirs sont exactement distingués. C'est un gouvernement où tous les éléments sont mêlés, où tous les pouvoirs empiètent les uns sur les autres [36]. »

Piste inconnue ou négligeable? D'autres historiens du droit et de l'État l'ont déjà empruntée ou débroussaillée en observant que ce sont les souverains qui, pour accroître leur pouvoir, ont monté les mécanismes destinés à y associer les contribuables. Ainsi Charles Petit-Dutaillis remarque pour sa part que la disposition de la Grande Charte prévoyant l'octroi de l'aide par le commun conseil du royaume ne correspondait pas au désir des barons. Ceux-ci, qui préféraient le consentement individuel à l'impôt, ne devaient guère se montrer enclins au principe du consentement collectif comportant la possibilité, pour la majorité, d'obliger les opposants ou les absents et il ajoute qu'il n'est pas invraisemblable d'imaginer que l'article 14 de la Grande Charte ait une origine royale[37]. De la même façon, les historiens des institutions françaises tiennent pour un remarquable progrès de l'autorité royale l'acte de 1155 par lequel Louis VII, à la suite d'un *concilium celebre* tenu à Soissons, établit une paix de dix ans pour tout le royaume. Le roi en effet, pour élargir le champ d'application de son ordonnance et la faire observer par les barons, fait appel aux barons eux-mêmes et les contraint en quelque sorte à s'associer à la rédaction[38]. Par la suite, en Angleterre, ce sont les souverains les plus énergiques, Edouard Ier et Edouard III qui ont fait faire les plus grands progrès à l'institution représentative. Mécanisme du *gouvernement associatif* difficile à saisir à partir de l'expérience française où l'on voit les monarques s'arc-bouter obstinément contre les prétentions des parlements à s'associer à la puissance législative, et où l'on a le sentiment d'un partage constamment frustré et refusé. Faut-il pour autant oublier la convocation des états généraux lorsque le besoin d'impôts se faisait sentir, ou la recherche d'appuis dans le corps social, par le moyen des offices? Faut-il pour autant omettre qu'avant de devenir des droits, la délibération, le conseil, la justice ont été des devoirs?

A tous ces paradoxes qui ne laissent pas de compliquer la comparaison de l'évolution respective de la France et de l'Angleterre, on pourrait, en guise de *post-scriptum*, ajouter ce dernier : c'est au XVIIIe siècle, au moment où les équilibres traditionnels qui régissaient son système juridico-politique basculent, que, par les soins de la pensée civiliste, s'est fixée et diffusée sur le continent, l'image en trompe-l'œil de l'Angleterre : *semper cadem*, aristocratique et civile. Boutmy dresse le relevé des modifications qui marquent la fin de l'âge classique : l'aristocratie ouverte et libérale se transforme en oligarchie tyrannique, tandis que la classe moyenne se désagrège. La modification des lois de succession qui laisse disponible le fond patrimonial de la grande propriété agricole et rend inaliénables les deux tiers des sols d'Angleterre et d'Écosse, en faisant revivre des dispositions juridiques proprement féodales qui avaient succombé sous les lois des Tudors, bouleverse les données du fonctionnement social. Protégée par les immunités fiscales et civiles, l'oligarchie aristocratique fait main basse sur la justice locale où désormais « l'arbitraire est couvert par l'impunité [39] ». Assujettie aux lords, l'autonomie locale est ruinée et couchée devant le parlement aristocratique, l'État est abaissé [40]. Dans les orages où se déchaînent les grandes féodalités de la société civile, s'abreuvent entre 1750 et 1780 les sources torrentueuses de la grande industrie [41].

Et c'est donc à cet instant où la constitution démocratique et libérale, marquée par le partage et l'association des intérêts de classe, nourrie par le respect de la classe moyenne agricole, a été bafouée, c'est à cette époque où l'État de droit anglais, fondé sur l'indépendance de la *self-justice* et du *self-government* a été atteint, c'est à ce point où le jeu politique battu de nouveau a été troublé — plus tard, à partir de 1830, on reviendra, explique Boutmy, à une situation plus conforme à la tradition — que Voltaire, Montesquieu et Marx après eux, ont cru trouver les clefs de l'histoire anglaise. Qui s'étonnerait qu'ils n'y aient pas rencontré l'État de droit?

Gardons-nous de conclure. Le livre d'Émile Boutmy est plus stimulant que définitif, il pose plus de questions qu'il n'en résout. Son mérite est avant tout de suspecter les idées reçues et les interprétations partisanes; son avantage, de ne pas hésiter à plonger dans le passé lointain de l'Angleterre pour défier les anachronismes; sa leçon, de rééquilibrer la comparaison France-Angleterre. L'intérêt que nous y prenons tient à ce que, pour une fois, le libéralisme anglais est réfléchi à partir de l'État et non seulement à partir de la société. Ce faisant, Boutmy contribue à l'histoire de l'État de droit.

LES DIFFICULTÉS DE L'ÉTATISATION
DE DROIT EN FRANCE

A l'inverse de ce qu'a pensé Marx, la France n'est sans doute pas le pays où la politique moderne met à nu son essence, « s'émacie jusqu'à l'os ». L'État français n'est qu'un État de droit approché parce que sa forme pure, prise dans la gangue des formations politiques antérieures, ne vient pas à maturité comme le noyau poli de l'État de droit anglais. Le pouvoir en France demeure hybride. Politique disloquée, forée par l'énergie archaïque d'un volcan toujours en activité dont la lave seigneuriale ne finit pas de retomber. Éruptions intermittentes et imprévisibles qui, depuis la révolution du XVIIIᵉ siècle et ses rejetons du XIXᵉ, reviennent déchirer le corps faussement calmé de la société. Plus que tout autre, l'État français vérifie l'observation de Pierre Chaunu : « L'histoire ne détruit pas, elle sédimente. » Superposition, stratification où s'emboîtent comme des schistes le féodal et le moderne, la suzeraineté et la souveraineté...

Cette structure complexe, composite, métissée de la politique à la française, Tocqueville l'a devinée lorsqu'en une réflexion aiguë, il a distingué deux types de centralisation : la centralisation gouvernementale et la centralisation administrative, pour observer que la France, qui s'était engagée dans la dernière à corps perdu, n'avait pas su réussir la première.

Il mérite ici d'être cité longuement : « Il existe deux espèces de centralisation très distinctes et qu'il importe de bien connaître. Certains intérêts sont communs à tous les partis de la nation, tels que la formation des lois générales et les rapports du peuple avec les étrangers. D'autres intérêts sont spéciaux à certains partis de la nation, tels par exemple les entreprises communales. Concentrer dans un même lieu ou dans une même main, le pouvoir de diriger les premiers, c'est fonder ce que j'appellerai la centralisation gouvernementale. Concentrer de la même manière le pouvoir de diriger les seconds c'est fonder ce que je nommerai la centralisation administrative... Pour ma part, je ne saurais concevoir qu'une nation puisse vivre ni surtout prospérer sans une forte centralisation gouvernementale mais je pense que la centralisation administrative n'est propre qu'à énerver les peuples qui s'y soumettent et qu'elle tend sans cesse à diminuer parmi eux l'esprit critique [42]. »

Il existe donc deux manières de décentraliser le pouvoir, la première bonne, le disperser dans son exécution, la seconde mauvaise, l'abaisser dans son essence [43].

En France, si l'on en croit Tocqueville [44], la centralisation s'est effectuée, non sur le modèle gouvernemental, mais sur le modèle administratif et l'unité de l'État s'est opérée par la fonction publique au détriment du droit. A quoi tiennent donc les difficultés de la « centralisation gouvernementale »?

L'avance du droit public
et les difficultés de la centralisation gouvernementale

Les difficultés de la centralisation gouvernementale proviennent du retard de l'unification juridique qui ne sera atteinte qu'avec le code civil napoléonien. Dans les hésitations, tergiversations, palinodies, freins de toute sorte qui ralentissent le processus de juridification, il y a le pire et le moins mauvais et à suivre mentalement cette pente à forte déclivité qui va de la juridification la plus avancée à la plus retardée, on a une surprise de taille : ce n'est pas le droit public qui est le plus arriéré, c'est le droit privé.

Les historiens du droit politique ont en effet observé que par toutes les coutumes qui régissaient le droit privé, la féodalité s'était perpétuée dans la famille et le régime de propriété. Multiplication du système des redevances médiévales, règlement des successions sur la nature des biens, abus des effets du droit d'aînesse, obligation imposée aux cadets de renoncer solennellement au patrimoine familial, condamnation de tous ceux qui entraient dans les monastères à une véritable mort civile, bref « la féodalité, dit Glasson, avait perdu tout caractère politique mais dans le droit civil, elle avait gardé toute sa force [45]. »

En revanche, le droit public a connu un remarquable progrès. Du droit privé patrimonial qui caractérisait la monarchie mérovingienne où le royaume franc conquis par Clovis lui appartenait personnellement, la monarchie française est passée à l'idée d'un droit public[46]. Dans les *lois fondamentales*, « les lois du Royaume », selon l'expression contenue dans l'édit de juillet 1588, ou dans la *Constitution coutumière* s'incarne en quelque sorte la doctrine moderne de la souveraineté : incarnation imparfaite, inachevée dans ses effets civils, F. Olivier-Martin l'a fort bien expliqué. L'action du roi confrontée à des autorités anciennes ou des traditions immémoriales ne pouvait, au nom d'une conception abstraite de la souveraineté, arracher les vieilles prérogatives, et pour agir en respectant un idéal de modération, la royauté a excipé des principes selon lesquels les rois avaient toujours le droit d'intervenir, de contrôler et d'agir en prenant conseil[47]. Incarnation inachevée aussi, mais plus réussie dans ses effets politiques. Si à l'extérieur d'elle-même la monarchie s'est heurtée aux deux obstacles (la société d'ordre et la société de corps) qui l'empêchent de réussir une véritable centralisation gouvernementale, à l'intérieur d'elle-même en revanche, la doctrine moderne du pouvoir souverain a effectué un travail d'érosion qui l'a transfigurée. A partir du moment où le pouvoir n'est plus ni *imperium* ni *dominium*, la monarchie cesse aussi d'être un *patrimonium*. La menace contenue dans les doctrines de Bodin et Loyseau est mise à exécution dans les lois fondamentales qui règlent *in concreto* le pouvoir souverain : l'hérédité dynastique, le concept de légitimité, l'indisponibilité de la couronne, l'inaliénabilité du domaine. Élaborée progressivement pendant plusieurs siècles par les légistes royaux, Jean de Terre-Vermeille, Claude du Seysell, Charles de Grassailles, Jean Ferrault, Du Tillet, Guy Coquille[48], etc., la *Constitution coutumière* objective l'instance de la loi, relativise la part de la personne royale, amoindrit la puissance familiale, bref, détruit la patrimonialité de l'État. On retiendra quelques éléments significatifs. *La théorie de la légitimité*, résumée par Guy Coquille, « la France est une monarchie tempérée par des lois [49] » nous intéresse parce qu'elle met en évidence l'opposition entre l'absolutisme et l'arbitraire. L'idée de la suprématie de la loi sur les rois est un lieu commun de la pratique juridique classique et Declareuil a rassemblé les déclarations convergentes d'adversaires traditionnels : ici un parlementaire, le président de Harlay au lit de justice du 15 juin 1586, là un monarque, le roi Louis XV (déclarations des 2 juillet 1717 et 26 avril 1722 [50]). La monarchie était légitime dans la mesure même où elle était soumise à des lois que les rois ne pouvaient ni abroger ni modifier. Ce triomphe de la loi sur les rois que réclamait Duplessis-Mornay a précipité l'*institutionnalisation* de la monarchie française qui s'observe notamment dans *la théorie dite statutaire* de la dévolution de la couronne. Elle établit les lois de succession non dans l'intérêt du Roi mais dans celui de l'État. Depuis Jean de Terre-Vermeille, la succession au trône n'est pas d'ordre privé, le roi n'a pas la disposition de la couronne qui ne constitue nullement un patrimoine privé; celle-ci est dévolue par la coutume ancienne du royaume selon un statut intéressant l'ordre public et que le roi n'est pas en mesure de modifier. Le roi ne succède pas à son prédécesseur en tant qu'héritier, comme fils ou plus proche parent, mais parce que et parce que seulement il a été prédésigné impérativement par la loi. Bodin le déclare franchement : « Le royaume n'est point déféré par succession paternelle mais bien en vertu de la loi du royaume [51]. » Et les textes des légistes qui corroborent son point de vue sont légion (Hotman, Le Bret, Loyseau, etc.) d'où le cérémonial : « Le Roi est mort, vive le Roi! » et la maxime « les rois ne meurent pas en France ». Plusieurs conséquences s'ensuivent : l'abdication est interdite, l'ordre de succession n'est pas modifiable, le roi, ni pour lui, ni pour ses descendants, ne peut renoncer au trône et, au sens juridique, il n'y a pas de régence. Si jeune qu'il soit, le roi demeure le chef de l'État; on gouverne en son nom et par délégation. De cette *théorie statutaire* procède l'effacement juridique du sacre qui se transforme essentiellement en acte de piété. Juvenal des Ursins définit ainsi la royauté : « Une manière d'administration et d'usage dont le monarque jouit sa vie durant mais dont il n'a pas la propriété [52]. » Le roi est comparable à un bénéficier qui ne peut nullement disposer de sa fonction. L'État n'est pas la propriété du roi, il n'est pas patrimonial. Enfin, *l'inaliénabilité du domaine de la couronne* : « Elle est un corollaire de l'indisponibilité de la couronne puisque le roi, simple administrateur, ne pouvait pas plus disposer de ce qui en dépendait que d'elle-même », observe Declareuil [53]. Deux arguments soutiennent la doctrine : d'abord que le maintien de la souveraineté exige l'unité et le non-morcellement du territoire qui lui est soumis, ensuite que le domaine est financièrement nécessaire à l'entretien de la fonction royale. Esquissée dès le XIVe siècle à travers une série d'ordonnances qui révoquent les aliénations et les usurpations, la loi fondamentale de l'inaliénabilité et de l'imprescriptibilité du domaine est définitivement arrêtée par l'édit de Moulins de 1566. Elle ne tarde pas à peser sur les biens personnels des monarques, l'obligation de les annexer à la couronne s'impose définitivement avec Henri IV. Le roi de Navarre, héritier de la maison d'Albret, était aussi souverain du Béarn. Il invoqua les intérêts de sa sœur pour refuser d'unir ses biens patrimoniaux à la couronne mais finalement, sous la pression du Parlement de Paris, il dut s'y résoudre par un édit de juillet 1607. Il indiquait dans le préambule de cet édit : « Nos prédécesseurs se sont dédiés et consacrés au public duquel ils n'ont rien voulu avoir de distinct et de séparé [54]. » Historiquement la tendance est donc celle-ci : ce n'est pas le domaine qui a gagné l'État, c'est l'État qui a gagné domaine. L'État n'a pas été patrimonialisé, le patrimoine des rois a été étatisé.

Or cette mise en cause de l'État patrimonial par lequel se constitue le droit public et que soulignent successivement nos historiens du droit constitutionnel de l'Ancien Régime (Chéruel, Glasson, Chenon et les derniers en date, Declareuil et Olivier-Martin), Perry Anderson semble la méconnaître totalement. N'a-t-il pas écrit : « L'État était considéré comme le patrimoine du monarque et en conséquence, les titres de propriété pouvaient s'acquérir par l'union de deux personnes [55]. »? Une erreur aussi flagrante qui facilite évidemment le rabattement des États d'Europe de l'Ouest sur ceux de l'Europe de l'Est, dégage, *a contrario,* la valeur du fil d'Ariane juridique dans l'histoire de l'État. C'est faute de l'avoir tenu qu'Anderson peut à ce point méconnaître la réalité. A la fin de l'Ancien Régime, l'État n'était pas patrimonial mais juridique. En 1775, Moreau écrivait : « Les rois se lient eux-mêmes par les lois qu'ils prescrivent à leur peuple : ils sont l'image de Dieu même qui, maître absolu des règles du mouvement qu'il pouvait prescrire à la nature dans le mécanisme de l'univers, se conforme néanmoins invariablement à ces règles et conserve pour elles son ouvrage [56]. »

Ainsi à l'intérieur de l'État, la centralisation gouvernementale, l'unification du pouvoir par le roi a en grande partie réussi. En revanche, la centralisation gouvernementale bute sur la société civile. Celle-ci ne sera pas unifiée au droit et à la loi, mais à l'administration et aux finances.

Le retard du droit civil
et de la centralisation administrative

De la situation du droit civil français à la veille de la Révolution, voici la description que traçait le terrible Linguet : « C'est comme si l'on armait des grenadiers avec des hochets, comme si l'on voulait se couvrir à trente ans de robes dont on se servait à quatre, ou se faire dans un âge avancé un seul habit de tous ceux que l'on a portés depuis sa naissance... Vous voyez tous nos empires conserver avec soin les habillements de leur bas âge. On les rajuste, on les coud ensemble comme on le peut... C'est à cet assortiment bizarre, à ces amas de lambeaux dégoûtants qu'ils donnent sans rougir le nom de traités de jurisprudence... [57] » Ravaudé, raccommodé, reprisé, cent fois sur le métier... le droit civil était en effet en triste état.

Non que la volonté de modernisation, d'unification et même de codification n'ait manqué chez les légistes et chez les monarques. Les légistes sont à l'origine du mouvement de rédaction privée des coutumiers pour lesquels aux XIIIᵉ et XIVᵉ siècles les baillis jouent un rôle capital. A l'origine, simples officiers royaux chargés d'administrer la justice et d'exiger les prestations civiles et militaires dues au souverain, ils prennent l'habitude d'attirer à leurs assises par la jurisprudence *des cas royaux et de la défaulte de droit,* toutes les affaires importantes [58] et de siéger en vertu de l'appel royal devant les cours parlementaires pour défendre les justiciables de leur bailliage. Dans la mesure où, à partir d'une enquête sur les coutumes locales, ils peuvent demander aux parlements de les introduire dans la jurisprudence, ils jouent un rôle fondamental dans la constitution du droit coutumier [59]. De là à participer à la rédaction des coutumes, il n'y a qu'un pas, vite franchi. Pierre de Fontaine, bailli de Vermandois, rédige ainsi autour de 1251, *le Conseil à un ami,* pour l'instruction de Philippe le Hardi et Beaumanoir, le capital *Coutumier de Beauvoisis* (1280 environ). Au XIIIe siècle, les coutumiers prolifèrent et au XIVe siècle, on en trouve dans toutes les provinces auxquelles s'ajoutent des *styles* ou recueils de procédure [60].

Les monarques prennent alors la décision de la rédaction officielle des coutumes. En 1454, l'ordonnance de Montils les Tours en prescrit l'exécution dans chaque district : « Ainsi, a dit Montesquieu, nos coutumes prirent trois caractères : elles furent écrites, elles furent générales, elles reçurent le sceau de l'autorité royale [61]. » Le travail s'engage véritablement sous Charles VIII, se poursuit sous Louis XII et François Ier, jusqu'à Henri IV. L'école coutumière qui participe activement à la rédaction des coutumiers en les commentant et les corrigeant, regroupe le gratin des jurisconsultes comme Charles du Moulin qui a commenté la Coutume de Paris, Bertrand d'Argentré la Coutume de Bretagne, Guy Coquille, la Coutume du Nivernais, etc. On voit poindre la même volonté de modernisation et de codification en ce qui concerne les grandes ordonnances dont beaucoup concernent le droit privé. En 1579, l'ordonnance de Blois avait prescrit la codification des ordonnances existantes et un certain nombre de projets voient le jour : *Le Code Henri III,* recueil de toutes les ordonnances est publié en 1580, *le Code Michau,* élaboré par Michel de Marillac en 1629, *le Code Louis* conçu par l'administration de Louis XIV. Mais aucun d'entre eux ne sera promulgué : les deux premiers en butte à l'hostilité jalouse des parlements ne prennent jamais effet, le troisième reste lettre morte, même si l'on peut estimer que les grandes ordonnances de 1667 et 1670 qui réorganisent et unifient dans tout le pays le code de procédure civile et le code de procédure pénale constituent des éléments de codification. Daguesseau qui dénonçait « les grands inconvénients de la diversité de la jurisprudence » et à qui l'on doit les trois grandes ordonnances sur les donations, les successions et les substitutions (1731, 1735, 1747)[62] qui serviront d'inspiration aux rédacteurs du code civil ne débouche pas davantage sur la codification désirée.

Sans doute il y a bien eu, en France entre le XIIIᵉ et le XVIIIᵉ siècle, un effort de collation et de réformation des codes caractéristiques du procès de juridification engagé par les États de droit. Mais en ce qui concerne le droit civil, il n'a pas véritablement réussi de telle sorte qu'on observe plutôt des velléités qu'une volonté, des projets qu'une réalisation, un programme qu'une action. Malgré les bonnes intentions, la réalité du droit civil français à la veille de la Révolution se caractérise par l'esprit de conservation et l'hétérogénéité. Retard et dérapage entravant l'effort de codification. Entre la décision de Montils les Tours et la rédaction effective des coutumiers, deux siècles s'écoulent. Entre la volonté d'unité manifestée par de nombreux juristes comme Dumoulin, Coquille, Loysel, Pothiers, Loyseau, Domat, etc., et son succès s'intercalent d'infructueuses discussions. L'ambition de codifier s'abaisse à la satisfaction de publier : en 1724, Bourdot de Richebourg publie un recueil d'ensemble des coutumes où coexistent, sans ordre, les diverses législations. Le fruit tardif de l'exigence de codification des grandes ordonnances énoncée par les états généraux de Blois en 1579 est l'édition, à partir de 1723, du *Recueil des Ordonnances des Rois de France* par les soins de l'Académie des inscriptions et belles-lettres. Pour avoir un code civil moderne et homogène, la France devra attendre Napoléon.

Devant la lenteur du processus de juridification civile,

compulsive répétition inlassablement entravée, on est fondé à s'interroger : quels sont les obstacles qui ont empêché la rédaction d'un code civil? Il y a d'abord le poids dont le système seigneurial a lesté la société civile. Particularismes locaux, résistance des couches privilégiées, hétérogénéité du royaume se sont conjugués pour repousser l'unité juridique[63]. Les exemples sont connus. Telle province comme la Bretagne a obtenu, lors de son rattachement, des privilèges qui établissent entre elle et le royaume un contrat synallagmatique. La division entre pays de coutume et pays de droit écrit a maintenu une formidable barrière juridique à l'intérieur du pays. Jaloux de leurs privilèges et de leurs spécificités, les grands corps judiciaires ont enfin résisté autant qu'ils l'ont pu à l'unité du droit privé. Sur le plan juridique, la société civile était incomparablement plus arriérée et divisée que l'État.

Il y a ensuite les difficultés de l'émancipation de la fonction législative. En dignes émules de Montesquieu, nous jugeons volontiers que la fonction législative est aussi simple que l'est un corps pur pour le chimiste. Et cependant, à ces deux questions : qu'est-ce que la loi? Comment se forme-t-elle? Il n'y avait pas à l'âge classique de réponse univoque mais des débats et des combats. Quelle est l'essence de la loi? *Divine*, répondaient les théologiens; *naturelle*, rétorquaient les philosophes; *civile*, estimaient les légistes, et chacun, même s'il acceptait les occurrences concurrentes de subsumer toute loi sous son modèle privilégié. Comment s'établissent les lois civiles? Par la volonté royale? Avec le scellement? Par l'enregistrement des cours? Ou, pour utiliser un vocabulaire plus moderne, par le principe d'autorité, de légitimité, ou de légalité? Si les différentes réponses procèdent des circonstances, c'est que la fonction législative elle-même n'est devenue autonome et indépendante qu'au terme d'un processus historique qui n'a pas été identique en France et en Angleterre.

Par la volonté royale? En France, au XVIe siècle, Chenon observe que tous les légistes proclament que le pouvoir législatif appartient au roi. Au terme du mouvement progressif de confiscation de la fonction législative par le monarque, la doctrine énoncée trois siècles auparavant par Beaumanoir selon laquelle l'intervention royale est la source du droit a ainsi triomphé. Progressivement, le renforcement de la monarchie a dépossédé les barons du pouvoir qu'ils détenaient de faire des « établissements » ou des « assises » comme le comte de Bretagne Geoffroy Plantagenêt en 1185 ou Simon de Montfort en 1212. Sous Louis XI, il n'y a plus que deux ou trois grands feudataires qui légifèrent; sous Louis XIII, plus un seul. La souveraineté a absorbé le législatif dans le même temps que le souverain s'est identifié à la souveraineté. Il n'y a que « le seul roy qui puisse faire les lois », assure Loyseau [64]. Mais cette définition est théorique. La promulgation d'une loi suppose des concours, implique une convention, met en jeu des règles de formalités. A la différence d'un système arbitraire et d'une *civilisation sans droit*, pour reprendre l'expression d'Alexandre Zinoviev, un système juridique est associatif, public, réitératif. Il donne du poids à une tradition collective, promeut le civil, fait pièce à l'improvisation secrète et à la décision clandestine propre à l'exécution despotique. L'État de droit a ses contraintes qui sont *d'articuler Autorité, Légitimité et Légalité.* Lorsque l'autorité, médiatisée par ses actes, ses ordonnances et ses lois, est tenue à l'inscription et à la publication, il est inévitable qu'elle soit vouée au témoignage et assujettie à la contestation.

Contestation qui, en Angleterre et en France, a pris des formes différentes. Outre-Manche, le débat a porté sur la souveraineté; en France, il a eu trait à la légalité. Sur le territoire britannique, le mariage précoce des trois principes (Autorité, Légitimité, Légalité), a facilité la constitution d'une sphère propre et incontestée de la légitimité : la justice locale et son droit jurisprudentiel qui a drainé dans le tissu social un réseau capillaire de droits. A l'intérieur de cette société unifiée par la loi, la controverse qui s'est engagée porte sur l'autorité détentrice de la fonction législative, non sur le mécanisme de fonctionnement de la loi elle-même. En France, à l'inverse, le divorce prolongé de l'autorité, la légitimité et la légalité a frayé des motifs infinis de disputes à chaque fois qu'il s'agissait d'inscrire et de publier des lois.

D'un côté l'inscription délimite l'action éventuelle de la

chancellerie. La rédaction des actes législatifs, inscription, notification, adresse, scellement, a permis au chancelier d'imposer au roi un compagnonnage dans sa souveraineté. De l'autre, les formes légales de publication, lecture à l'audience publique des parlements, enregistrement sur les registres du greffe, ont donné aux cours publiques des arguments pour les réserves ou les corrections par lesquelles elles se proposaient de rejeter ou d'amender les lois. La nature de la légitimité a opposé les monarques aux cours. Pour les premiers, la légitimité dépend de l'autorité qui a le loisir de négliger les formes légales. Pour les secondes, la légitimité se vérifie par la légalité qui en fixe les conditions *sine qua non*. Prétentions très fortes que les monarchomarques avaient poussées à leur comble en intitulant les cours souveraines, héritières du Sénat romain. Un tel débat n'a jamais été tranché. Usant du pouvoir réglementaire, arguant du jugement en équité[65], les parlements ont constitué une sorte de législation concurrente et parasite de la législation existante dont la royauté n'a pu venir à bout. Le sort de la réforme Maupeou résume toutes les défaites des attaques lancées contre les parlements et enfin, ce sont eux qui ont donné le signal de la Révolution. La déchirure de l'autorité et de la légalité empêche la formation d'une sphère propre de la légitimité. A l'inverse de l'Angleterre, la loi civile en France, au lieu d'être l'objet d'un *consensus* fut l'occasion d'un *dissensus* interminable et la dispute sur l'appropriation de la fonction législative fut ainsi antérieure à l'unification de la société par la loi.

Bornons-nous donc à constater ces faits : la concurrence des parlements a été suffisamment forte pour faire obstacle à l'exercice juridique de l'autorité monarchique. L'État de droit bute sur la société civile française. Mais si la morale de la loi est défaillante, la foi dans le roi est assez puissante pour que l'exécution de la volonté souveraine et l'unité du pays, faute d'être obtenues par le droit, soient atteintes par l'administration. L'État, demeuré un corps étranger à l'intérieur d'une société hétérogène fixée sur ses formations historiques archaïques, a pratiqué une politique de la forteresse assiégée fondée sur la contrainte. D'où la dérive de la centralisation gouvernementale vers la centralisation administrative, du juridique vers l'administratif, de l'État de droit vers l'État administratif.

La dérive administrative

Grâce à quelques recherches fondamentales (Michel Antoine, Pierre Chaunu, Roland Mousnier), la dérive administrative de l'État français est en grande partie connue. De l'histoire par laquelle les officiers de justice, au lieu de demeurer des agents fiables de l'autorité monarchique, se sont peu à peu transformés en rebelles privilégiés qui calquaient leur comportement sur celui de la noblesse, nous savons par les travaux de Roland Mousnier la part de responsabilité qui incombe à l'État [66]. Tandis que l'État anglais demeurait un État de justice, l'État français se transformait en État d'office, puis en État de finance. Le royaume français était primitivement un État de justice, Roland Mousnier en donne ce témoignage irrécusable : toute décision royale prend encore, à l'âge classique, l'aspect d'un arrêt de justice en vertu duquel sont expédiés brevets et commissions. Le roi juge les affaires de l'État en son conseil, et c'est de son rôle de souverain justicier qu'il tire tous ses pouvoirs. De même ses officiers sont des juges qui administrent par arrêt. Ce phénomène est alors général en Europe où l'idée d'une législation *a priori*, qui est l'idée moderne de la législation, n'existait pas [67].

Pierre Chaunu situe à la Renaissance l'évolution vers l'État de finance où une monarchie officière et financière succède à la monarchie judiciaire qui culmine aux XIIe et XIIIe siècles [68]. Il observe un parallélisme du développement de la techno-structure administrative et de l'accroissement de l'impôt qui a réalisé sa percée en trois étapes, le début du XIVe siècle, le milieu du XVe siècle, tout le long du XVIIe siècle. Au début du XVIe siècle, Chaunu comptabilise un personnel administratif de 60 000 personnes où l'office de finance joue un rôle majeur. Les besoins accrus de la fiscalité des Valois-Angoulêmes ont donné aux officiers de finance un rôle de premier plan et à l'effort de fiscalisation la place d'un objectif primordial. Michel Antoine, pour sa part, a montré dans son travail pionnier le *Conseil du Roi sous Louis XV* [69] que 1661 constituait une date charnière : en dépouillant la chancellerie de l'essentiel de ses attributions, Louis XIV et Colbert accomplirent une véritable révolution. « Trop d'historiens, souligne Michel Antoine, obnubilés par le destin pitoyable de Fouquet, n'ont pas saisi toute la portée des événements de 1661. Si la personne du Surintendant fut persécutée, le département de la finance, à la faveur de ces mesures spectaculaires, gagna considérablement en puissance, en influence [70]. » Écarté du conseil d'en haut, le chancelier Seguier cessa d'être ministre d'État et, perdant les apparences et les pompes de la primauté, la chancellerie, symbole même de l'État de justice, était dépouillée de ses fonctions essentielles et atteinte. Le chancelier incarnait, par ses attributions, l'expédition et le scellement des actes royaux, la justice du roi et à ce titre il était le chef de toute la magistrature du royaume. Dernier des grands officiers de la couronne, après la disparition du Connétable et de l'Amiral, il était un survivant de cette période où la justice, le pouvoir d'arbitrage des litiges à l'intérieur du royaume, avait joué un rôle majeur. En 1661, le déclin de la chancellerie qui s'était amorcé depuis la fin du Moyen Age, est donc consommé. A partir de là, le contrôle des finances subit une inflation galopante de ses missions : dès la fin du XVIIe siècle, le conseil ordinaire des finances se constitue en royaumes indépendants qui peu à peu s'assujettissent les autres services. (Les habitudes féodales de la rue de Rivoli, on le voit, ne datent pas d'hier.) Michel Antoine en souligne la relation avec les besoins militaires de la monarchie : dans la mesure où les guerres requièrent des ressources de plus en plus grandes et des instruments de collection de plus en plus efficaces et centralisés, elles contribuent au développement de l'État de finance. La guerre de Succession d'Espagne exigea même, note Michel Antoine, une véritable politique de salut public [71].

Or cette dérive administrative, par laquelle l'administration fiscale s'est taillé la part du lion tandis que l'intendant devenait un personnage clef dans l'État, s'est étayée sur une fiscalité qui était rien moins que moderne. La fiscalité d'Ancien Régime, a souligné il y a déjà quelques jubilés l'historien Clamageran dont nous rappelons ici les remarques, gardait de lourdes traces de la fiscalité seigneuriale [72].

D'abord *la fiscalité d'attribution*. L'établissement d'un monopole, comme celui du sel, occasion de multiples conflits, a, souligne-t-il, le caractère d'une attribution domaniale parce que l'État se réserve la vente exclusive de certains produits qu'il déclare domaniaux. Dans la mesure où les produits monopolisés se vendent à un prix supérieur à la valeur réelle « le monopole équivaut donc à un impôt sur la consommation ». (Dans une remarque intéressante, Clamageran prolonge cette analyse sur le monopole en interprétant la nationalisation des biens comme une rémanence moderne du vieux système archaïque seigneurial de l'attribution par lequel le pouvoir se réserve un domaine qu'il exploite directement comme propriétaire.) De là ce parallèle entre l'attribution et la contribution. La première est ancienne, la seconde moderne. La levée de l'impôt par l'attribution ressortit au système dominial et seigneurial parce que la puissance qui a unilatéralement décidé que certains biens lui appartenaient et qu'elle pouvait les exploiter à son gré se comporte en propriétaire. La fiscalité attributive est une manifestation de la puissance en propriété. La levée de l'impôt en revanche, par la contribution, créance universelle et privilégiée, implique l'unité et le consentement du corps politique. D'application plus vaste puisqu'elle suppose des personnes soumises à l'autorité publique et susceptibles de régler les prestations dont l'autorité fixe la quantité, la répartition et l'acquittement, elle est aussi moins coercitive. La puissance qui requiert un assentiment dont la traduction historique ultérieure sera le vote de l'impôt par la nation s'y manifeste comme puissance publique.

Ensuite, *la vénalité de l'impôt*. Legs de la féodalité lui aussi, parce que des trois qualités de l'impôt féodal, le morcellement iocal, l'aspect coutumier, la vénalité est sans doute, estime notre historien, le plus important. L'impôt est à vendre, on en fait commerce. La mise à l'encan de la perception fiscale dure, avec le système de la ferme générale, jusqu'à la Révolution. Or Clamageran, et son point de vue nous paraît intéressant, interprète la vénalité des offices comme une transposition du trafic fiscal sur les charges publiques. On a vénalisé l'office parce que l'impôt était déjà vénal et parce que le paiement des charges est en quelque sorte la redevance exigée des privilégiés. Au lieu de leur imposer une contribution fixe, on a écoulé les offices publics.

Par le rôle de l'attribution et de l'affermage, la fiscalité d'Ancien Régime est donc en partie [73] restée, si l'on en croit Clamageran, tributaire d'une conception autoritaire et seigneuriale de la puissance tenue pour objet d'appropriation et de trafic. Devenue toute-puissante au sein de l'État, l'administration des finances restait largement au service des privilégiés. De même que l'histoire du droit, l'histoire fiscale rend visible la ligne de partage des eaux entre les intentions de modernisation et leur réalisation.

Si la monarchie a su abolir la féodalité et les droits féodaux dans le rapport du souverain au suzerain, elle y échoue dans le rapport du suzerain au peuple. A l'égard de l'autorité centrale, les seigneurs sont grands perdants; au XIIe siècle, on leur retire le privilège de lever arbitrairement l'impôt sur les bourgeois des villes; en 1439, on leur interdit de lever la taille à leur profit au moment même où la taille royale s'abat sur leurs fermiers et métayers. Dès la fin du XVIIe siècle, ils sont même directement imposés par l'établissement de la capitation en 1695, du dixième en 1710, du vingtième en 1749. Mais le progrès égalitaire s'arrête là : à l'exception de la taille seigneuriale abolie, les seigneurs qui, à l'égard de leurs sujets, ont gardé leurs droits, demeurent des maîtres. La monarchie qui a su moderniser l'État a laissé vieillir la société civile. Loin de combattre véritablement les inégalités, la royauté les a sanctionnées, observe Clamageran. Plus centralisatrice qu'égalitaire, elle cherchait essentiellement à obtenir l'unité du pouvoir administratif. Cette unité dont le système fiscal est la cheville ouvrière, constatons qu'elle a fantastiquement réussi, puisque le préfet est dans bien des domaines l'héritier de l'intendant. Mais nous l'avons payé au prix fort par la perte de l'initiative civile. Alors que l'unification par le droit a des effets décentralisateurs, l'unification par l'administration a des conséquences centralisatrices. Ce passage à l'État de finance coïncide avec la mise en tutelle administrative des collectivités locales et la formation d'un droit administratif, *imperium in imperio*.

Princeps legibus solutus est

Par les arrêts de 1681 et la Déclaration d'avril 1683, les emprunts des villes, la vente des biens patrimoniaux communaux et d'octroi, l'établissement d'impositions communales furent désormais soumis à l'autorisation des commissaires royaux. Les arrêtés marquent une date dans l'histoire de la centralisation administrative car ils ont eu deux conséquences importantes. La première est de mettre fin à la liberté administrative et financière des collectivités locales après qu'on a déjà rogné leur indépendance militaire et judiciaire. Pour agir de la sorte, l'État n'était pas dépourvu d'arguments : accaparée par les oligarchies locales, la gestion municipale était soumise aux abus; la police, la voirie, le développement économique allaient à vau-l'eau [74]. La seconde est de fonder, par l'indépendance de la juridiction administrative, les éléments du droit administratif caractéristique de l'État français. La monarchie a tendu à dessaisir les tribunaux ordinaires des délits qui la concernaient, les délits fiscaux au premier chef. Dans le même temps, les fonctionnaires qui traitaient ces questions, se muaient en véritables magistrats. La cour des aides, des greniers à sel, le juge des traites qui jugeaient respectivement des affaires fiscales, de la gabelle et des douanes, se disposèrent à devenir de véritables juridictions [75]. Il en fut de même pour le grand conseil et avec Richelieu et Colbert la monarchie administrative a confié aux intendants des fonctions de juridiction de plus en plus étendues. Assujettissement du droit au contrôle des finances qu'illustrent avec éclat les initiatives juridiques de Colbert qui a piloté les grandes réformes du règne. Bien qu'on ait donné à Seguier la présidence des conseils de magistrats qui avaient la mission d'élaborer les ordonnances civiles d'avril 1667 et d'août 1669 pour la réformation de la justice, l'ordonnance criminelle d'août 1670, c'est Colbert, secondé par son neveu le conseiller Pussort qui, contre les arguments du président Lamoignon, défenseur de la justice seigneuriale et des prétentions parlementaires, dirigea toute l'entreprise [76].

Ainsi fut établi le système juridique dualiste qui stupéfie les Anglo-Saxons dont les mêmes tribunaux jugent les procès des particuliers aussi bien que les différends qui opposent un individu à son administration. En France, le contentieux entre un particulier et une administration est réglé par l'administration et c'est un corps de fonctionnaires, le Conseil d'État, qui statue en dernier ressort. La juridiction ordinaire se trouve donc doublée par une juridiction administrative. Les pays qui connurent un mouvement d'étatisation semblable en certains points à celui de la France, tels l'Espagne, le Portugal, l'Autriche-Hongrie, se trouvèrent dans le même cas.

Le principe formulé par Ulpien, *Princeps legibus solutus est,* remis en vigueur par les légistes au profit du souverain, a finalement servi à l'administration. Il avait pour fonction de dégager le monarque des formalités juridiques par lesquelles la chancellerie ou les cours, ses concurrents dans l'appropriation du principe de l'égalité, tentaient d'infléchir sa volonté. Il a moins conduit à la dissolution de la légalité au profit du caprice princier qu'à la concrétisation d'une légalité nouvelle, celle de l'administration. Ne nous y trompons pas, le droit administratif, dont certains bons historiens de l'administration ont montré l'influence que le droit canon avait exercé sur lui, est bien un droit. Mais ce droit, comme la centralisation administrative du même nom, a de grands inconvénients. Lorsque le juge est législateur, l'institution juridique de l'État civil entraîne la publicité de l'action politique, la décentralisation, la participation collective. Lorsque l'administrateur est législateur, la gestion bureaucratique du social favorise la clandestinité des opérations, la centralisation, l'élitisme. Si l'on ajoute à cela la confiscation de la souveraineté opérée par les monarques, les glissements théocratiques que la révocation de l'édit de Nantes ont fait courir à la France, on mesure le risque de dérive despotique encouru par l'État au siècle de Louis XIV.

On l'aura compris. Dans ces quelques remarques pour une étude juridique et institutionnelle des problèmes de l'État français, nous avons été guidés par un principe qui s'est rétrospectivement imposé à nous pour renverser un point de vue habituel. Nous avons coutume en effet d'incriminer le pouvoir français pour glorifier la civilisation, d'accuser l'administration pour défendre les groupes sociaux, de vilipender le despotisme ministériel pour exalter la bourgeoisie conquérante, de stigmatiser l'État pour louanger la société. Et si ce n'était pas si simple? Si, à tout le moins, dans les cahots de notre histoire, la société civile avait sa part de responsabilité? Si elle n'était pas en avance mais à la traîne? Si, comme nos écrivains l'ont subtilement montré, elle était plus archaïque, aristocratique et réactive que l'État? Il est beaucoup trop tôt pour trancher, mais à tout le moins ces questions méritent d'être posées.

Peut-être l'histoire juridique et institutionnelle de l'État détient-elle aussi une partie du mystère des « passions françaises » comme les appelle joliment Théodore Zeldin. Ces contradictions qui nous déchirent et ces divisions qui nous séparent et par lesquelles d'un côté nous sommes obstinément fixés aux privilèges, aux passe-droits, à l'ordre hiérarchique, à la société aristocratique, et de l'autre compulsivement ployés par le désir d'égalité, de révolution et de nation plébéienne. Peut-être l'histoire juridique détient-elle aussi sa part de secret du mal français...

De cette enquête partielle sur l'État de droit, on retiendra trois leçons qui permettraient de poursuivre nos investigations. Premièrement une leçon de méthode : la réévaluation de l'analyse juridico-institutionnelle qui supposait la relégation transitoire de l'analyse sociale ne vient pas d'un parti pris arbitraire mais d'une exigence intrinsèque à la nature de l'État classique lui-même. Au fond, les instruments forgés par les sciences sociales du XIXe siècle qui ont montré leur valeur et leur fécondité heuristiques tant qu'il s'agissait de comprendre les mécanismes de l'économie ou des mœurs et de quantifier la morphologie sociale, s'avèrent en partie incommodes lorsqu'il faut étudier la formation de l'État moderne. Car, ils contournent l'objectif majeur de ceux-là mêmes qui ont construit cet État : le processus de juridification et de gestion administrative de la société. Deuxièmement, une leçon d'histoire politique : l'observation de l'émergence d'une forme inédite : l'État de droit, qui ne prolonge pas mais modifie les formes antiques de la cité-État et de l'empire. A force d'élimer toute différence sous le paradigme de l'État unique, la philosophie politique du XIXe siècle, si aiguë lorsqu'il s'agissait de différencier les types de société, avait fini par occulter un phénomène massif, comme celui-ci : la différence entre les formes antiques et les formes modernes d'État avait fini par nous rendre aveugles à la pérennité des empires ici, ou à la disparition de ces formes antiques-là. L'évolution n'est jamais un phénomène inéluctable et l'État de droit n'est pas apparu partout. Son existence est locale et circonstancielle. Ajoutons qu'il constitue une forme transitoire qui précède celle des démocraties libérales, qu'il est un maillon intermédiaire entre les formes antico-féodales de l'État et la forme moderne. Troisièmement, une leçon de modestie. Lorsqu'on a reconnu que l'essence du gouvernement représentatif — la division des pouvoirs — et le rabattement des lois sur leur esprit ou, d'une manière générale, la dissolution de l'étatique dans le civil, ne constituaient pas le meilleur expédient pour rendre compte de la formation des États modernes, il faut aussi avouer que nous ne savons pas grand-chose des mécanismes réels de formation des États. Tout au plus pouvons-nous, après avoir renversé les préjugés et levé des écrous, reconnaître quelques faits massifs qui distinguent les États de Droit — le tandem juridico-judiciaire de l'Angleterre, le tandem juridico-administratif de la France, et indiquer quelques pistes : celle de l'analyse des mécanismes du *gouvernement associatif* ne nous a pas paru négligeable.

6. Inflexions

*Les doctrines qui ont effacé le droit politique classique. Le libéralisme. Il
met la question de l'État aux abonnés absents. Il promeut le civilisme. La
démocratie. Caractère antique de l'idéal démocratique qui est holiste et
politiste. Elle met entre parenthèses la question de l'individu et favorise
le populisme. Un précurseur du romantisme, Simon Nicolas Linguet.*

Dans la seconde moitié du XVIIIe siècle, au début du
XIXe siècle, la doctrine de l'État de droit s'efface peu à peu,
plongée dans l'ombre que portent sur elle des doctrines que
leur nouveauté rend brillantes : le libéralisme et l'idéal démocratique. Cette rupture avec l'*âge classique,* autrefois étudiée
sur le cas anglais par Elie Halévy dans son grand livre sur *la
Formation du Radicalisme philosophique* [1], après avoir été
longtemps négligée, est aujourd'hui l'objet d'intérêts et d'observations renouvelés [2]. Nous ne l'envisagerons ici que très
sommairement, dans le but d'analyser en quoi ces doctrines
libérales et démocratiques ont pu dévier de la doctrine
classique et de comprendre les inflexions qu'elles ont fait
subir au droit politique. Perspective évidemment restrictive
et qu'il ne faudrait pas confondre avec un jugement de valeur
négatif. Moins que quiconque, nous ne songeons à nier
l'immense émancipation que libéralisme et démocratie ont
apportée aux peuples, mais il faut aussi observer qu'ils ont
effacé de notre mémoire la scène originaire de l'État de
droit. On voudrait observer ce qui les y a prédisposés.

On doit à la pensée libérale la prise en considération de l'économie, l'intérêt pour la gestion du social, le concept de société civile comme société de besoin, mais aussi les débuts de l'anti-étatisme.

L'argument, « la société contre l'État » vient, le sait-on assez?, du XVIIIᵉ siècle : c'est le mouvement français des lumières qui, dans sa fascination pour la société, l'a fait émerger, s'éloignant ainsi insensiblement des légistes. Tout l'intérêt que les doctrinaires classiques montraient pour l'État, Boulainvilliers, Montesquieu, Voltaire, Mably, l'ont fait basculer vers la société; toute l'attention que les premiers prodiguaient à la loi, les seconds la donnent à l'individu; toute l'admiration qui était portée à la politique, ils la confèrent aux droits de l'homme. Glissements successifs d'une doctrine qui privilégie la société civile, part en roue libre vers le cosmopolite, l'universel avant de mettre à flot les scénarios du futur, l'histoire, la nation, la race, etc.

Non que cette idéologie *civiliste* — on pourrait l'appeler ainsi — soit antijuridique : le droit n'y est pas contesté mais rabattu sur le consentement individuel; la souveraineté n'y est pas discutée mais assignée au peuple, la loi n'y est pas mise en cause, mais imputée à l'individu. Comment concilier dès lors la liberté personnelle et les nécessités du pouvoir, comment harmoniser la société et l'État? Des problèmes neufs d'équilibre et de représentation politique apparaissent.

Ici commence le libéralisme, le libéralisme venu des lumières. Naturellement le mouvement qui exalte la raison individuelle engage la lutte contre les autorités sacrées du roi et de l'Église, développe l'optimiste idée du progrès, aboutit à la glorification d'une société organique où des milliers et des milliers d'individus uniquement attachés à la poursuite de leur intérêt, concourent, sans le besoin d'une autorité supérieure, à la concorde et à la prospérité générale [3].

Les physiocrates étaient du parti des philosophes. Le libéralisme est un cadeau de l'État de droit, seule forme du pouvoir qui autorise l'affirmation de la subjectivité individuelle et l'autonomie de la société civile. Hegel l'a admirablement compris : la sphère des rapports privés conquiert son indépendance lorsque l'individu cesse d'être la forme irréelle et l'ombre esquissée qui glissait dans la cité antique ou le despotisme oriental, lorsque s'affirment enfin ses droits de sujet : « Le principe des États modernes a cette force et cette profondeur prodigieuse de fermeture au principe de la subjectivité de s'accomplir au point de devenir l'extrême antinomie de la particularité personnelle[4]. » L'État-Nation moderne anti-esclavagiste impulse le développement de l'économie libérale. Ne nous étonnons pas que Quesnay et Turgot, fondateurs de la physiocratie et apôtres du « laissez-faire, laissez-passer » aient été chargés de fonction dans l'appareil d'État car les États de droit — même si, faute d'avoir atteint en France son seuil d'équilibre, l'évolution en fut remise à des jours meilleurs — vont au libéralisme comme les fleuves vont à la mer.

Mais à ce point pourtant — et voici notre antinomie — le libéralisme peut se retourner contre l'État. La doctrine d'une auto-institution de la société civile, accordée à l'inspiration optimiste, rationaliste et anti-hiérarchique des lumières laisse subsister un blanc, un espace vide, un degré zéro de la théorie : la question de l'État et plus largement la question des autorités théologiques et politiques. Soljenitsyne ne l'a pas envoyé dire aux libéraux américains, le libéralisme met la transcendance, la définition de l'identité et de l'unité de la collectivité, aux abonnés absents. Si libéraux qu'ils soient, les hommes de foi et de pouvoir ne peuvent que trouver incomplète la philosophie libérale comme en témoigne la méfiance légitime qui, tout au long du XIXᵉ siècle, anime les chrétiens à son égard. Sa limite ne tient pas à sa prédilection pour les problèmes économiques, puisque avec le libéralisme économique coexiste le libéralisme politique. *Il y a bien une doctrine politique libérale mais elle se réduit à la philosophie individualiste des droits de l'homme, il y a bien une politique libérale, mais elle est restreinte à la garantie des droits individuels; il n'y a pas, il ne peut pas y avoir une doctrine et une politique étatistes, libérales. Sur la question de l'État, le libéralisme est muet* [5].

Univoque en économie où il appelle toujours un abandon du dirigisme étatique et une apologie de la libre entreprise, le libéralisme est donc équivoque en politique où son nihilisme étatique prend, au gré des États, un sens différent. Laissant indécise la question de l'État, pratiquant l' *« épochè »* de l'État comme les phénoménologues la mise entre parenthèses de la réalité, la doctrine libérale risque par un primitif retour du refoulé, d'être asphyxiée par les problèmes étatiques comme la phénoménologie l'a été par l'ontologie.

Si l'on rappelle l'anecdote du bref échange qui résume si bien la doctrine libérale entre le dauphin qui va devenir Louis XVI et Quesnay : à la question, l'éternelle question du prince : « Que faire? », sa réponse : « Rien! » il faut admettre que ce rien qui sera le *credo* de Ferguson et de Smith est ambigu. Greffé sur la crise de l'État en France au XVIIIe siècle ou sur la crise de l'identité nationale en Allemagne, le nihilisme étatique produit de spectaculaires retournements antilibéraux : ici l'idéologie jacobine, là le nationalisme.

LA DÉMOCRATIE [6]

Mais à la fin du XVIIIe siècle, il n'y a pas eu que le libéralisme, il y a eu l'idéal démocratique; il n'y a pas eu que les physiocrates, il y a eu Rousseau; il n'y a pas eu que l'évolution anglaise, il y a eu la Révolution française. Autres origines : le libéralisme vient du développement de la société civile, ce don gracieux de l'État de droit; il prospère avec le capitalisme, il est moderne. Il procède de la division entre la puissance et la propriété par laquelle chaque particulier peut acquérir la propriété sans s'emparer du pouvoir, mais aussi et surtout, par laquelle la puissance respecte les propriétés. La démocratie vient des cités-États anciennes, elle est liée à l'esclavage, elle est antique. Si le libéralisme est une innovation, la démocratie est — comme on le dit pour le déploiement du droit romain — une réception. Les traits archaïques de la démocratie pèsent sur son idéal moderne. La démocratie antique était *holiste* (si l'on peut ici réutiliser le vocabulaire formé par Louis Dumont) et *politiste*.

Holiste : la démocratie antique est une démocratie directe, autoconstituée qui ne connaît pas la division entre l'État et le citoyen, le pouvoir et les individus. Ce trait noté par Hobbes [7] a été vigoureusement souligné par l'école libérale du XIXe siècle, qui était obsédée par le péril démocratique. Benjamin Constant, Tocqueville ont développé pour leur propre compte l'opinion qu'exprimera ultérieurement Fustel de Coulanges : « C'est donc une erreur singulière entre toutes les erreurs humaines que d'avoir cru que dans les cités anciennes, l'homme jouissait de sa liberté, il n'en avait pas même l'idée [8]... » L'idéal démocratique antique est un idéal communautaire et non individualiste. Aussi, là où le libéral défend les droits singuliers, l'intérêt particulier et la volonté individuelle, estime que l'individu est tout et ne se soucie pas de l'État, le démocrate réclame le pouvoir populaire, défend l'intérêt et la volonté générale, estime que le peuple est tout et ne s'inquiète pas de l'individu. De là, les risques de la démocratie. Les anciens savaient parfaitement qu'elle est la forme la plus propice à la tyrannie et la plus compatible avec la dictature. La notion de peuple est floue, et même dans la plus petite république, l'excédent de ceux qui le composent aboutit souvent au mensonge de celui qui parle en son nom. Qui, du, dans et par le peuple, gouverne? Cela est difficile à établir. A l'inverse des gouvernements aristocratiques et monarchiques qui supposent des collections limitées d'unités discrètes et peuvent s'exercer directement, le pouvoir du peuple suppose toujours une distribution ou une délégation. C'est au nom du peuple, on le sait, que s'exerce la puissance du tyran. Cette surdité spécifique de la démocratie à l'individu explique enfin qu'elle soit compatible avec l'esclavage. Il fallait des esclaves à ces citoyens, à ces barbares allègres que n'obsédait pas la liberté humaine.

Politiste. L'idéal démocratique — surtout à l'intérieur de la démocratie directe — induit une politisation forcenée des citoyens. Hypertrophie politique qui a sans doute ses responsabilités dans l'atrophie économique de la cité antique [9]. Le « pouvoir du peuple » définit exclusivement les modalités d'accomplissement du pouvoir, le gouvernement en acte, l'*exécutif*. Il ne peut y avoir de place, dans l'idéal démocratique ancien, pour les mécanismes modernes de contrôle du pouvoir, parce que c'est tout le peuple qui en chaque instant s'y investit et l'exerce. Il n'y a pas de forme abstraite du pouvoir parce qu'il n'y a que du pouvoir en acte; chaque citoyen est à tour de rôle gouverné et gouvernant. La démocratie antique a inventé « le primat du politique » et l'auto-institution de la cité à laquelle voudront revenir les conventionnels français.

De là l'antinomie de la démocratie : dans ce qu'elle a de meilleur, l'exigence démocratique se réduit à la revendication de l'exercice immédiat du pouvoir par le peuple; dans ce qu'elle a de pire, d'oublieux, d'amnésique, elle pousse à omettre ou à bafouer les droits individuels. Le libéralisme fait l'impasse sur la question de l'État, l'idéal démocratique néglige la question de l'individu. Sartori observe judicieusement que dans la tradition grecque, la démocratie reposait plus étroitement sur l'égalité de chacun devant la loi *(isonomia)* que sur la liberté *(éleutheria)*. L'idéal démocratique tend à promouvoir l'égalité dans l'exacte proportion où l'idéal libéral tend à promouvoir la liberté. Hannah Harendt a montré naguère que l'influence prépondérante de l'un ou l'autre de ces idéaux avait conduit en Amérique à la révolution de la liberté, en France, à la révolution de l'égalité [10]. Si le libéralisme néglige le rôle de l'État, noie le politique dans le civil, l'idéal démocratique demeure indifférent à l'action individuelle, immerge l'individu dans la collectivité populaire. Du libéralisme et de l'idéal démocratique procède le succès de la divulgation de ces deux notions étrangères à la doctrine classique et qui l'ont rejetée dans le passé : le civilisme et le populisme.

Civilisme et populisme

La croix de la philosophie politique des lumières est alors le problème de la conciliation de la liberté individuelle et de l'aliénation politique, sa résolution, son Vendredi Saint, c'est l'ascension du *civil* — qui réconcilie le particulier et le collectif — au-dessus du cadavre déserté de l'État. Mais le civil est un nouveau point de départ et non un point d'aboutissement. Mably, Boulainvilliers, partis du civil, font déjà route vers de nouveaux procédés de construction de l'identité du « corps politique ». Au lieu de fonder l'État par la loi, à la manière de la théorie politique classique, ils construisent l'identité de la société par l'histoire et la conquête. Retour à l'historicisme, fantasme de l'origine qui inaugure la grande dérive nationaliste.

Le populisme est le tour que prend la représentation de la société quand avec Rousseau triomphe définitivement le point de vue de la souveraineté populaire et de l'intérêt général. Le populisme n'est pas moins oublieux des rapports de l'État et du citoyen que le civilisme, puisqu'il néglige à son tour l'un des termes de la relation, celui de l'individu. Civilisme et populisme désinvestissent les problèmes de l'*institution* du pouvoir, négligent les *rapports* entre l'individu et l'État, oublient la politique.

Tant qu'ils se développent à l'intérieur des États de droit, le civilisme libéral ne déploie pas plus un anti-étatisme conscient que le populisme démocratique ne diffuse un anti-individualisme virulent mais, et c'est leur commun paradoxe, dans une écologie différente marquée par l'absence d'État, ces tendances latentes peuvent devenir manifestes au point de déchirer les idéologies qui les ont fait naître.

Simon Nicolas Linguet

Conséquence surprenante mais non pas véritablement imprévisible et qu'avait déjà tirée l'inquiétant raisonnement

161

d'un précurseur français du romantisme politique que l'histoire des idées n'aurait pas dû laisser dans l'ombre — ne serait-ce pas parce qu'il constitue l'une des références politiques réitérées de Marx — nous voulons parler de Simon Nicolas Linguet. L'auteur du *Traité des lois civiles* [11] mérite le détour. Quel homme, ce Linguet! Avec les libéraux, il partage l'idée de l'inconsistance du droit et de l'exclusive pertinence de l'organisation économique. L'inventeur de la formule choyée par Marx [12], « l'Esprit des lois, c'est la propriété! », c'est lui. Avec les romantiques, il a en commun la haine de la philosophie des lumières qu'il déverse dans un venimeux pamphlet, le *Fanatisme des Philosophes*. Avant l'école historique du droit, il croit à la suprématie du droit privé sur tous les autres.

Des prémisses identiques à celles du libéralisme, il tire pourtant des déductions politiques opposées, puisque l'apologie de la propriété et de la négativité du pouvoir le conduit à l'exaltation de l'esclavage et du despotisme oriental. On croit rêver... Linguet, premier théoricien fasciste... Lorsqu'on songe aux ricanements sceptiques qui ont accompagné les réflexions de Karl Wittfogel sur les liens des régimes socialistes et du despotisme oriental, la lecture de Linguet tient de l'hallucination. On se frotte les yeux : est-ce possible! Voici donc, lu et relu, abondamment loué et reloué par Marx un auteur qui, estimant que tous les gouvernements sont despotiques [13], considère qu'il n'y a pas de libertés civiles [14] — sinon formelles — et qui, demandant à l'Orient et aux Asiatiques, c'est-à-dire au *despotisme* (il relève le titre), leur modèle de gouvernement, a été capable de chiffrer et d'accepter tous les frais : les grands — il y consent — sont malheureux, mais qu'importe, puisque le peuple est délivré des petits tyranneaux; les libertés — il le reconnaît — ont disparu, mais quelle conséquence, puisque la liberté est un leurre! Le pouvoir est absolu — il le veut bien — mais quelle affaire, puisque l'essence du pouvoir est toujours oppressive. Ajoutez à cela une langue superbe et des accents pré-socialistes contre l'exploitation... Édifiante logique qui montre que de « la société contre l'État » ou du peuple souverain à l'État despote, la conséquence hélas! peut être « bonne ».

Dans ces doctrines nouvelles, ce qui donc est perdu, c'est l'idée classique du *corps politique* où l'institution de la société supposait un rapport et une dualité entre le pouvoir souverain et les droits individuels; ce qui s'abîme, c'est l'idée de cette relation qui supportait une conception de la transcendance juridique.

De l'anti-étatisme civiliste et de l'idéal démocratique ont procédé peut-être l'esprit révolutionnaire jacobin de la volonté générale et la loi incarnée par la section des piques. Mais, passée la parenthèse de la Révolution, à l'intérieur des États de droit *déjà* constitués, le libéralisme et l'idéal démocratique eurent pour effet essentiel de permettre le déploiement de l'initiative individuelle et le développement des libertés démocratiques, bref, de renforcer l'économie et d'asseoir sur une base plus large la vie politique. Mais à l'extérieur, en *l'absence d'État de droit,* leur destin fut tout autre. Bientôt au cri de « Vive la Nation! » les armées révolutionnaires françaises apportant, bottées et casquées, les idéaux nouveaux sur les routes d'Europe, bientôt l'idéologie anti-étatiste, civiliste, populiste en Allemagne, bientôt Fichte.

DEUXIÈME PARTIE

L'ÉTAT DESPOTE

« Je ne laissais pas de savoir que la Renaissance avait mis au monde tout ce qu'on appelle libéralisme, individualisme, humanisme bourgeois. Mais tout cela me laisse froid car la conquête, l'âge héroïque de votre idéal est depuis longtemps passé, cet idéal est mort, ou tout au moins il agonise et ceux qui lui donneront le coup de grâce sont déjà devant la porte... Le principe de la Liberté s'est réalisé et s'est usé en cinq cents ans. Une pédagogie qui, aujourd'hui encore, se présente comme issue du siècle des lumières et qui voit ses moyens d'éducation dans la critique, dans l'affranchissement et le culte du Moi, dans la destruction de formes de vie ayant un caractère absolu, une telle pédagogie peut encore remporter des succès momentanés, mais son caractère périmé n'est pas douteux aux yeux de tous les esprits avertis. Toutes les associations vraiment éducatrices ont su, depuis toujours, ce qui importait en réalité dans la pédagogie : à savoir l'autorité absolue, une discipline de fer, le sacrifice, le reniement du moi, la violation de la personnalité. En dernier ressort, c'est méconnaître profondément la jeunesse que de croire qu'elle trouve son plaisir dans la Liberté. Son plaisir le plus profond, c'est l'obéissance... Non, poursuivit Naphta, ce n'est pas l'affranchissement et l'épanouissement du moi qui sont le secret et l'exigence de ce temps. Ce dont il a besoin, ce qu'il demande, ce qu'il aura, c'est la Terreur. »

Thomas MANN
La Montagne magique

1. Romantisme et totalitarisme

> « Les Allemands sont le peuple de la contre-révolution romantique. Contre l'intellectualisme philosophique et le rationalisme de l'esprit des Lumières, une révolte de la musique contre la littérature, de la mystique contre la clarté. »
>
> Thomas MANN

Aux origines du totalitarisme... L'enjeu de l'Allemagne. La crise allemande de la pensée française. Du rationalisme au fidéisme. Prolégomènes à une autre doctrine politique.

Comment dans ce plomb vil l'or pur s'est-il changé? L'alchimie qui manque la transmutation de l'État de droit en État despote serait moins pernicieuse si la liste des membres du premier, dans le monde actuel, n'était si étroite et moins inquiétante, si, parmi l'essaim crissant des États neufs n'était apparu ce mutant, le système totalitaire.

Aux origines du totalitarisme... Nous sommes las des explications par le bas : « L'accumulation primitive du capital en cinquante ans, chers camarades, au lieu des trois siècles du capitalisme et sans ponction de son travail colonial, mérite bien quelques sacrifices » dont la relativité s'avère décidément restreinte et grevée de trop d'exceptions; l'Europe de l'Est, riche avant le changement de régime et la perpétuation du régime policier *après* l'industrialisation, par exemple.

Fatigués une bonne fois de l'économisme et des sommations comminatoires de la « dernière instance ». Nous devinons autre chose : une logique politique, une gnoséologie comme disait Lénine, immatérielle et ductile, insensible aux météorologies de la production et dont la mécanique fonctionne, imperturbable. Nous pressentons qu'un système décisionnel a grippé, bloqué, puis chassé celui de la doctrine politique classique en détruisant ses commandes : l'étatisme, le juridisme, l'individualisme.

Aux origines du totalitarisme... Toute la génération réveillée du rêve chinois comme d'autres le furent du rêve soviétique essaie de comprendre le saturnal mécanisme, et recherche la clef qui ouvre et ferme la porte de l'enfer. En son flair idéologique, André Glucksmann est parti voir du côté de l'Allemagne. Bonne piste : la même nation qui par deux fois engendre les doctrines et les deux versions du totalitarisme, la fasciste et la communiste, et réalise la première, a des raisons d'être suspectée. Le voici revenu avec un livre qui dénonce les criminels et débusque le cadavre [1]. Les coupables s'appellent Fichte, Hegel, Nietzsche et Marx et en retournant le corps du délit, on trouve la science au pouvoir, l'impénitent et impudent rationalisme, en un mot, les Lumières. L'enquêteur exhibe « les principes rationalistes de Fichte [2] et le nouveau soleil de la science qui brille déjà haut à l'horizon lorsqu'est prévue la seconde étape : celle de la terreur et de la lutte à mort [3] ». Fichte, héraut précurseur de Hegel et du rationalisme aurait mené l'Allemagne où nous savons. L'accusation, qui s'étaye sur la prétention à l'identité scientifique du marxisme-léninisme et sur l'histoire officielle de la formation du jeune Marx revenu aux lumières par Feuerbach interposé, mérite mieux qu'une dérision agacée, elle appelle un examen, et une discussion. Il y va de ce qu'on peut appeler l'enjeu de l'Allemagne.

L'enjeu de l'Allemagne

De même qu'il y a un enjeu — et un mystère — du destin russe — que serait devenue avec ses fabuleuses ressources naturelles et son immense réservoir d'âmes vives la Russie, l'européenne de l'Est?... une Amérique orientale, peut-être..., il y a un enjeu et un mystère du destin allemand. Après trois guerres, l'Allemagne démocratique actuelle, nantie, assoupie et liguée contre son terrorisme, ne ressemble guère à son aïeule du XIXe siècle. Mais tant qu'une incertitude voilera l'obscure genèse du nationalisme allemand, du nazisme et du socialisme concentrationnaire, nous verrons ressurgir l'interrogation de William Shirer : comment l'Allemagne est-elle devenue folle? Question qui ne cède ni au racisme ni au culturalisme, parce qu'il faut comprendre, en dépit du pangermanisme, non ce qui est allemand dans le destin du totalitarisme, mais ce qui a été totalitaire dans l'histoire de l'Allemagne. S'il y a aujourd'hui deux Allemagnes, c'est qu'il y eut peut-être hier deux voies pour l'Allemagne.

Hier donc, l'interrogation sur le destin de notre voisine déclenchait *la Crise allemande de la pensée française*[4] selon la judicieuse appellation de Claude Digeon. Après les guerres de 1870 et de 1914, on vit un déchaînement contre l'ensemble de la philosophie allemande, avec une fixation sur l'œuvre de Fichte. Les universitaires français durent combattre sur deux fronts : unis sur le premier, parce que la lutte contre le rejet chauvin du patrimoine germanique et l'effort pour distinguer devant l'opinion publique la culture du casque à pointe et l'art allemand de la grosse Bertha conditionnaient le progrès du travail scientifique et universitaire, qui avait beaucoup à apprendre de l'exemple allemand, ils se divisèrent sur le second, lorsqu'il s'agit, non d'éviter les complications secondaires, mais de sonder l'affection originaire du destin allemand. Derrière le nationalisme et le pangermanisme, se devinait une plus affreuse gestation, et penchés sur le ventre fécond où sommeillait la bête immonde, nos philosophes, en découvrant Fichte, se séparèrent.

Généreusement, Victor Basch et surtout Xavier Léon qui lui consacra une thèse monumentale, voulurent disculper le philosophe de toute responsabilité dans l'essor du nationalisme allemand, tandis que Boutroux et Andler, réceptifs aux invocations des pangermanistes placés sous son patronage, l'incriminaient sans détour[5]. La querelle cristallisa sur l'alternative d'une continuité ou d'une évolution de l'auteur des *Considérations destinées à rectifier le jugement du public sur la Révolution française* à celui du *Discours à la nation allemande*. Les uns tenaient pour une stature inchangée, les autres pour une irréversible coupure.

Cinquante années après, le débat n'a plus vraiment de sens. Dans un article publié en 1946[6], qui rend pourtant hommage à Xavier Léon, Martial Guéroult en donne la raison : « Sans doute Fichte est-il moins facile à défendre aujourd'hui qu'hier, parce que depuis hier, depuis la mort de Xavier Léon, nous avons une nouvelle fois souffert de ce nationalisme odieux dont le fondateur de l'université de Berlin fut, sous quelque forme sublimée que ce soit, une des premières incarnations[8]. » Même si l'on retient en guise de circonstances atténuantes qu'en Fichte, le rationaliste et le démocrate n'ont jamais été totalement remplacés par le mystique et le nationaliste[9], dans le mouvement des idées en Allemagne, les dernières caractéristiques incorporées au courant dominant ont fait oublier les autres. Les idées fichtéennes se sont incarnées et la vérité est *devenue*. Le *Discours à la nation allemande* s'est imprimé dans la mémoire populaire, tandis que dorment les autres œuvres dans les bibliothèques au bois dormant que seuls réveillent les savants.

Aujourd'hui, le débat rebondit en raison de la double métastase de l'histoire allemande : le nazisme et le socialisme — ce dernier indirectement par obédience marxiste interposée. Nous savons *de facto*, mais pas encore *de jure*, que ces régimes politiques qui bafouent *l'habeas corpus* instaurent un système politique très différent de l'État de droit classique. Comment ce renversement s'est-il produit? Quelle évolution des esprits a préparé ce changement? Devant ces questions, la tentation est forte de condamner, au vu de sa postérité, *toute* la philosophie allemande du XIXe siècle, sursitaire récidiviste, que nos aînés auraient trop rapidement absoute et d'en finir avec une dispendieuse indulgence. Réflexe bien rapide : il manque le débat qui fait rage au début du XIXe siècle entre ceux qui maintiennent les principes de la doctrine juridique classique et ceux qui les jettent aux orties. On le dépasse, dès qu'on le rencontre, comme cela nous est arrivé. Il est temps de réviser le procès unilatéral contre l'ensemble de la philosophie allemande, pour s'attacher à en extraire la seule part qui a accepté ou aidé la genèse du totalitarisme.

Il n'est plus possible d'ignorer que l'affrontement entre l'*Aufklärung* et le romantisme qui s'est soldé en Allemagne au début du XIXe siècle par le triomphe de ce dernier, ne ressemble guère à la bataille d'Hernani. Ce fut un drame plus vaste, une plus fastueuse et affreuse tragédie parce que sur le théâtre du monde contemporain, le romantisme réglait la mise en scène de la Nation-État.

Trop tôt ou trop tard, des témoins pourtant sincères comme Mme de Staël ou des penseurs pourtant profonds comme Dilthey ont escamoté cette querelle. Bourré de renseignements journalistiques et d'analyses à chaud, le livre de la fille de Necker[10], dans sa rage de faire comprendre à une France chauvine et fermée que quelque chose de neuf se produit en Allemagne, et de vouloir livrer l'expression éternelle de l'âme allemande, manque la bataille du moment. Plus tard Dilthey, qui en lui réconciliait l'hégélianisme et le romantisme, n'a soufflé mot du conflit qui les opposa. Mais les travaux actuels de Henri Brunschwicg, Jacques Droz, Roger Ayrault[11], qui poursuivent et approfondissent les recherches plus anciennes de Georges Gurvitch, Andler et Spenlé après ceux déjà cités, découvrent avec le romantisme allemand le détail du combat par lequel le rationalisme venu des lumières a été renié, quelquefois même à l'intérieur d'une seule conscience, et par lequel ont été arrachées les racines de la philosophie politique classique.

Du rationalisme au fidéisme : prolégomènes à une autre doctrine politique

Le romantisme allemand, mouvement foisonnant qui buissonne dans de multiples directions : *littéraire* avec Klopstock, Novalis, Herder, Jean-Paul, les frères Schlegel, et nous en oublions, *historique* avec Wackenroder et Tieck, *linguistique* avec Justus Möser, *philosophique* avec Fichte, Schelling, Schleiermacher, *juridique* avec Hugo et Savigny, *politique* enfin avec Frederic de Gentz, on ne redira pas ce qui a été étudié ailleurs. On voudrait seulement restituer ce qui dans l'événement, les mœurs et partis pris proclamés, prépare, dans une doctrine qui ne s'affirme pas directement politique, à un changement politique.

Coup de balai, grande lessive des idées, le romantisme est d'abord un *événement* qui met fin au bref règne de l'*Aufklärung*. De 1740 à 1780, deux générations ont grandi sous l'égide des lumières. Mais dès 1773, éclate le *Sturm und Drang* avec la publication de trois articles, *Von Deutscher Art und Kunst* signés Justus Möser, Herder et Goethe — excusez du peu. C'est le traumatisme originaire de l'affection romantique [12]. Contre la raison, on invoque le sentiment ; contre l'Antiquité, on exalte le Moyen Age ; contre l'étranger on valorise l'Allemagne, et l'on se dresse contre l'*Aufklärung*. L'épisode aurait pu être sans lendemain : Goethe assagi lance sa déclaration fameuse : « J'appelle classique ce qui est sain et romantique ce qui est malade » et, à la charnière des deux siècles, les salons dont le succès ne se dément pas répandent dans les grandes villes allemandes le cosmopolitisme et le goût du raisonnement « à la française ». A Berlin, Rahel Levin anime après Henriette Herz, Sarah Meyer ou Mme d'Arnstein, un cercle rationaliste que fréquentent Gans et Heine, mais aussi tous les jeunes admirateurs de Goethe, Frederic Schlegel, Schleiermacher et Frederic de Gentz [13]. Devenue l'épouse du diplomate von Varnhagen, elle les retrouve dans les couloirs du congrès de Vienne tout à fait transformés.

C'est qu'entre-temps la vague romantique refoulée a fait un fracassant retour sous les signes de la guerre et de la religion.

Guerre : la Révolution française première époque avait paru à la jeunesse intellectuelle allemande la réalisation des idéaux rationalistes et universalistes des lumières. Des transports d'admiration qu'elle souleva, l'histoire a retenu quelques images : Kant, bousculé par la victoire de Valmy, interrompant son rigide et imperturbable emploi du temps, et Goethe annonçant une ère nouvelle de l'histoire du monde. Deuxième époque : avec l'épilogue bonapartiste, la défaite qui déchaîne en Europe de l'Est la guerre de résistance conceptualisée pour la première fois comme guerre de libération nationale. Après l'accroc, la déchirure : à Berlin puis à Iéna, un petit groupe fonde en 1799 et 1801, l'*Athenaeum,* une revue où les frères Schlegel, Tieck, Novalis, Schliermacher, éparpillent « les grains de pollen » qui disséminent la prodigieuse et inquiétante fécondation des idées nouvelles.

Religion : le piétisme mine de l'intérieur les assises institutionnelles, maçonniques et politiques de l'*Aufklärung.* D'abord, en 1782, au congrès de Wilhelmsbad, les loges se déchirent entre mystiques et rationalistes et le mouvement piétiste qui a son centre à Berlin, acquiert la direction d'une partie formidable de la franc-maçonnerie. Puis du despotisme éclairé, on ne garde que le despote. Les ministres prussiens Woellner et Bishoffwerder, irréductibles ennemis des lumières, assurent leur emprise sur Frédéric-Guillaume II, un mystique aux mœurs reprochables. A partir du piétisme, l'essaimage des sectes qui infléchissent en un parcours initiatique vers des mystères toujours plus élevés et secrets l'apprentissage culturel. On observe alors un nouveau ton, de nouvelles mœurs, de nouvelles idées.

Un nouveau ton. De son écho neuf, d'un timbre dont le *vibrato* changé fait sonner le mépris de la tolérance, impose le tranchant d'une conviction irritée d'argumenter et qui réclame des fidèles, nous n'avons pas seulement pour témoignage le modèle proposé par Novalis, des *Disciples à Saïs* [14], mais aussi le sursaut indigné du vieux Kant choqué par le ton de grand seigneur adopté en philosophie, par l'accent de supériorité sans réplique qu'affectaient les jeunes philosophes. Singulière prescience du péril de la terreur dans les lettres. Nous le connaissons, ce ton, nous l'avons déjà entendu : c'est celui des mots d'ordre, des slogans, de la ligne, de « l'esprit de parti ». Les jeunes romantiques expérimentent sur les mots le couperet métallique qui venait, à l'ouest du Rhin, de faire tomber les têtes, mettent au point le système inquiétant de la ligne culturelle juste, important, dans l'art, la philosophie, le savoir, la violence, l'intimidation et l'aplomb des campagnes. Militaires, insolents, péremptoires, *seigneurs*, les Schlegels, Novalis, Tieck et Schleiermacher, détachement avancé du romantisme. Que celui qui n'a jamais péché...

Nouvelles mœurs. Frédéric Schlegel imagine la symphilosophie et invente avec son clan la mini « contre-société ». Rupture encore avec l'*Aufklärung*. Taine, dans *Les Origines de la France contemporaine*, a décrit le dessèchement sentimental provoqué par la vie de salon qui avait meurtri et révolté Jean-Jacques. L'amour remplacé par le plaisir, l'amitié, gênée par les rages de la politique, embarrassée par les calculs de la vie sociale, évincée par le copinage courtois. Cliques, clans — partis déjà! — que l'occasion autour d'une idée formait, que détruisait un coup du sort. Pour une âme assoiffée d'absolu comme l'auteur des *Confessions*, cent partenaires badins voués à trahir à la moindre saute de vent. Et tous ces liens stratifiés par les conventions, bêchés par le piétinement des mêmes plates-bandes, labourés par les désertions, creusés de départ. Rien d'exaltant. Attaches du cœur superficielles et bruyantes que soulève une causerie et qu'un coup de griffe fait retomber dans le néant. Seul demeurait, comme en toute société de cour, fût-elle bourgeoise, le service prêté et rendu : dîners, échange d'informations et de puissance. Feu sur les ours savants de la salonarde démocratie; à la société civile bourgeoise, s'étiquette l'infamie du philistinisme. Changer la vie déjà... Les jeunes romantiques se rencontrent, s'aiment, vivent ensemble, réinventent Montaigne et La Boétie, font des mariages d'amour, donnent aux femmes, Caroline, Dorothée, Sophie, une place que les surréalistes magnifieront à peine. La genèse de leur œuvre est l'histoire de leur vie et la biographie un chemin incontournable vers leur pensée. L'œuvre déjà comme praxis. Affinités électives et lieux privilégiés : à Iéna, Hegel, Schelling, Hölderlin, à Berlin, les frères Schlegel, Novalis et Tieck. C'est de l'air romantique respiré dans leur jeunesse que procèdent sans doute le marginalisme volontaire et l'indéfectible amitié de Marx et d'Engels.

Nouvelles idées. Claque haut-levé le drapeau de la langue allemande. Herder publie dans ses *Fragments relatifs à la littérature allemande* (1767) une sorte de défense et illustration... Klopstock voue à l'exil les doctes allemands oublieux de la langue maternelle dont Fichte proclame la supériorité et la vitalité sur toutes les langues étrangères réputées mortes. Nouvelle pléiade? Renaissance à l'allemande, trois siècles après? Pas tout à fait. Les romantiques jouent la parole contre le code, la lettre contre l'esprit, rêvent le développement de la nation par son âme au lieu de méditer l'établissement de l'État par les institutions et choisissent dans le symbolique, non les archives et les écrits dont Novalis, fin connaisseur, rappelle qu'ils sont la mémoire de l'État, mais le matériel, le signifiant, la parole. Ici aussi l'Allemagne innove : à la langue d'État, elle substitue la langue nationale. Elle ne s'inspire pas de l'exemple français : de l'ordonnance de Villers-Cotterêts par quoi François Iᵉʳ prescrivait l'usage du français comme langue administrative, puis Malherbe, Richelieu, l'épuration linguistique et le dictionnaire de l'Académie, c'est-à-dire de l'exemple d'un État de droit formant et informant sa langue et l'inscrivant *post partum* à l'état civil. Le romantisme bouscule la cérémonie : c'est la langue qui parraine la nation, c'est l'existence linguistique qui définit l'état civil, c'est elle, la source et le sacré. Modèle dont le mouvement des nationalistes au XIXᵉ — Hongrois, Polonais, ou Serbes — saura tirer argument pour légitimer l'essence de la Hongrie, de la Pologne ou de la Serbie. Cette politique linguistique aura des effets géo-politiques inversés. D'un côté elle accompagnera l'irrésistible ascension du pangermanisme et du panslavisme, apportera des arguments à l'annexionnisme, mais elle sera aussi l'ancêtre du mouvement régionaliste qui se réclame de la territorialisation dialectale, donnant des motivations au sécessionnisme. Partout elle a empoisonné l'institutionnalisation des États modernes.

On exalte le sentiment. Les romantiques ne s'abreuvent pas à « l'eau froide de la raison naturelle »; ils chargent la science de dédain et bien avant Bergson, le mécanisme de mépris. A l'intelligence matérialiste, les romantiques objectent la nature vivante, spontanée, douée de mémoire et de mobilité. Ils utilisent déjà un vocabulaire bergsonien : matière et mémoire, pensée et mouvant, etc.

Mais charge offensive également : ne sous-estimons pas ces retrouvailles du sentiment et des énergies torrentueuses de l'instinct : elles ont conduit les penseurs allemands à de nouvelles connaissances et l'Allemagne à une nouvelle puissance. *Plus-value du savoir :* passés de l'autre côté du miroir, les maîtres allemands voient neuf, au plus profond du corps. Ce n'est pas le moindre paradoxe de l'idéalisme intuitionniste que d'aborder aux nouvelles Indes du matérialisme et d'observer à l'œuvre les forces économiques, culturelles ou psychologiques qui façonnent la morphologie occidentale. Plus tard, mais non pas beaucoup plus tard, Marx, Nietzsche, Freud palperont des entrailles : l'économie capitaliste et la lutte des classes, la généalogie religieuse de la morale, les pulsions et leur destin, voilà des découvertes qui ne sont pas minces et que présente tout à coup « l'autre scène » de la cité, de la culture et de la conscience. Travail à même la matière, galeries à même la chair, avec les outils de la misère, de la folie ou de la solitude, la matérialité s'expérimente *in vivo.* Mais aussi *plus-value de pouvoir...* et quel pouvoir! Comme l'observe amer et lucide le grand Thomas Mann, en donnant le signal d'un retour aux énergies primaires longtemps refoulées, le romantisme déchaîne la grande force retrouvée des instincts : « Le romantisme n'est pas du tout exaltation débile. Il est la profondeur qui se sent force et plénitude, un pessimisme de la probité qui en tient pour ce qui existe, la réalité, l'histoire, contre la critique et le rationalisme, bref, pour la force contre l'esprit [16]. » A la fin de sa vie, Freud a eu la conviction que la force à l'œuvre dans le nazisme était la pulsion de mort. Avatar du romantisme si l'on en croit l'auteur de *La Montagne magique* : « Le romantisme porte en lui le germe de la maladie comme la rose le ver : son essence la plus intime, c'est la séduction — la séduction de la mort. Tel est son troublant paradoxe, lui qui défend révolutionnairement les forces irrationnelles de la vie contre la raison abstraite, l'humanitarisme plat, il possède une affinité profonde avec la mort [17]. » Derrière le Novalis des *Hymnes à la nuit* et du désir de mort, les romantiques ont en effet inventé ce qu'il faut bien appeler la thanatopolitique.

Avant d'y venir, il faut encore noter d'une parenthèse que le romantisme allemand ne fut pas comme ailleurs un épisode éphémère ou une brise fraîche mais superficielle. De 1850 à 1890, à la différence de la France, l'Allemagne a poursuivi la réaction philosophique aux lumières caractéristique de la première moitié du XIXe siècle européen. Le sommeil de la raison engendre des monstres.

2. Anti-étatisme et nationalisme

> « La patrie, le peuple qui incarnent
> l'unité et l'éternité ici-bas dépassent
> de beaucoup la notion d'État. C'est
> pourquoi le patriotisme doit domi-
> ner l'État comme une instance supé-
> rieure. »
>
> FICHTE

*Développement de l'anti-étatisme. A ses origines, le civilisme anglais et
français. Le Discours à la nation allemande. La critique du droit politique
classique et le déploiement du nationalisme.*

DÉVELOPPEMENT DE L'ANTI-ÉTATISME

« La société contre l'État! » Avant de s'époumoner à
redonner force à ce généreux slogan, on serait peut-être avisé
de méditer son destin en Allemagne. L'État devint l'ennemi
de tous et tous disaient : « La société contre l'État! » Ce cri
de ralliement part de l'amère et unanime constatation, après
les défaites des armées germaniques devant l'invasion napoléonienne, énoncée par le jeune Hegel : « Il n'y a pas d'État
allemand [1]! » Le retard du pays causé par l'équilibre préju-
diciable entre la force des multiprincipautés et la faiblesse de
l'Empereur qui avait gardé les habits mais perdu l'autorité
de Charlemagne provoqua d'abord un sentiment d'infériorité.
La jeunesse tournait ses regards vers l'étranger, admirait

la France. Cette inquiétude le tenaillait : comment remédier à notre faiblesse? Comment reconstruire l'unité de l'Allemagne?

Puis tout s'est passé comme si devant l'impossibilité de l'État-nation à l'occidentale, un nombre dominant d'Allemands, reculant pour mieux sauter, avaient, comme le renard de la fable, fait de nécessité, vertu [2]; à l'observation navrée de l'absence d'État succédait le rejet compulsif de l'Étatisation.

L'infléchissement sera progressif : Humboldt, dans son *Essai sur les limites de l'activité de l'État,* écrit en 1792, ne souhaite que défendre l'État de droit contre ses déviations absolutistes, protéger les droits subjectifs des citoyens, harmoniser l'application de la loi et l'exercice de la liberté, mais Fichte, à peine dix ans plus tard [3], réalise la prophétie d'Hölderlin : « C'est pour avoir voulu faire de l'État un paradis que nous en avons fait un enfer. »

La lecture des civilistes français et anglais, Montesquieu, Ferguson, Burke, a diffusé en Allemagne les idées antiétatistes. Les partisans du *Sturm und Drang* qui badigeonnent les murs de graffitis anti-voltairiens, reprennent à l'auteur de *l'Essai sur les mœurs,* comme à l'abbé Mably et à Montesquieu, l'idée de la supériorité de la civilisation sur le pouvoir politique et la conviction du primat de la société sur l'État qu'Althusius avait déjà, il est vrai, défendu. De l'interprétation tendancieuse de *l'Esprit des lois,* ils retiennent l'argument antijuridiste qui veut que les lois soient dépendantes du peuple et dont « le dernier avatar... sera, écrit Roger Ayrault, l'esprit populaire [4] ». Le *Volksgeist,* l'âme collective qui participe directement et mystiquement à l'ordre divin des choses. Puis on lit Ferguson, le maître d'Adam Smith qui en 1767 publie à Londres un *Essai sur l'histoire de la société civile* [5], destiné à cheminer à travers les romantiques jusqu'à Hegel et Marx [6]. Il soutient l'idée de la consistance de la société civile et insiste sur l'influence de la propriété sur le droit. Déformant légèrement Rousseau, il écrit : « Le premier qui dit : " Je veux m'approprier ce champ, je veux le transmettre à mes héritiers ", ne voyait pas qu'il établissait ce fondement des lois civiles et des établissements politiques. » Droit et constitution ne sont, il le pense, qu'une conséquence des luttes de la société civile : « Les nations rencontrent comme par hasard des établissements qui sont à la vérité *le produit de l'action des hommes* et non pas le résultat des desseins formés par eux...[7] »

Et surtout Edmund Burke, l'auteur des *Réflexions sur la Révolution française,* que traduit Frederic de Gentz, le futur maître à penser de Metternich, « un livre révolutionnaire contre la révolution », selon le mot de Novalis. C'est à l'université de Göttingen que deux hauts fonctionnaires hanovriens, Brandes et Rehberg, hostiles à l'école du droit naturel, acclimatent ses conceptions. Ils en retiennent l'historicisme et la critique du jusnaturalisme. Soustrayant le droit, en l'occurrence la *Common Law* anglaise, à la volonté du législateur, pour la rapporter aux choix progressifs du peuple anglais, Burke discute la notion de contrat qu'il transforme en doctrine de l'alliance : double alliance avec Dieu et avec l'histoire. Sans être ouvertement anti-étatiste, il renverse le rapport entre l'État et la nation au profit de la nation.

En Allemagne, où l'État-nation n'est pas fait mais à faire, l'influence du libéralisme, au lieu de concerner le seul développement industriel ou l'assouplissement du régime, est venue s'exercer directement sur la question de l'unité allemande et sur la logique de ses choix. Comment s'y prendre : par le juridique ou par le militaire, la constitutionnalisation ou la nationalisation, la société ou l'État? Alors qu'à l'intérieur des États de droit, les thèses libérales — lorsqu'elles ne soufflèrent pas l'État avec le vent mauvais du civisme pendant la parenthèse de la Révolution française — n'aboutirent qu'à renforcer les libertés économiques et l'initiative des citoyens, à l'origine de la nation allemande en gestation, elles coupèrent l'accès à la voie constitutionnaliste pour ouvrir celle du despotisme.

Confronté à l'impératif de l'unité allemande, le succès du slogan « la société contre l'État » a donc eu pour effet de disqualifier l'unification par la juridification étatique et de promouvoir à sa place l'unification nationaliste. Entre les deux possibilités, l'histoire, dans la seconde moitié du XIXe siècle, a tranché : l'unité de l'Allemagne s'est accomplie par la voie militaire, par le fer et par le sang selon l'implacable formule de Bismarck, et derrière la Prusse, l'Allemagne a proposé au monde le paradigme étatique nouveau de la Nation-État et recueilli la dérive nationaliste impulsée par l'épilogue terroriste et bonapartiste de la révolution qui, en France même, avait été cassé par la restauration. Mais avant le triomphe des armes, la décision des mots : dès la première moitié du XIXᵉ siècle, le nationalisme l'emporte dans les têtes : victoire en deux temps que scandent le succès des retentissants *Discours à la Nation allemande*[8], l'une des dernières œuvres de Fichte, dont l'appel est entendu avec enthousiasme, puis la déconfiture par capitulation sans condition de ses partisans, du seul point sérieux de résistance au romantisme politique, le droit politique hégélien. Par la victoire de l'un, la défaite de l'autre, se propagent l'anti-étatisme et l'antijuridisme.

LE DISCOURS À LA NATION ALLEMANDE

Composé de conférences publiques prononcées à Berlin en 1807, le *Discours à la Nation allemande* ne se limite pas à une polémique d'inspiration idéaliste contre l'*Aufklärung*, à une glorification de l'Allemagne ou même à privilégier comme Fichte l'avait toujours fait, la société contre l'État. Cette dernière idée, qu'il partage avec Herder, Justus Möser, Schleiermacher et Novalis, Fichte qui l'a seulement éprouvée plus durablement, va aussi en dérouler plus implacablement les conséquences. Plus durablement, car malgré l'évolution remarquable qui le conduit de l'admiration de la France à l'apologie de l'Allemagne, il ne cesse d'approfondir sa conviction initiale du primat de la société. Xavier Léon, Gurvitch et Guéroult l'ont dit : « La sociabilité est dès l'origine l'une des idées maîtresses de Fichte[9]. » Des *Fondements du droit naturel* (1796-1797) aux *Considérations destinées à rectifier le jugement du public sur la Révolution française,* jusqu'au *Discours à la Nation allemande,* publié en 1812, et à la *Théorie de l'État* (1813), une même conviction creuse toujours plus profond son sillon : distincte de l'État, la société possède une valeur supérieure, elle incarne le peuple et détient avec ses devoirs et ses droits, la souveraineté. Fichte, l'un des premiers, a imaginé le dépérissement de l'État : « Comparable à une chandelle qui se consume elle-même en éclairant et qui s'éteint au moment où le jour vient. »

Et plus implacablement : la recommandation de la *Gesellschaft* aurait pu verser dans la prédilection de la *Gemeinschaft*, l'amour de la communauté aurait pu se perdre dans l'ésotérisme ou s'enliser dans un associationnisme à la petite semaine. Il aurait pu simplement émietter et diffracter l'unité du pouvoir. Ces dangers guettaient les clans « embourbés dans cette bouillie du cœur de l'amitié et de l'enthousiasme » qui écœuraient Hegel. Les jeunes romantiques rêvaient de reconstituer des hanses et des guildes; ils aimaient la causerie au coin du feu, le repli à six ou à dix, le particulier. Fichte était d'une autre trempe; il ne pensait pas *« small is beautiful »*, il ne s'intéressait pas au local, il ne voulait pas refaire le monde à partir d'un duplex, d'un pavillon ou d'un pâté de maisons, il n'était pas « autogestionnaire ». Son génie fut de délaisser la destruction et les impasses de la critique pour reconstruire sur des fondations arasées le bâtiment de la patrie; son génie fut de chiffrer d'un coup toute la nation. L'Allemagne a aussi préféré l'Opéra aux gargarismes. Au-delà des controverses qui l'opposèrent à la génération romantique et malgré l'infranchissable fossé qui séparait un philosophe sans mystique et sans esthétique des admirateurs de Jacob Boehme et des rénovateurs de l'art allemand, la leçon nationaliste du « plus grand des métaphysiciens du temps » — c'est le titre que lui décernèrent les jeunes romantiques reconnaissants — a été entendue. L'horreur s'est préparée « en grand ».

Fichte, parrain du patriotisme... Les doctrinaires classiques parlaient à l'animal politique, citoyen ou législateur, Fichte interpelle l'animal social, la nation, le peuple et proclame : « La patrie, le peuple comme représentants et gages de l'unité terrestre, comme ce qui, ici-bas peut être éternel, dépassent de beaucoup la notion d'État. C'est pourquoi le patriotisme doit justement dominer l'État lui-même comme son instance supérieure [10]. » Comment fonder l'État? La réponse du philosophe contredit obstinément celle des classiques qui, comme Archimède ne demandant qu'un point d'appui pour soulever le monde, n'avaient besoin pour établir l'État que de la loi. Voie constitutionnalisante que la Révolution française avait empruntée à ses débuts — « ne nous séparons pas avant d'avoir donné une constitution à la France » — et qu'il délaisse, inspiré davantage qu'il est par la Convention et ses suites. Conventionnel dans l'exacte mesure où Kant est constituant, révolutionnaire sans jamais se glacer, dans l'exacte mesure où la Révolution est mise au trou des constitutions, Être suprême et âme du monde. Au lieu de déplorer l'État manquant et de s'ingénier à élaborer le pacte social nécessaire à sa création ou à imaginer les conditions de légitimité du corps politique à venir, le philosophe allemand dénie l'absence de l'État et *hallucine* à sa place vide la patrie. Repli nocturne, fuite empressée vers l'ancienne Germanie, ses bois, ses lacs, ses hommes farouches, primitifs aux cheveux tressés que cherchaient déjà Boulainvilliers et la reconstruction seigneuriale de la nation française. Partir à la recherche du monde antique, destin du nationalisme... Mais au lieu de précipiter comme en France la vacance du pouvoir et de renverser — ne fût-ce que pour un moment — par la politique terroriste de la volonté du peuple, la grande idole de l'État absolu, la dérive nationaliste, en se projetant et se décalquant ici sur la formation de l'identité allemande, inaugure par une série de déplacements, la philosophie politique de la Nation-État.

Changement d'identité : l'État n'a pas à être, la Nation a toujours existé; elle ne dérive point du travail législatif, du difficile accouchement de la pacification intérieure; elle ne naît pas lorsque sur l'horizon des guerres privées disparues se dessinent les litiges réglés par la négociation des tribunaux et l'arbitrage des codes; elle s'est perpétuée par la guerre extérieure, a grandi par la résistance; il s'agit de la renforcer et de la ressusciter. Troquant le calcul juridique pour le fantasme historique, Fichte, déclinant l'identité de l'Allemagne, échange la légitimité d'un État fondé sur le droit pour la vitalité d'un peuple nourri par l'amour de la patrie.

Transformation des références : l'Allemagne s'est déjà incarnée et sa loi s'est inscrite dans le cœur du peuple. Le peuple allemand est le nouveau peuple élu « germe de la perfectibilité humaine..., chargé de veiller au développement de l'humanité [11] ». Rivalité dans l'élection qui présage l'holocauste mais se marque d'abord autant que par l'élévation nouvelle de l'Allemagne d'un déni de la loi juive qui tranche aussi avec la philosophie classique. Fichte en récuse toute référence : que s'effacent donc ces Juifs porteurs de la loi, sectateurs de l'alliance divine devant les véritables destructeurs de la romanité [12], les zélateurs du patriotisme destiné à régénérer la modernité, les Allemands. Car un autre règne arrive, celui du peuple-nation.

Est-ce fonder la nation par la *territorialisation,* au lieu de l'établir par la *législation?* Choisir l'empire, l'installation à demeure d'activités sédentaires plutôt que légiférer? Pas tout à fait. Fichte conserve l'idée de loi, mais l'incarne, accepte la territorialisation, mais la symbolise [13]. Amour sacré de la patrie... Un Allemand doit mourir pour elle; pour elle, un Allemand doit mourir. Sur les lèvres du philosophe nationaliste refleurit le chant français qui magnifie la loi du cœur [14]. Fichte incarne la loi dans le peuple allemand et l'annule en lui donnant la foi pour successeur, car la loi du cœur, nous le savons depuis saint Paul, c'est la foi. Incarnation qui cependant n'emprunte rien au christianisme puisqu'elle n'appelle ni la grâce ni le pardon divin et qu'elle installe à la place de la reconnaissance de la transcendance et de la croyance à la résurrection, l'amour immanent de la nation, l'appel à la survie et à l'expansion de la patrie. Oui, l'horreur se prépare parce que s'évanouit avec le *consensus juris,* la garantie de transcendance des codes, parce que dans l'immanence de la nation-peuple, s'immerge toute la foi privée. Le nationalisme a absorbé toute la transcendance et la patrie est devenue Christ. Fichte ne craint pas de prêcher une nouvelle religion [15].

Modification des perspectives : dès lors l'horizon n'est plus celui passé et présent de la paix civile mais celui antérieur et à venir de la guerre extérieure : « Le patriotisme doit gouverner l'État lui-même. En dirigeant l'État, c'est encore le patriotisme qui doit lui assigner des fins plus hautes que celles du maintien de la paix intérieure, de la défense de la propriété, de la liberté personnelle, de la vie et du bien-être de tous. Cette fin supérieure est celle qui incite l'État à réunir une force armée [16]. »

La conséquence de ce triple déplacement — l'État, la loi, la paix, étant tour à tour relégués — n'aboutit pas à l'objectivation du pouvoir mais à la subjectivation de la société. Hypostase du civil, élévation du citoyen; il s'agit de changer l'homme dans ce qu'il a de plus profond. Une fois encore, le philosophe allemand s'éloigne des classiques : il ne veut pas former l'État mais éduquer le citoyen. Ce n'est pas la politique ou le juridique qui l'aiguillonne, c'est la résistance de la société. D'où le caractère pédagogique du *Discours*. Fichte attend de *l'Éducation nationale* la régénération de l'Allemagne.

Accident mortel qui ruine d'un coup aveugle la politique classique? Hélas, non. C'est sciemment que le philosophe renverse les idéaux de l'État de droit; l'État, la justice, la loi, la paix, les droits de l'homme. Les coups sont ajustés, la mitraille s'abat en règle. Celui qui raille la société mécaniste et individualisée fondée « sur l'hypothèse que chacun ne poursuit son bien personnel qu'avec le but précis de forcer les autres à concourir, qu'ils le veuillent ou non au bien général [17] », qui considère que « le maintien de la paix intérieure, la défense de la propriété » sont des objectifs mineurs [18], qui réclament des limites à la liberté naturelle de l'individu et qui estime qu' « en l'absence de tout autre but, on devrait enfermer cette liberté dans des limites aussi étroites que possible et soumettre toutes ses velléités à une règle uniforme, exercer sur elle une surveillance constante », ne sait peut-être pas où il va, mais il n'ignore pas d'où il vient. Lourd bilan des idéalités politiques anciennes fauchées par les nouvelles idoles. Au lieu donc de l'État, la nation; au lieu de la justice, l'éducation; au lieu de la paix intérieure, la guerre aux frontières; au lieu de la loi, la foi : au lieu des droits de l'homme, les impératifs de la société.

L'impact fut formidable. Fichte y perdit ses amis mais gagna en retour ses ennemis. Chassé-croisé qui témoigne du sens de son évolution. Lui qui avait déjà conquis les jeunes romantiques en partie et que ses appuis maçonniques avaient trahi, triomphe cette fois chez les idéologues politiques conservateurs. L'ironie en effet de l'accusation d'athéisme qui l'oblige à quitter Iéna est qu'elle fut énoncée et exécutée par la cour de Weimar gagnée aux lumières; exhumant ses convictions forcloses, le parti rationaliste a décidé le bannissement. Au même moment, les néo-mystiques romantiques prenaient fait et cause pour l'ancien spinoziste. Novalis écrivit : « Le brave Fichte combat pour nous tous », tandis que Frédéric Schlegel exaspéré se proposait de rédiger une brochure où il aurait démontré que le grand mérite de Fichte était précisément d'avoir découvert la religion, que sa doctrine n'était autre que la vraie religion sous sa forme philosophique. Les *Discours* rallient même Frédéric de Gentz. Le contre-révolutionnaire, qui avait rompu des lances pour défendre Burke détestait Fichte. « Sa philosophie? Une chimère, un idéalisme endurci, incurable, creux et contradictoire. L'homme? Un charlatan discrédité qui continuait à crier sa panacée universelle, sa poudre de perlimpinpin, son baume de longue vie. » Subitement, ces bienveillantes considérations disparurent, Frédéric de Gentz clama son suprême enthousiasme et prétendit que personne n'avait parlé de la nation allemande avec cette grandeur et cette profondeur. Avec lui, toute la littérature du temps, constate Xavier Léon, subit l'empreinte des *Discours*[19].

L'anti-étatisme, prolégomène à tout nationalisme futur. Mais ce n'était qu'un début.

3. Antijuridisme

> « La loi est le shibboleth qui per-
> met de reconnaître les faux frères et
> les faux amis de ce qu'on appelle le
> peuple... »
>
> HEGEL

> « Je suis un homme profondément
> anti-juridique... je n'ai ni le sens ni le
> besoin du droit. »
>
> NOVALIS

*Hégélianisme ou Romantisme. Définition du Droit (contre le droit comme
loi). Savigny et Fichte contre la codification, pour le droit coutumier. Le
Populisme. Apologie de l'esprit du peuple par l'école du droit historique.
Le social n'est pas tout. Vers une conception du social. Ce qu'elle a fait
perdre à la tradition du droit politique. Le retour au droit romain. Le
retour à la doctrine dominiale du pouvoir.*

HÉGÉLIANISME OU ROMANTISME.

Après l'opération anti-étatiste, l'opération antijuridiste.
Lorsqu'on assiste dans les premières décennies du XIXe siècle
à l'inflation de la méditation juridique qui engorge la philosophie de Fichte, Krause, Hegel, lorsqu'on voit, au terme
d'âpres débats, se former une nouvelle école juridique, *l'école
du droit historique*[1], on hésite à poser le diagnostic d'anti-

juridisme. D'autant que les interrogations du romantisme — quel droit? Quelle société? Quelle souveraineté? —, respectent les chapitres classiques[2] et qu'elles n'ont pas d'enjeu moins éloigné. La définition du droit engage les modalités de la construction législative et détermine les choix suivants : les États doivent-ils s'engager pour rédiger un code civil commun et adopter, en y apportant les nuances nécessaires, le code français, ou bien faut-il qu'ils conservent, émiettées, désuètes mais germaniques, leurs anciennes législations? Pourtant l'hésitation ne peut indéfiniment se prolonger : en dehors de la forteresse Hegel, la conception classique du droit comme loi est brisée et le juridisme est mis en cause. Hégélianisme ou romantisme, telle est l'alternative. Le succès du romantisme dispose la majorité des esprits négativement à l'égard de la loi et de la constitution mais positivement vis-à-vis de l'idéal communautaire et de la théorie seigneuriale du pouvoir que pour sa part Hegel repense ou récuse.

Risquons une observation : davantage que Marx, Hegel — du moins dans sa lutte contre le romantisme — est à la fin et non au début, et ne nous fions pas trop, pour retrouver le tranchant de sa pensée à ses œuvres de jeunesse, aux Écrits de Francfort et de Iéna qui risquent de nous incliner, après Dilthey et Meinecke, à escamoter son opposition au romantisme. Même si dans *Foi et savoir* (1801), il s'en prend à Schleiermacher et si, dans *Le système de la vie éthique* (1802-1805) il s'attaque à Fichte, l'évolution qui sépare les écrits politiques de jeunesse de son œuvre maîtresse, les *Principes de la philosophie du droit* (1821) est considérable[3]. Le saint Thomas d'Aquin protestant, selon le mot rancunier et ajusté de Chamberlain s'est préparé lentement mais sûrement à la bataille antiromantique et il s'est assez bien battu pour que Frédéric Schlegel maudisse sa « philosophie satanique ». Aussi lorsque nous sommes tentés de dresser une inculpation contre la perversion de la philosophie politique allemande, nous devons éviter de faire asseoir Hegel et Fichte dans le même box; ils n'avaient pas les mêmes complices, ils n'auront pas les mêmes disciples. De bons maîtres l'ont dit en leur temps : les deux penseurs se tournent le dos[4].

Donner une définition du droit signifiait pour un doctrinaire allemand des deux premières décennies du XIXe siècle se prononcer sur ces questions politico-juridiques immédiates : pour ou contre la constitution, pour ou contre le code civil imité du modèle français. Au droit théorique et abstrait du code, le juriste Hugo avait opposé les coutumes et traditions populaires qu'il appelait, en faisant subir au lexique une inflexion qui fera désormais école, *droit positif*[5]. Ni l'idée ni la dispute n'étaient neuves : Justus Möser et Rehberg avaient déjà apporté de l'eau à un moulin dont Savigny et Puchta prendront possession. « Si j'avais à rédiger un code général, ce serait pour dire que chaque magistrat doit juger selon les us et coutumes que les justiciables lui indiqueraient comme valables », avait proclamé Möser[6]. Ce raidissement anticonstitutionnel marquait le rejet de la codification révolutionnaire et française. Comment ne pas redouter le terrorisme de la volonté du peuple dérivé des abstractions de la volonté générale et le *jus francorum* de l'occupant? Crainte largement partagée qui inclinait à repenser le droit : l'une des premières réflexions de Hegel est de rejeter le droit subjectif et de répudier la conception individualiste qui avait triomphé à la fin du XVIIIe siècle pour imaginer un droit qui règlerait les modalités d'équilibre et d'organisation du peuple, bref, de défendre contre un droit abstrait et individuel, l'idée d'un droit concret et collectif[7]. Il n'en démordra pas : s'élevant avec énergie contre les constitutions artificiellement fabriquées et imposées de l'extérieur au peuple à l'exemple de la législation imposée par Napoléon aux Espagnols, il garde dans les *Principes...* la conception d'un droit enraciné dans les traditions historiques et l'esprit du peuple, le *Volksgeist*[8]. Mais le *Volksgeist* découle à son avis de l'effort accompli par l'État pour juridifier la société et faire advenir une morale du droit, il est cet effort même. « Le droit, proclame-t-il, doit devenir loi[9]. » L'école du droit historique, à l'inverse, préfère au droit codifié organe de la fonction législative de l'État, le droit coutumier, expression de l'esprit populaire, le *Volksrecht;* un droit immanent qui au creux des vagues innombrables des règles des usages et des traditions, sommeille dans les flancs de la *geistige Gemeinschaft*, la communauté spirituelle. Inversion formidable : l'effet obtenu n'est pas seulement de casser l'amarre du droit au vaisseau de l'État et de noyer la fonction législative pour voguer vers le positivisme juridique et l'exaltation du *droit social* dont Gurvitch et Duguit ont souligné la fortune aux XIXᵉ et XXᵉ siècles : « Le droit ne trouve point son origine dans l'État..., il est engendré indépendamment de l'État », dit Puchta [10], mais de dériver, à partir de cet anti-étatisme vers trois conséquences : le refus d'une morale de la loi, le populisme, le retour au droit romain.

CONTRE LA MORALE DE LA LOI

L'école du droit historique opère une véritable immersion du droit dans l'océan des mœurs qu'elle justifie par un argument choc : la fragile ténuité d'un droit immigré : « Si conformément à l'opinion générale, on regarde le droit civil d'un peuple comme le produit d'une volonté arbitraire au gré de laquelle il puisse à chaque instant disparaître pour faire place à un autre, il ne tient à l'histoire du peuple et de l'État que par un bien faible accident [11]. »

Imprégnée de pensées « civilistes », l'école *coule* alors le droit constitutionnel au sens strict, car elle en crève la coque législatrice qui le faisait émerger au-dessus de la mer des coutumes, elle fait plonger le droit dans les abysses de la vie spirituelle organique, elle l'abîme dans la tradition, elle naufrage le droit constitutionnel dans le droit privé. A ce point, le droit devient le récif initial et friable de la concrétion morale qui calcifie la société. Puchta le dira avec force : « La morale et le droit vont dans la même direction mais la morale va plus loin que le droit [12]. » Le propos serait anodin s'il n'aboutissait à faire du droit un objet infra-moral qui ne peut plus fonder aucune espèce de transcendance. Ici gît l'antijuridisme. Car en refusant au droit toute éminence morale au moment même où on le dilue dans le peuple, on écarte une moralisation politique et collective par la loi; la jonction avec le piétisme qui annonce son mépris du droit et exprime son aspiration à un monde où l'obligation serait rendue inutile par la transparence et l'amour n'est plus très éloignée. En détruisant par l'immanentisation du droit dans la coutume, la morale de la loi, l'école du droit historique a préparé l'ensemencement dans la communauté politique d'une herbe plus dangereuse et ouvert la voie à une sécularisation de la foi.

LE POPULISME

La métallurgie de la terreur pendant la Révolution avait pourtant expérimenté ce point de fusion où *la volonté du peuple* se métamorphose en arbitraire du despote lorsque toutes les garanties juridico-légales et médiates de la représentation évacuées, elle est captée par un individu qui se porte comme son oracle. On avait donc l'expérience du populisme, on savait ce que signifiait « servir le peuple ». Et Savigny cependant : « L'origine nécessaire du droit se trouve dans le peuple lui-même [13] », plus populiste que le peuple tient moins à l'origine populaire de la souveraineté qu'à la rente de cette propriété juridique qu'il magnifie jusqu'au plébéisme et qu'il exalte jusqu'à l'anti-individualisme. Si comme il en a toujours reconnu la dette, il fait à Fichte l'ancien admirateur de la révolution, un emprunt, c'est bien sur ce point : la surréévaluation de la communauté populaire que Hegel pour son compte avait rejetée. Le philosophe d'Iéna s'était gardé contre les exagérations individualistes du droit naturel, mais il s'était aussi prémuni contre les abus communautaires et sociétistes. Dans le *Système de la vie éthique*, Hegel avait ferraillé contre la coercitive et mécaniste doctrine fichtéenne de la collectivité. Il acceptait que le moi profond de l'individu fût constitué par l'appartenance à une communauté, mais refusait l'élimination de l'individu, le limage des libertés subjectives par la loi sociale et critiquait la morale tyrannique et despotique du *Fiat justitia pereat mundus* [14].

Sous le masque du traditionalisme conservateur, le populisme de Savigny et Puchta n'est guère ostentatoire. Il n'en marque pas moins l'idée dangereuse et virulente d'un *consensus juris-immanent* par quoi les problèmes de la représentation et de la délégation démocratique des droits individuels à la communauté, sont évacués. Lorsque la dimension collective du droit est atteinte d'emblée dans les mœurs, les mécanismes complexes et nuancés imaginés par les théoriciens classiques pour contrôler et limiter à l'intérieur d'un pacte, le pouvoir souverain et législateur, sont frappés d'invalidité. Nulle et non avenue, avec eux, la garantie démocratique. N'allons pas trop loin. Savigny et Puchta sentent bien que le *Volksrecht* n'est qu'une esquisse du droit que seuls les juristes seraient aptes à réaliser parfaitement et ils font du *Juristenrecht* le légataire universel du *Volksrecht*. Hélas, de même que la politique aux politiciens, le droit est une chose trop sérieuse pour être confiée aux juristes. Comme le *self-government* local, la condition préalable de la *self-justice* est l'État de droit.

De là le caractère ambivalent du populisme de l'école historique. On le présente volontiers – c'est ce que font les marxistes et les positivistes – comme un *gain* en rationalité de la conception juridique. L'école aurait *ajouté* au droit en substituant une conception sociale et collective à une doctrine individuelle et subjective. Elle aurait définitivement dépassé la construction du jusnaturalisme classique dernière manière, qui prétendait rebâtir l'ordre juridique tout entier à partir d'individus supposés libres et s'accordant volontairement par contrat, en rappelant que le droit est la manifestation des relations du groupe social, qu'il est la trame historique d'une régulation sociale. Mieux, en retrouvant la dimension sociale naturelle du droit, l'école aurait logiquement réuni le droit romain et le droit positif et perfectionné la pensée juridique.

Mais s'agit-il d'un gain? On a quelque raison de se demander si cette nouvelle conception sociale du droit n'a pas fait *perdre* quelque chose, si elle n'a pas dans le même temps *soustrait* quelques idées à la science du droit en remaniant les définitions de l'individu et de la société qui régissaient le droit politique classique.

La définition de l'individu : en dehors de l'hypostase individualiste que le tournant physiocratique et libéral a fait subir au droit politique classique, il tenait à exprimer que le pouvoir doit respecter les droits individuels, assurer la sécurité juridique, garantir les libertés, droits subjectifs précocement affirmés, nous l'avons vu, par les nominalistes franciscains, même si plus tardivement instaurés. Une telle exigence est bien évidemment introuvable dans le droit antique esclavagiste romain, introuvable pour les esclaves, cela va de soi, mais également introuvable pour le citoyen. Un Romain doit mourir pour elle et sacrifier, s'il le faut, sa vie à la ville. Elle est aussi perdue, déchue, dans le droit politique romantique qui inaugure le droit despotique moderne : devant les impératifs collectifs, patriotiques ou sociaux, la vie individuelle pèse le poids d'une plume. Mao écrira plus tard sur ce thème l'un de ses textes « les plus lus ». C'est que l'on a subrepticement changé de principe en troquant le contrat État-citoyens pour l'auto-institution du peuple et les impératifs patriotiques ou sociaux de la collectivité, bref qu'on a proposé une nouvelle définition de la société.

LE SOCIAL N'EST PAS TOUT

Social, ce mot va tout recouvrir. Dans le romantisme, il signifie encore mise au rancart des droits individuels. Mais lorsque la transcendance sociale, — le bien commun, auraient dit les classiques — au lieu d'être pensée *hic et nunc* dans le cadre d'un contrat juridico-politique qui établit les droits individuels est conçue *ante et post* comme tradition historique du peuple — Savigny — ou futurologie du prolétariat — Marx —, comment lester la vie individuelle? Impossible en inscrivant la transcendance séculière du groupe dans la temporalité supra-individuelle de l'ossuaire historique; le romantisme brise avec la biopolitique du présent pour bâtir la thanato-politique du passé avant que ne s'édifie celle, plus mortifère, du futur. Il édifie une politique qui n'est pas faite pour les vivants mais les surhommes et les âmes mortes. Nous voici alors passés du théorème classique selon lequel la société comporte une transcendance juridico-politique au théorème romantique de la société immanente. Une telle proposition étonnera : comment? Une conception de la société à l'âge classique? Contradiction dans les termes : c'est chose avérée et reçue : *il n'y a pas de conception de la société à l'âge classique.*

On nous a longtemps seriné en effet du temps de la vulgate structuraliste où zélateurs de Marx et Freud faisaient chorus, qu'à l'intérieur de la culture classique qui avait atomisé les individus en unités discrètes et qui pensait en terme de logique résolutive-compositive, nulle conception du social n'était possible. Décrire l'amour, chanter l'amitié, hiérarchiser les passions, bref, analyser les attributs immédiats d'une nature sans doute mais non comprendre la lutte des classes, sonder la névrose, expliquer la folie, c'est-à-dire interpréter les différences médiatisées d'un ordre social organisé. La connaissance de la société comme l'analyse de la dimension intersubjective et historique de la *psyché* requéraient d'autres postulats : une logique de la relation chassant la doctrine de l'identité, un *ordo rerum* contournant l'individu. Et les mineurs de fond qui découvraient une parcelle de la charpente sociale se passaient le refrain de l'infamie de la robinsonade. On nous l'a assez répété : l'évidence de la nature humaine a épaissi le mystère de la culture, le *je pense* a voilé la pensée de la société, et les classiques en un mot, ont oublié le métier de sociologue. Pour garder la proposition, on pourrait proposer une rectification de détail, en remarquant qu'il est inadmissible de laisser l'ombre portée du XVIIIe siècle recouvrir toute la pensée classique et le tintamarre individualiste et anti-étatiste des physiocrates et des libéraux assourdir les propos politiques de leurs prédécesseurs. Ce ne serait que reculer pour mieux sauter. Il vaut peut-être mieux changer de proposition. Car il ne suffit pas d'observer qu'il y a bien chez Machiavel, Bodin, Loyseau, Hobbes, Locke, etc., et aussi chez les historiens savants, Pasquier, Mabillon, Lenain de Tillemont, une conception collective et historique du pouvoir et, n'en déplaise aux doctrinaires anticlassiques qui ne voient pas plus loin que la philosophie de Descartes, une politique classique, mais on doit aussi souligner sans la flétrir aussitôt que cette pensée de la politique n'est pas une pensée civiliste, une pensée sociale. Pourquoi devrait-elle l'être? Parce que nous avons pris, depuis le romantisme politique, la discutable habitude de réduire la collectivité à la société, parce que nous croyons que la politique c'est le social ou rien, parce que nous sommes devenus profondément antijuridiques et que nous ne savons plus penser la politique en terme, de droit, parce que nous ne savons plus penser la politique... La lame de fond de l'auto-institution de la société, la conception immanente du social, le populisme ont tout emporté et recouvert et nous avons perdu l'intelligence de ce principe de la politique classique : la société comporte une transcendance juridique. *Le social n'est pas tout.*

LE RETOUR AU DROIT ROMAIN

« Notre droit actuel qui doit son origine aux Romains est sorti de la civilisation d'Occident par une suite de modifications et de changements non interrompus [15]. » Inconséquence, le retour au droit romain proclamé avec éclat par l'école historique? Abandon à la tradition qui contredirait le nationalisme ou assomption des intérêts du droit privé bourgeois qui ferait pièce au conservatisme [16]?

Traditionalisme? La réception allemande du droit romain, tardive après les glossateurs, !es bartolistes, la romanistique de Budé et Cujas, ne se contente pas, même si elle s'y adonne pleinement, d'un effort érudit de restitution du droit romain [17]. Elle ne s'applique pas non plus comme s'y efforce aujourd'hui Michel Villey, de faire résonner par-delà l'assourdissant impératif du droit subjectif, l'écho d'un droit conçu comme *rapport* du groupe — et non comme attribut d'un sujet — ou de faire prévaloir, malgré la rigidité immuable des règles, la souple gymnastique de l'esprit d'équité. Dans le droit romain, l'école du droit historique ne cherchait pas une leçon de chose et une histoire naturelle, elle s'intéressait bien davantage à la conception politique et étatique des Romains et identique en ce point aux classiques, désirait exhumer un droit politique.

Peu importe ici que, en quête de ce droit politique introuvable, elle détourne les textes et produise une romanistique hérésiarque et infidèle puisque, ce faisant, elle n'en invente pas moins avec un mythe de la romanité, un *nouveau droit politique*.

Les thèmes que Hugo, Savigny et à leur suite les pandectistes ont empruntés au droit romain, Jhering les a rétrospectivement systématisés dans son livre sur *l'Esprit du droit romain*[18]. Ils s'opposent point par point au droit moderne autour d'un axe et d'un centre : le droit est fondé sur la force; la politique c'est la guerre. Derrière les thèses selon lesquelles la propriété est primitivement une prise, l'hétéronomie de l'État conçu non comme sujet mais comme addition des citoyens derrière le peuple, seul sujet du droit public, l'indistinction du droit privé et droit public, et finalement la suprématie du droit privé, se profile une autre conception du droit où l'école extrait de la romanité le droit politique d'un système impérial et esclavagiste.

A partir de quoi, au symptôme biblique présent dans le droit politique classique succède *le symptôme romain* qui leste la philosophie politique allemande. Retrouvé ou plutôt inventé par l'école historique du droit, le droit politique romain diffuse irréversiblement dans la réflexion des penseurs allemands. Cinquante ans plus tard, l'*Imperium Romanum* deviendra l'une des références majeures de la politique de Nietzsche. Le penseur anticlassique par excellence n'a pas cessé d'exalter l'empire contre le judéo-christianisme. « *Aere perennius*, l'*imperium romanum*, le type d'organisation le plus grandiose dans les conditions difficiles auquel on soit parvenu jusqu'à présent, au regard duquel tout ce qui précède, tout ce qui suit est bric-à-brac, dilettantisme... Le christianisme fut le vampire de l'*imperium romanum*[19]. » Il a aussi et dans la foulée légitimé et revendiqué l'esclavage[20] — pas moins! — analysé la morale en méditant la pénalité romaine [21], bref, pensé l'histoire, l'État et la justice pour et à partir de Rome. Il n'est pas inopportun de faire comparaître Hegel pour juger ce que vaut l'amalgame des « maîtres-penseurs ». L'État romain, « cette prose de la vie et de l'esprit », est, déclare Hegel, un État de brigands, formé par la violence et maintenu par la force; son principe est la domination abstraite et la puissance militaire [22]. » Hegel analyse finement l'opposition entre le pouvoir impérial et le pouvoir moderne comme distinction de la *domination* fondée sur la force nue et du *gouvernement* établi sur le droit et la morale. « L'empereur domine et ne gouverne pas, car il manque l'intermédiaire du droit et la morale entre le maître et le sujet. » Subtile dissociation des mécanismes politiques d'un État-despote et d'un État de droit! Loin de constituer un pèlerinage à l'universalisme traditionaliste, le retour au droit romain trace la voie au droit politique de la Nation-État.

Et modernisme? S'agit-il véritablement de promouvoir avec un droit nouveau une forme politique bourgeoise lorsque, tapie derrière l'idéal antique, s'étire impudiquement la réalité soudain dégourdie de l'empire? Si l'abdication de François II en 1806 mettait fin au Saint Empire après le coup mortel porté à l'empire allemand par Napoléon, il faudra attendre la Première Guerre mondiale pour que s'effondre à son tour, fissuré, lézardé, boursouflé mais encore érigé, l'empire d'Autriche, sans compter le phénix du grand Reich... Pour mesurer l'attachement que les romantiques ont voué au Saint Empire, il faut lire August Wilhelm Schlegel prédicateur de sa rénovation [23] qui annonce la mission dévolue à l'Allemagne de restaurer après la chute de l'empire romain, l'unité morale et politique de l'Europe. Tradition du Saint-Empire : Sa fondation en 962 avec le couronnement d'Othon ne s'est point donnée comme originelle mais comme héritière de Charlemagne et de Rome. Conservation de l'idéal impérialiste et colonisateur. L'Empire fonde le *dominium* sur *l'imperium* et prolonge en Allemangne la conquête et le servage. Domination qui n'est pas circulaire comme autour de la lentille romaine, la périphérie des conquêtes possibles, mais étend la symbolique superficielle et capillaire du vieil idéal impérial. La prolongation de l'empire, pour commencer, maintient l'idéal du camp militaire dans la cité politique, étale le parcours des guerres possibles toujours recommencées. Impérialisme. La formation du substantif n'est pas ici capricieuse qui désigne le débordement belliqueux du régime impérial, système formé pour la guerre, la domination et l'esclavage. Liée à l'ébauche d'un droit bourgeois, l'élévation du droit romain en Allemagne comme dans la France napoléonienne correspond aussi à la réactivation de la politique impérialiste antique. « L'Allemagne, comme pays, c'est Rome... La tendance et l'instinct de politique universelle propres aux Romains reposent aussi chez le peuple allemand. Et ce que les Français ont accompli de meilleur dans la révolution, c'est la germanité. » Novalis [24] a donné la clef.

RETOUR A LA DOCTRINE DOMINIALE DU POUVOIR

L'autre voie : les juristes et les philosophes allemands le disent et le répètent à la face du monde. L'Allemagne fraye une autre voie parce qu'elle revient en arrière. Peut-être est-ce vrai. Peut-être faut-il comprendre à la lettre, c'est-à-dire comme s'appliquant à ce qui traversait l'histoire de l'Allemagne, même si le temps de sa maturité et de son œuvre, le cours torrentueux en était devenu souterrain et caché à la conjuration des myopes, ce que Nietzsche en a dit : *l'éternel retour*, l'Allemagne l'a voulu tel. C'est bien le cas de Charles Louis de Haller, l'auteur de la *Restauration de la science politique* [25], parue en 1816 et traduite en français, que, dans le panorama de l'antijuridisme, nous ne pouvons pas oublier. L'œuvre qui suivait la retentissante conversion de l'auteur au catholicisme avait pour intérêt de critiquer la philosophie politique classique de Bodin à Rousseau comme un seul et même système à rejeter en totalité. L'unité de la théorie classique est fondée, estimait-il, sur la doctrine de la souveraineté. A confronter Hegel et Haller, on constate une fois encore que, fidèle aux classiques, le philosophe fait figure de brisant face aux lames romantiques. Ses arguments exposés dans *Les Principes de la philosophie du droit,* ont le mérite de situer les enjeux du débat avec le romantisme. « Les affaires de l'État, ses pouvoirs, ne peuvent donc être une propriété privée », dit Hegel [26] et pour souligner la modernité de la souveraineté, il ajoute que « dans la monarchie féodale, l'État certes était souverain par rapport aux autres États mais, à l'intérieur, ni le monarque, ni même l'État n'étaient souverains ». On aurait tort explique-t-il encore dans la mesure où « la souveraineté constitue l'idéal de toute entente particulière » de la confondre avec un pouvoir arbitraire et de l'amalgamer au despotisme, cet état dans lequel il n'y a pas de loi. Le combat pour la constitution est une lutte contre le despotisme. Dans la monarchie constitutionnelle dont il est partisan, le monarque est à l'opposé du maître, et le lien étatique ne concerne jamais les sujets conquis et leurs envahisseurs. Au lendemain de l'entrevue d'Erfurt (1808) à laquelle Hegel consacre un article dans la gazette de Bamberg, Napoléon n'avait-il pas répondu aux envoyés allemands : « Je ne suis pas votre prince, je suis votre maître! »? C'est précisément à la théorie de la souveraineté que s'attaque Haller où Rousseau, dit-il, découle logiquement de Bodin, car suivant le système du pouvoir souverain « ... la source du pouvoir est dans le peuple, c'est-à-dire dans le corps des sujets..., car ce sont eux qui doivent avoir fondé l'État par leur réunion. La masse du peuple est le véritable souverain, le maître réel, le *summus imperans* (vol. 1 p. 12). » C'est que dans ce système — sans doute Haller voit-il juste — la masse du peuple est assimilée à une bourgeoisie ou une corporation libre « et que le modèle du pacte social, c'est la corporation et la jurande ». Dès lors, comment échapper à cette proposition de la souveraineté dont la conséquence est que l'empire cesse d'être une fonction pour devenir un devoir et qu'au lieu d'exprimer le désir d'un chef, la volonté s'incarne dans la volonté générale?

Que va donc proposer d'autre Charles Louis von Haller?

Rien de moins qu'une *restauration*... Projet qui ne s'épuise pas dans une simple opération quasi matérielle où il s'agirait de retaper, de rafistoler, de reconstituer et de rétablir une réalité politique endommagée, mais qui suppose un primitif privilège du passé. L'amour romantique des ruines, des antiquités, des archaïsmes dont notre connaissance est souvent réduite au snobisme esthétique en raison des particularismes du romantisme français a eu en Allemagne un tout autre objet : l'archaïsme amoureusement contemplé de la civilisation politique des seigneuries, des États et du servage.

Restaurer : rien de moins que la restitution du jusnaturalisme antique — Haller ne cache d'ailleurs pas son admiration pour le droit romain — un jusnaturalisme où il voit la preuve de ce que l'humanité ne sort pas de l'état de nature pour entrer dans l'état civil parce que les relations humaines sont fondées sur la force et non calquées sur le droit. Rien de moins que la destruction de l'autonomie de l'État. La définition que les marxistes modernistes chuchotent comme leur dernière audace théorique : l'État n'est qu'un rapport social! est claironnée dru par Haller [29]; rien de moins que rafraîchir la théorie patrimoniale et dominiale du pouvoir. Avec mépris, notre nouveau penseur balaye la distinction chère aux légistes classiques entre la royauté et la seigneurie, « le prince est un seigneur indépendant qui commande à d'autres et n'est lui-même au service de personne ». Voilà la devise du nouveau pouvoir où l'autorité précède l'indépendance et où la juridiction succède à l'assistance. Et voici une nouvelle conception du droit qui culbute la perspective classique : autrefois on avait transformé nombre d'actes sociaux qui relevaient de la charité en actes publics et massivement transféré l'assistanciel vers le juridictionnel; maintenant Haller effectue la démarche inverse en rapportant à l'assistance ce qui lui avait été pris par le droit. Le droit doit revenir en bienfait, en protection, cesser d'être public pour redevenir *social*. *Un droit social* est une charité réglée et bien ordonnée des supérieurs à l'égard des inférieurs. Il est probable que le développement du « socialisme d'État » bismarckien et la technologie assistancielle programmée par la Prusse allemande relèvent de cette inversion, et il est funeste qu'elle ait rapidement été un produit d'exportation.

L'argument invoqué pour soutenir que le pouvoir « restauré » est une domination de type seigneurial repose sur la restriction que l'exécution des lois impose à la puissance. A ce compte-là, tous les administrateurs, estime Haller, tous ceux qui sont chargés d'une quelconque et — même basse — besogne d'exécution, maire de village ou laquais pourraient être dits souverains. Le prince n'est pas celui qui exécute les lois, mais celui qui expose sa force. Dès lors, la seigneurie redevient le modèle de tout pouvoir, la maîtrise, l'essence de toute domination. L'État est une seigneurie parmi d'autres, formé non pour défendre les droits des citoyens ou la justice sociale mais pour appliquer l'autorité d'un maître [31]. Rien de moins enfin que la justification du servage. Et le raisonnement de l'auteur qui flèche la nouvelle direction du droit politique allemand, « en arrière, toutes! » inquiétera par sa cohérence. Entendons Haller exalter la seigneurie et l'impérialisme antique pour les relations de gré à gré entre dominateurs et dominés. Si ces rapports sont injustes, au moins sont-ils directs et humains. Ainsi vient-on préférer le lien sacré de dépendance à l'indépendante rigueur du droit et prêcher le retour au village, au troupeau. Vies d'hommes serrés les uns contre les autres, ordre et obéissance immédiats. Rien de moins donc que la restauration fantasmatique de l'esclavage. Le programme de *Mein Kampf* qui prévoit l'asservissement des Slaves et la domestication des Latins n'est pas plus une innovation absolue dans la politique contemporaine que la condition esclavagiste des prisonniers dans le socialisme concentrationnaire. Un siècle auparavant le droit politique romantique en avait « restauré » les justifications.

4. La sécularisation de la foi

> « Car il nous faut redevenir reli-
> gieux, il faut que la politique devienne
> notre religion, mais elle ne peut le
> devenir que si notre conception
> contient un principe suprême capable
> de transformer la politique en reli-
> gion. »
>
> Ludwig FEUERBACH.

*Le temps des conversions. Retour à l'idéal politique mystique médiéval.
La foi contre la loi. Schleiermacher oppose le Nouveau Testament à
l'Ancien Testament. Immanence. Naturalisme et historicisme. Ludwig
Feuerbach et la critique romantique de la religion.*

Toute expérience politique est à un certain degré une expérience religieuse. Qui ne le sait déjà? L'ardeur consomptrice
et vivifiante de la foi, le dévouement à un idéal reconnu, l'esprit d'entreprise et de sacrifice, animent le militant tandis
que le cérémonial des réunions, la ritualisation des activités,
la litanie des mots d'ordre, la grand-messe des meetings, le
carême des congrès, flagellent les organisations. La reconnaissance de la place du religieux en politique, de l'existence des
autorités théologico-politiques, comme le disaient très bien
les classiques, est une condition nécessaire du nouvel esprit
historique. Ce n'est plus une condition suffisante. Nous voulons savoir davantage : à quel type de religion tel genre de

politique emprunte ses énergies individuelles, son inconscient collectif, sa morale ou son *consensus*, ce qui pousse les hommes à vivre et mourir pour elle. Sur cette piste, il faudra bien que nous reconnaissions que l'œuvre d'Alain Besançon sert à ceux qui l'empruntent, d'éclaireur.

Or, tout concourt à montrer qu'au début du XIXᵉ siècle en Allemagne, il y eut une intense activité de réflexion théologico-politique et, comme à l'âge classique, un essai pour organiser le *consensus* social par emprunt ou confiscation des idéalités religieuses. Mais le processus suivit alors un cours nouveau. Au lieu d'élaborer la morale du droit individuel et du droit comme loi en suivant le parcours fléché par les nominalistes et les *Decalia*, les romantiques mirent au point la *sécularisation de la foi*[1].

Spinozisme?

Spinoza, il est vrai, avait voulu à sa façon séculariser la foi, en transformant une partie de l'autorité théologique en raison politique, en faisant de « l'homme un dieu pour l'homme ».

Sur l'influence du spinozisme dans la philosophie idéaliste allemande, contentons-nous d'observer que, si elle s'exerce, c'est de manière « rentrée », déviée, subvertie. Le spinozisme clandestin de Leibniz, se refusant à confesser sa rencontre avec l'auteur de l'*Éthique*, illustre *a priori* l'introjection honteuse dont le grand marrane fut l'objet dans la philosophie classique allemande. Le Spinoza de contrebande accrédité par Herder et falsifié pour le rendre compatible avec un syncrétisme religieux où le christianisme eut sa place, les cris d'orfraie de Jacobi devant l'aveu du spinozisme fait par Lessing *, témoignent d'un débat avorté. La question ne sera pas posée. A la place d'une querelle ouverte sur le forum, on observe tout autre chose : un spinozisme privé, transitoire, qui fait partie du *cursus* obligé de toute formation philosophique, auquel successivement adhèrent Lessing, Fichte, les frères Schlegel, avant de le rejeter avec

* Cf. *Œuvres philosophiques de Jacobi*, Paris, trad. franç., 1946.

éclat lorsque viennent les représentations officielles de la maturité. Pendant cette rumination cachée, quelque chose pourtant a été digéré : le *monisme*, mais au lieu de rester sur le terrain pour lequel Spinoza l'avait conçu, celui de la métaphysique, il vient curieusement s'appliquer au théologique et au politique. En ces domaines, l'auteur du *Traité théologico-politique* était libéral et tolérant, rien moins que moniste. Même si l'on peut reprocher à Spinoza d'avoir oublié la conscience, de son monisme, il ne faudrait pas retenir un aplatissement des réalités politiques sur les seuls phénomènes naturels, un nivellement de la cité, un arasement de la végétation trouble foisonnante et lustrée des passions politiques. Il ne faudrait pas redécouvrir Lacédémone et anticiper la Chine. Le monisme spinoziste est libéral. Spinoza n'a pas rêvé d'une société uniforme et vide, aiguë et brute comme la roche, mais d'un retour de l'homme à soi-même dans la parole acceptée, l'écriture déchiffrée, la différence reconduite. Vouer le mal à l'errement d'une pensée inadéquate, la méditation de la mort au délire et, d'une façon générale, arracher du regard la lentille morale ou théologienne qui aplatit, dénature, déforme ce qu'il faudrait seulement comprendre, n'est pas un appauvrissement du monde, un lessivage mortel du sol des pensées, mais l'inverse : la réintroduction dans la sphère du savoir et de l'histoire savante de ce que prophètes et clercs s'étaient indûment appropriés. La constatation de Spinoza était simple : la moralisation excessive de la nature, de la société et de l'homme, démoralise le savoir parce qu'elle exile dans les enclaves barbares des discours de l'éminence et de la hiérarchie, à l'intérieur des disciplines qui brident et blessent le corps ce que l'âme pourrait comprendre et maîtriser. Abattre les barrières, couper les haies, ouvrir les pacages où l'on retient avec l'âme en jachère la bête-homme prisonnière. Mais là où Spinoza ne cherchait qu'un développement du rationalisme, réservait le monisme à la métaphysique pour maintenir un point de vue éthique dans le domaine théologico-politique, la philosophie politique allemande transplante son monisme ontologique dans la sphère des autorités théologico-politiques et rationalise le finalisme.

Il est possible qu'un vide, qu'une lacune, à réfléchir la place du sujet, ait dans l'œuvre même du philosophe classique aidé à cette dérive anti-individualiste et immanentiste. Au moins faut-il noter l'écart entre ceux qui, comme Novalis, le déclarent ivre de Dieu, et celui qui, d'être à jeun, prêchait l'amour intellectuel de Dieu.

Le temps des conversions

Passionnés de politique, fascinés par la révolution? Les jeunes romantiques l'étaient, mais aussi obsédés de révélation, transportés de mystique. S'il y a là une tradition, il y a aussi une conversion.

Tradition. La spiritualité politique, la politique spirituelle est la vieille affaire de l'Allemagne. A deux reprises dans son histoire, elle avait manifesté qu'elle ne séparait pas le sentiment national du sentiment religieux. D'abord les successeurs d'Othon, restaurateurs du Saint-Empire, vêtus du manteau rouge, coiffés de la tiare, prétendirent à l'imitation du Christ imposer par le glaive l'unité spirituelle de l'Europe. Il fallut Grégoire VII, dénonçant le césaropapisme et affirmant la division des deux pouvoirs pour mettre fin à cette prétention. Puis la réforme luthérienne, dégageant l'Allemagne de l'emprise de la catholicité, soutint à son tour la formation d'un État religieux. Il fallut le morcellement du pays et le triomphe du principe *cujus regio ejus religio* pour borner cette ambition. Se plaçant sous le signe du Saint-Empire comme August Wilhelm Schlegel [2], et sous celui de la réforme, comme Novalis [3], prosaïquement ou poétiquement, de jeunes écrivains exaltent leur passé politique mystique. L'aîné des Schlegel rappelle que le Saint-Empire romain a colonisé par sa politique spirituelle toute l'Europe [4] et Novalis salue à son tour le Moyen Age comme la grande époque allemande. Dans le même temps, d'autres jeunes gens frénétiques expliquent dans *l'Athenaeum*, la revue du groupe romantique dont Friedrich Schlegel est l'infatigable animateur, que « la germanité n'est pas derrière nous mais devant nous [5] » et que « le désir révolutionnaire de réaliser le royaume de Dieu est le point élastique de la culture progressive et le commencement de l'histoire moderne [6] ». Par avance d'accord avec Fichte : en compensation de son morcellement territorial et de son arriération historique, l'Allemagne est élue pour une mission spirituelle paneuropéenne. Par avance d'accord avec Wagner, le sang germain est mystique, ses énergies sont spirituelles. Tradition encore : les romantiques sentent dès leur formation souffler l'idéal mystique médiéval. Maître Eckhart et Jacob Boehme sont redécouverts et commentés par Franz von Baader et Claude de Saint-Martin [7]. Les frères souabes Bengel et Oetinger enseignent directement un piétisme mystique aux allures gnostiques à Schelling, Hegel, Hölderlin, leurs élèves en séminaire de théologie protestante de Tübingen [8].

Théologie hégélienne

Autre signe flamboyant et dérobé de la différence hégélienne : la théologie. Au rayon laser du romantisme, rayon sécant dans les pensées d'un jeune homme traversé par son temps, se découpe la peu originale partition de la religion objective et de la religion subjective, de la religion du peuple et de la religion privée. La première, dit-il, fait appel à l'entendement et à la mémoire, la seconde invoque l'imagination et la sensibilité, celle-ci morte comme « les insectes et les plantes des naturalistes », celle-là vive « enlace une multiplicité de buts par des liens amicaux ». On aura reconnu la morale de la loi et la morale de la foi, ainsi qu'à la présentation liminaire, la préférence de Hegel. Comme tous, Hegel prend parti contre l'Ancien Testament, mais ses raisons sont à lui seul. Les exigences du formalisme judaïque lui semblent exagérées et asociales. Très justement, il remarque que la religion d'Abraham échappe à la domination et à la dialectique du maître et de l'esclave : malgré sa dissidence, Abraham qui, en quittant famille et patrie, est devenu hostile à la nature et à l'humanité, a refusé le destin logique de la maîtrise et a reporté la transcendance vers Dieu.

Le jeune Hegel, dressé contre l'empirisme individualiste du droit naturel se convainc subitement qu'il faut traiter les hommes tels qu'ils sont avec leurs sentiments et passions : l'amour est réel où la loi est formelle. Entre le devoir-être et l'être, la morale de la loi creuse un abîme. Suite logique : il récuse Kant et *sa religion dans les limites de la simple raison* où il lit — qui lit mieux ? — le formalisme de la morale de la loi pour exalter la supériorité de la conciliation par la foi, et l'apaisement par l'amour enraciné dans la vie. Où la loi brise et blesse l'existence, la vie colmate les brèches et cicatrise les blessures.

A partir de là, le jeune Hegel, avec quelque avance sur la génération romantique, est en route vers une morale politique et une religion à séculariser; mais il creuse sa propre distance, met au point sa déviation, son *clinamen* d'où irrésistiblement il s'écarte du romantisme : au lieu de rompre la série judaïsme et christianisme et de faire son choix entre l'Ancien et le Nouveau Testaments, il convoque le tiers exclu : l'hellénisme. Politique de la troisième force qui desserre l'étau infernal de l'alternative des commandements vétéro-testamentaires et des conseils néo-testamentaires; autre chose, une autre sécularisation de la religion : l'idéal grec où le droit privé est subordonné au droit public, où la liberté civile est dépendante de la liberté politique. Au lieu d'emprunter au christianisme un *éthos* de la réconciliation dont la sécularisation verse dans la théocratie, rêver une religion politique introuvable... Et par là y renoncer. Soleil des dieux grecs à jamais éteint, agora brune des hommes assemblés par la foi politique, la Grèce... continent perdu. Morceaux de mythes à recoller, morceaux cassés à bricoler. La *République* de Platon à quoi Hegel compare les politiques modernes n'est pas seulement utopique, elle est aussi achronique, absente à jamais de nos calendriers. Par le Saint-Empire, par l'Église, par les cités-États italiennes, Rome existe encore au XIXᵉ siècle et choisir Rome, l'invoquer, c'est encore se ranger à un parti existant. Mais la Grèce..., mais la dérive grecque..., rêve à l'état pur. La religion politique grecque ? Il n'y a pas péril en la demeure puisque le rêve se sait irréel tandis que le cauchemar naît du rêve qui devient réalité. Le modèle grec : moyen bien tempéré pour éviter la sécularisation de la foi, parade si adaptée qu'elle laisse à Hegel, l'œuvre de la maturité venue — *les Principes de la philosophie du droit* — le loisir de dépasser sa répugnance primitive à l'égard de la morale de la loi et de réinjecter, à l'intérieur de sa réflexion, la morale kantienne. Entre-temps on l'a vu, il avait estimé que « le droit doit devenir loi » et défini l'État non par la vie mais par « le savoir de soi ». Porte dérobée cependant, aux yeux des contemporains, à peine visible. Oubliée, dépassée, forclose, la séparation entre la morale de la foi et celle de la loi n'est plus un enjeu évident. Le court-circuit par le cycle grec ferme la prospective politique d'une sécularisation des autorités théologiques de la foi mais efface aussi les traces du retour vers la morale kantienne. Les jeunes hégéliens n'y verront que du feu. Bruno Bauer se croit encore fidèle au philosophe d'Iéna que déjà il annonce une théologie politique révolutionnaire fondée sur le Nouveau Testament.

Novalis et Schleiermacher forment leur conception religieuse au sein de la secte des frères moraves réformée par le comte Zindendorf. Cette secte qui avait fait sienne la foi selon saint Paul : « Comme pouvoir de se représenter vivement comme réelles les choses invisibles. » Temps des grands investissements théologiques : Novalis, Wackenroder, Tieck, Schleiermacher, écriront des textes religieux [9].

Mais temps aussi des conversions : Görres, Adam Muller, Friedrich et Dorothea Schlegel (la fille de Moses Mendelssohn) se convertissent au catholicisme. Des multiples projets de Friedrich Schlegel, changer la vie, l'amour, la société, l'un d'entre eux plus réussi qu'on ne le croit : transformer la religion... Pour cette mission, il identifiait Novalis au Christ et lui-même à saint Paul.

On chemine vers une réforme rampante et lourde. Le retour à la foi prêché par Novalis et Schleiermacher n'est nullement la rentrée dans le giron de l'Église catholique romaine ou du luthéranisme traditionnel mais la recherche d'une Église des temps nouveaux et d'une religion réformée. Novalis l'annonce sans fard : « Le christianisme est anéanti sous sa forme fortuite, accidentelle; l'ancienne papauté est couchée au tombeau et Rome, pour la seconde fois, est en ruine. Ne faut-il pas que cesse enfin le protestantisme et qu'il fasse place à une nouvelle et plus durable église [10]? » Les chrétiens traditionnels, réjouis de cette fermentation religieuse, auraient dû se méfier davantage et prêter une oreille plus fine aux propos de Schleiermacher qui étire la définition du sentiment religieux à ce point où assoupli, déformé, lâche, il est propre à d'étranges et pernicieux usages, où il est prêt à investir non seulement le social comme il est normal, mais aussi le civil et à se laisser capter par le politique. Ce que préparait consciemment le romantisme, c'était l'investissement d'une foi retrouvée mais retravaillée dans de nouveaux objets, la patrie, le peuple. Ce à quoi il s'occupait, c'est à distendre et infléchir le sentiment religieux lui-même, éradiquer ses traditions, faire germer de nouveaux surgeons. L'effort s'est poursuivi dans une double direction : opposer la foi à la loi, déconsidérer la transcendance.

La foi contre la loi

Adossée à la réforme et à la contre-réforme, la théologie classique avait été masquée par une renaissance des études bibliques et la constitution d'un canon où les livres néotestamentaires n'étaient nullement séparés des textes vétérotestamentaires.

Or, quelque chose d'inattendu se produit en Allemagne au début du XIXᵉ siècle avec les romantiques tant protestants que catholiques. Ils se détournent de l'Ancien Testament, ils coupent le christianisme de sa racine juive, ils cassent le judéo-christianisme et rejettent la parole de Hobbes acceptée par les classiques : « La prédication du Christ n'est pas contraire à la juive [11]. » Ils opposent la foi à la loi. Voici la leçon de Schleiermacher : la loi est inutile et inférieure à l'amour et elle n'indique pas la fin de la sanctification. Il faut revenir au Nouveau Testament, *à lui seul;* un dogme qui ne s'appuie que sur l'Ancien Testament n'a aucun titre, estime le prédicateur, à entrer dans la nouvelle discipline. « Puisque le témoignage de l'Ancien Testament n'ajoute rien, son autorité est superflue [12]. »

Mais quelle foi? « le *Shibboleth* de la foi », Schleiermacher réutilise le mot à dessein, est « le sentiment de dépendance absolue à l'égard du Christ ». En ce cas, rétorquait Hegel, « le chien est meilleur chrétien ». La réévaluation de la foi aurait pu conduire les romantiques à la réanimation de la charité évangélique. A la solitude et à la transcendance qui se révèlent à l'âme humiliée. A la grande paix, à la grande compassion de la charité. A cette vertu qui demeure lorsque tout a été désolé. A l'exemple de la sainte qui se lève lorsque le conquérant dévastateur va passer. En ces temps de guerre, de malheur, d'infirmité et de hiérarchie, la foi aurait pu offrir le salut qui anesthésie la souffrance et la paix qui anathémise la maladie. Elle aurait pu rappeler à une mémoire mauvaise que la charité surmonte la cité déchirée parce que l'homme n'est pas seulement un animal politique. Mais la foi romantique tourne le dos à la charité. Passons sur la dérive gnostique que Frédéric Schlegel fait subir, dans *Lucinde*, à la doctrine évangélique de l'amour, lui qui croit découvrir « dans la volupté le miracle le plus sacré de l'amour ». Esquivons même les relents de quiétisme et les émanations de doctrine du pur amour qui s'exhalent chez Herder, Jacobi, Jean-Paul [13]. Reste l'essai capital de Novalis paru en 1798, *Foi et amour*. Œuvre troublante moins par la beauté palpitante d'un texte plein d'ombres, d'échos et de tressaillements que par son ambition théologico-politique. D'emblée, le poète installe ses préférences religieuses en politique, sécularise sa foi dont il fait le lien civil essentiel [14]. Il faut unifier la société par l'amour dont l'attache est plus solide que la loi. « Qu'est-ce qu'une loi si elle n'est pas l'expression de la volonté d'une personne aimée et digne de vénération [15]? » Dans cette hyperbolique apologie du lien politique mystique, d'une foi qui déplacerait les montagnes jusqu'à César, le poète va loin, va très loin. Non seulement jusqu'à exhausser le monarque au-dessus de la traditionnelle conception de la monarchie de droit divin pour lui octroyer la transcendance la plus élevée mais aussi jusqu'à indiquer l'immensité de servitude que la foi politique autorise. Ce qui serait beau, dit Novalis, « ce serait un gouvernement sous lequel les paysans mangeraient plus volontiers un morceau de pain moisi que du rôti... et rendraient grâce à Dieu d'être nés dans ce pays. » Étrange prémonition...

Immanence

La conséquence inévitable de la confiscation politique de la foi est l'apparition de la doctrine de l'immanence.

Ces noms, transcendance, immanence, paraissent barbares au profane. Jargon ésotérique ou terroriste dont usent trop volontiers philosophes ou théologiens. Ils nous importent à tous pourtant. Car reconnaître l'existence de la transcendance, c'est tout simplement faire droit à une expérience universelle. Celle de la foi? Pas seulement. Même si pour le croyant, la foi donnée à l'aperception d'une réalité divine est le lieu d'élection de la transcendance, elle ne s'y limite pas nécessairement. Chaque individu dont l'existence est traversée par des croyances, des valeurs, ou des raisons — disons des idéalités religieuses, morales, et logiques — idéalités qu'il reçoit et qu'il transmet, fait en quelque sorte l'expérience de la transcendance. La foi, la morale ou la science, survivent à la saison qui fane les existences singulières. Les Anciens ont découvert cela pour nous. Aux Grecs nous devons les idéalités mathématiques et logiques. Les traces de Thalès et de Pythagore s'effacent dans le sable que leur main dessina, mais la mathématique reste. Aux Juifs nous devons les idéalités théologico-morales. Le peuple de la diaspora perd son territoire mais avec la loi, l'identité de la nation demeure. Notre existence contient plus de temps que notre mesquine chronologie individuelle, notre culture plus de savoirs et d'idéaux que notre obscure vie personnelle. Même « si nous sommes seuls », l'homme est un animal religieux ou un être générique.

La reconnaissance de la transcendance n'est pas sans danger : infliger une humilité excessive ou des humiliations superflues à chacun, vider la vie singulière de son sens au profit d'un au-delà universel inaccessible, célébrer la culture et la mort au détriment de la vie et du corps. Mais sa dénégation et surtout sa dénégation théologique, comme elle fleurit sur les lèvres romantiques, fait courir des périls plus graves : faire perdre à l'individu surestimé le sens de l'humanité, effacer les distances et les différences, abolir l'altérité. Toute mystique, dans la mesure où elle conduit à un rapprochement extatique avec le dieu vivant produit une sorte de prophétie privée, vouée à développer jusqu'à un certain point le sentiment de l'immanence. Excitée par l'installation à hautes doses de la drogue dure du mysticisme médiéval, la théologie romantique s'adonne à l'immanence. « L'œil dont Dieu me regarde est l'œil avec lequel je le regarde. Mon œil et son œil sont identiques. Dans la justice, je suis pensé en Dieu et lui en moi. Si Dieu n'existait pas, je n'existerais pas moi-même, et si je n'existais pas, il n'existerait pas non plus... » La formule célèbre de maître Eckhart méditée par les jeunes romantiques porte en elle cette tentation : assimiler l'homme à Dieu, à partir de quoi la théologie romantique produit un naturalisme et un historicisme.

Naturalisme

Natürphilosophie. L'élaboration de Schelling dans les *Idées pour une philosophie de la nature*, 1797 [16], est une manifestation éclatante de la représentation immanente de la nature. Sans doute Schelling fera de lui « un être irremplaçable » que son évolution conduit plus à l'est et plus loin dans le passé vers la mythologie orientale et le paganisme. Mais cette œuvre, proche à bien des égards de celle des *Disciples à Saïs* ou de la physique de Ritter, dans la conception de la nature qu'elle développe, est saluée par August Wilhelm Schlegel comme l'expression orthodoxe de la nouvelle physique romantique [17]. Le naturalisme de Schelling et de la physique poétique romantique est d'une autre espèce que celui qui a produit l'apologie d'une vie rustique et économe, les jardins à l'anglaise, l'hygiène et la climatologie propres au naturalisme britannique et français. Il est plus violent, plus ambitieux, plus profond. Il déracine l'homme de la cité pour le transplanter dans une nature cosmique, mobile, pleine de symboles et de bourrasques. Il branche ainsi l'individu sur des forces telluriques, chtoniennes, il réveille la mythologie, il enfonce l'homme allemand dans les profondeurs nocturnes de ses bois et de ses rêves passés. Il est inévitable qu'il dérive dès lors vers la mythologie — et certaines formes brutales du paganisme. Après lui, Wagner.

La physique romantique rejette le point de vue partiel des physiciens et chimistes classiques qui déterminait des lois de correspondance précises permettant à l'esprit de passer selon des règles déterminées d'une portion de la réalité à une autre. Elle considère à l'inverse la nature comme un tout que règle l'action de forces opposées qui se combinent, s'interpénètrent et se détruisent, dialectique de la nature dont elle veut penser la totalité et les correspondances étagées. Elle voit la nature comme une force perpétuelle de création vivifiée par l'esprit, l'esprit du monde (*der Weltgeist*), l'âme de l'univers (*der Geist des Universums*). Elle se représente les différents règnes de l'ordre naturel, harmonies, miroirs, symboles, où les êtres et les choses échangent leurs intentions et leurs désirs, se rencontrent, communiquent et se déplacent. « Écriture chiffrée qu'on découvre partout sur les ailes, les coquilles d'œufs, dans les images, etc. » (Novalis). Ame du monde qui voyage du particulier au tout : de l'air au végétal, du végétal à la lumière, de la lumière à l'animal, et qui culmine dans la grande rencontre de l'homme et de l'univers (Schelling [18]).

La foi, la créativité, la théologie ne sont plus attribuées à Dieu mais au corps, à toute forme de matérialité, à toute apparence morphologique (et bientôt à ces obsessions, la naturalité, la race). Est ainsi inversée la direction du finalisme que Spinoza avait voulu abolir et que les romantiques démultiplient dans la matière.

Pour parvenir à cette fusion de l'esprit de l'homme avec l'esprit de Dieu qui est l'intuition du divin, le naturalisme

216

invite chacun à rentrer au plus profond de lui-même, mais en même temps à la surface la plus fragmentée des choses, la *Naturphilosophie* est moniste; elle unifie l'âme et le corps, elle débouche sur un érotisme mystique qui réalise la synthèse du fini et de l'infini. Paradoxe de cette synthèse : l'infini ne peut se réaliser que dans une infinité de formes particularisées, l'absolu ne peut s'atteindre que dans une infinité de connexions relatives, le divin ne peut s'appréhender que dans une infinité de relations terrestres. La transcendance abolie laisse place à un corps morcelé. Corps, matérialité. C'est la déductible conséquence de l'immanence. « Un jour — dit Novalis dans les *Hymnes de la nuit* — tout sera corps. » Fixation sur les chairs, les matériaux, exaltation gnostique du corps. Car dans les corps se manifestent non la création cartésienne continuée de l'univers, mais l'incarnation continue de Dieu. Fixation qui dans la mesure où elle croise l'obsession de la mort, aboutit finalement à la hantise du cadavre qui pourrit dans l'ombre.

L'expérience de la mort a été centrale pour les jeunes romantiques et la disparition de Sophie von Kühn ou de Caroline Schelling a été l'occasion d'une méditation fondamentale. Refuser la mort de l'être disparu, tel est son principe, mais aussi se laisser gagner, tenter par elle. Dans le dernier poème des *Hymnes à la nuit*, « le désir de mort », percent moins une invincible lassitude, l'asthénie des phtisiques occidentaux qu'une force démiurgique et nocturne, qu'une énergie réactive, somnambule, venue du passé et vouée à la destruction. Cette force que Freud et Thomas Mann ont tour à tour identifiée comme celle de la pulsion de mort.

Mais tout ceci, dira-t-on, n'est encore que littérature, poésie. « Le langage des fleurs et des choses muettes. » Ce serait s'abuser. L'immanence ne se loge pas seulement dans l'espace qu'elle diffracte et segmente, elle vient aussi contracter le temps, annoncer l'apocalypse.

La dialectique de la nature se prolongera dans une dialectique de l'histoire déjà présente avant Schelling ou Hegel, chez les pères souabes qui formèrent les romantiques. Ils estimaient que la connaissance théologique est une connaissance de l'histoire, qu'Histoire et Écritures saintes sont intimement liées, que l'histoire réalise le plan divin providentiel, que la révélation se développe au cours des temps. C'est à Bengel qu'on doit l'idée d'un royaume spirituel où le seigneur épanchera son esprit en toute chair, où tous les savoirs seront réconciliés. A Oetinger qu'il faut imputer l'idée d'un âge d'or, où l'ordre social sera démocratique. Au début du XIXᵉ siècle, les lendemains se sont mis à chanter et l'eschatologie s'est mélangée à l'utopie sociale. Le résultat ultime de la vision de l'histoire dans la perspective de la fin des temps est déjà celui d'une société réconciliée, reposant sur l'égalité entre tous ses membres, la fraternité et la communauté des biens [19].

A quel point la transposition de l'eschatologie dans l'histoire qui projette le salut non dans l'autre monde mais dans un monde meilleur (l'avenir dans vingt ans) peut entraîner un effet de déréalisation, on le mesure chez Schleiermacher. Autoproclamé « prophète d'un monde à venir », il ajoute qu'il demeure indifférent à ce que fait ou souffre le monde actuel. « Il est bien en dessous de moi et me semble petit [20]. »

L'idée de l'automanifestation et de l'incarnation continue du Christ aurait pu se limiter à des extases mystiques; elle s'est installée dans le cosmos, a colonisé l'histoire mais elle fait davantage encore : le mysticisme est enrôlé par le nationalisme. Les romantiques retrouvent Fichte : l'Allemagne, annonce-t-il, est l'incarnation de la spiritualité occidentale, le peuple Christ. Telle est la conclusion d'*Europe ou la chrétienté* [21]. Il lui appartient dès lors de faire le salut du monde. La doctrine de l'immanence et de la sécularisation de la foi a accouché de ce monstre, le peuple Christ. C'est Feuerbach qui va l'élever.

Le mythe d'un Feuerbach rationaliste par l'influence duquel Marx serait revenu aux lumières du XVIIIᵉ siècle a été accrédité par la biographie rédigée par Lénine dans la notice qu'il a consacrée à Karl Marx[22]. Depuis, l'auteur de *l'Essence du christianisme* passe pour le critique irréductible de la religion, l'athée du système, l'ennemi de la foi. Mais distinguons critique et critique. La critique religieuse de Feuerbach n'est pas dans le droit fil du XVIIIᵉ siècle et de Spinoza, elle n'est pas rationaliste, elle est romantique.

Entre la critique spinoziste et celle de Feuerbach, il y a en effet une différence profonde. « Ou Spinoza, ou Feuerbach », nous reprenons ici volontiers l'alternative formulée par Jean-Pierre Osier[23]. L'athéisme de Spinoza conduisait à une invalidation du point de vue théologico-moral et à la volonté de remplacer un système de commandement et d'obéissance par un système de compréhension et de tolérance. A aucun moment, en aucune façon, Spinoza ne formait le projet de s'établir sur le terrain même de la religion. En dédaignant la valeur, il n'imaginait pas de l'usurper. L'athéisme de Feuerbach procède exactement à l'inverse : il s'agit d'injecter les énergies du sentiment religieux dans l'action politique. En exaltant le prix de la religion, Feuerbach rêve de se l'approprier. *L'Essence du christianisme* qui proclame, on le sait, la nécessité de rapporter à l'homme ce qu'il a aliéné dans sa représentation de la divinité, n'est pas un manifeste antireligieux mais un coup d'état théorique destiné à détourner la religion de ses usages théologiques. Au sens strict, une perversion religieuse.

Si son projet, malgré le scandale immédiatement déclenché, a été si vite et si fortement acclamé par les jeunes hégéliens, c'est qu'il était formulé dans leur langue maternelle, la langue qu'ils avaient entendue autrefois, la langue romantique. Feuerbach accomplit plus qu'il n'abolit le romantisme dont il a les mêmes ennemis et les mêmes idées.

D'abord les mêmes ennemis et d'abord l'ennemi capital : Hegel. Malgré ses torts à l'égard du sentiment religieux qu'il a rationalisé à l'extrême, Hegel s'est gardé du péché mortel : la sécularisation de la foi prêchée par Fichte au profit du nationalisme. L'État, maintient Hegel, qui exige à juste titre que les citoyens remplissent leurs devoirs juridiques, n'a pas à se mêler de faire leur salut. « La religion a pour domaine l'intériorité, et... l'État, s'il exigeait l'obéissance à la manière de la religion, porterait atteinte au droit de l'intériorité. » Ensuite les mêmes idées, c'est-à-dire l'apologie de l'amour contre la loi et l'exaltation de l'immanence. La vérité de la philosophie nouvelle est l'amour, le sentiment [25]. « C'est seulement dans le sentiment, c'est seulement dans l'amour que ceci, cette personne, cette chose singulière, possède une valeur absolue et que le fini est l'infini [26]. » Au symbole du cercle qui est l'emblème de la philosophie hégélienne, Feuerbach préfère le symbole de l'ellipse, symbole de la philosophie sensible qui prend appui sur l'intuition [27]. « Le cœur, estime-t-il, n'est pas une des formes de la religion, comme si elle devait aussi résider dans le cœur, il est l'essence de la religion [28]. » Réévaluation du sensible dont le prolongement est la dépréciation offensive de l'entendement et de la science. L'entendement, qui s'intéresse « à la puce, à la mouche, qui fabrique la botanique, la minéralogie, l'astronomie, oublie l'essentiel pour l'homme : l'homme lui-même. « Le Christ, dit-il, ne pense qu'à lui-même [29]! » Mêmes outrages contre la science, « jouet inoffensif et inutile de la raison paresseuse, activité qui traite de choses sans intérêt pour la vie et pour l'homme », une activité tellement insignifiante et oiseuse, trouve-t-il, que personne ne s'en soucie [30].

Immanence aussi : Feuerbach reprend la philosophie naturaliste, critiquant Hegel de sa timidité à cet endroit. La nature n'est pas en contradiction avec la liberté morale, elle qui n'a pas seulement construit la machinerie élémentaire de l'estomac mais aussi le temple du cerveau [31]. Mais à ce point, le philosophe porté par la doctrine de l'immanence, fait ce pas supplémentaire par lequel il franchit le Rubicon. S'il n'y a plus de loi, plus de transcendance, s'il n'y a plus qu'une incarnation continuée, si, comme le formulera Nietzsche ultérieurement, Dieu est mort, quel sens y a-t-il à maintenir une foi dans l'au-delà, à croire à l'arrière-monde, à garder ségréger la religion? Plus aucun. Puisque l'homme est Dieu, Dieu doit revenir à l'homme, puisque l'infini est dans le fini, il faut abolir l'infini. Lorsqu'il déclare que l'essence authentique de la religion est anthropologique et non théologique, Feuerbach se contente de résumer l'intuition centrale de la théologie romantique : l'homme est Dieu, Dieu doit s'abîmer dans l'homme.

Abolir la religion? Non, sans doute, puisqu'elle est « le solennel dévoilement des trésors cachés de l'homme, l'aveu de ses pensées les plus intimes, la confession publique de ses secrets d'amour [31]. » Mais la confisquer? Ah oui! Retenir la religion mais changer sa direction. « L'homme, dit Feuerbach, est un animal religieux ». Dès lors voici son programme : il s'agit « d'élever l'anthropologie à l'état de théologie », « car il nous faut redevenir religieux. Il faut que la politique devienne notre religion. Mais elle ne peut le devenir que si notre conception contient un principe suprême capable de transformer la politique en religion [32] ». Détracteur de la science et de l'intelligence, apôtre du sentiment, Feuerbach ne mène nullement une critique rationaliste de la religion mais à l'inverse, une critique romantique. Il a su capter le projet imaginé par les romantiques de transférer les énergies du sentiment religieux dans la vie sociale et d'injecter dans la politique la formidable puissance de la religion. C'est un tel projet, qui transporta les jeunes hégéliens.

La sécularisation de la foi, la divinisation de la nation, du peuple, tel est le traité des autorités théologico-politiques conçu par le romantisme. Désormais, il appartient aux puissances de faire le salut des individus. Comme l'a dit Alain Besançon : « Telle quelle, cette pensée religieuse sert de matrice à une pensée révolutionnaire opposée qui élimine les éléments religieux, mais en conserve l'idéal social et politique... Le terrain de leur opposition, c'est l'athéisme et uniquement l'athéisme... Le terrain de leur union, c'est la haine du monde, la teinte gnostique du christianisme romantique [33]. »

5. Marx romantique

La critique du droit politique marxiste. La formation de la doctrine de Marx. L'influence du romantisme et de Feuerbach. Un dispositif de refoulement du droit politique. Marx romantique.

LA CRITIQUE DU DROIT POLITIQUE MARXISTE

Bien que la dérive concentrationnaire de *tous* les régimes soviétiques placés sous les auspices du marxisme adresse à ceux qui se réclament du socialisme l'obligation impérative d'entreprendre enfin une critique du droit politique marxiste, et que chaque jour l'histoire nous intime de comprendre le passage du marxisme au Goulag, la politique de Marx demeure à quelques exceptions remarquables un *no man's land* inviolé.

L'idéologie

Pourtant Marx bute sur Marx parce que l'itinéraire de l'idéologie révolutionnaire invalide les postulats de la dépendance et de l'inconsistance de l'idéologie politique. Les artistes, Orwell, Milosz, Soljenitsyne, aujourd'hui Zinoviev ont été les premiers à deviner que les caractères de l'idéologie infligent un cinglant démenti à ce que l'histoire économiste nous a enseigné sur l'utilitarisme et l'unilatéralisme des doctrines politiques qui déploieraient selon un sens unique les ntérêts de *l'homo economicus*. A suivre les métaphores de ces écrivains, un autre dessin apparaît : l'idéologie révolutionnaire ne vient pas de la terre, ne monte pas. Selon un cycle étrange, elle débute par une abstraction déréalisée — que ce soit celle des sociétés de pensée ou les doctrines de génies exilés — puis elle descend, s'infiltre et goutte peu à peu dans les fissures du social, bouchant ses trous, calcifiant ses flux, concrétion lente de stalactite. Elle n'exprime pas des besoins, ne défend pas une utilité, ne répond pas à des intérêts. Plutôt que de s'évaporer et de fuir évanescente, elle sature l'atmosphère de particules en suspension, ruisselle, s'incruste, s'amasse. Cours nouveau qui la porte de l'état gazeux à l'état liquide, puis à l'état solide jusqu'à provoquer cette formidable artério-sclérose qui roidit le corps social. L'idéologie, c'est peu au début, un nuage léger dans le ciel serein, les idées généreuses d'un théoricien, bientôt le programme et les écritures d'un parti puis le dogme d'un État, puis la réalité soviétique. Voyez comme elle a grandi et démesurément enflé. C'est elle qui est devenue ce que Marx disait de l'État français, un parasite qui bouche tous les pores de la société.

Il faudrait donc pratiquer vis-à-vis de Marx la critique telle que lui-même l'a toute sa vie appliquée à autrui. Non la critique sous sa forme immédiate et brutale, « la critique dans la mêlée », puisque selon sa formule « dans la mêlée, il ne s'agit pas de savoir si l'adversaire est noble, s'il est intéressant, il s'agit de l'atteindre [1] ». Nous ne voulons pas « atteindre » Marx, ou le salir bassement comme on a cru bon de le faire récemment en retournant son lit [2]; Althusser avait fait très justement observer que, généralement, les concepts ne se trouvent pas dans les lits. Il s'agit d'examiner comment la politique de Marx, sa doctrine du dépérissement de l'État, de la réconciliation de la société divisée entre le politique et le social, a pu patronner un système qui instaure des institutions politiques de répression et de massacres sans précédent, il s'agit d'y retrouver ce qui, par excès ou par défaut, a pu autoriser ou n'a su empêcher la dérive concentrationnaire antilibérale et antidémocratique des systèmes qui s'en réclament. Marx savait qu'on passe « de l'arme de la critique à la critique des armes » et Lénine que « de la moindre nuance, de la moindre virgule du débat idéologique » dépendait l'avenir de la Russie. Lorsque les mots deviennent des forces matérielles, ils pèsent sur les choses. Ne reculons pas indéfiniment : c'est aussi *dans Marx* qu'il faut chercher et analyser le destin du marxisme.

La formation de la doctrine de Marx

Sur la généalogie du marxisme, existe donc une catéchèse officielle dont Lénine a été l'un des prédicateurs les plus convaincants; on sait qu'il fit de Marx l'héritier des trois mouvements « les plus avancés de l'époque » : la philosophie allemande, le socialisme français, l'économie politique anglaise. C'est sur le premier point que s'établit, par « coupure épistémologique » la généalogie rationaliste du marxisme. Défroqué de l'idéalisme hégélien, Marx serait revenu au matérialisme des lumières par Feuerbach interposé; ce matérialisme mécaniste, il l'aurait remanié et amélioré en matérialisme dialectique. Cette impeccable biographie qui avait hier l'avantage non négligeable d'accréditer la créance du parti communiste sur le legs jacobin et qui a aujourd'hui le bénéfice supplémentaire de vouer à une même opprobre tous les rationalismes n'a qu'un défaut : elle est fausse. Fausse chronologiquement et fausse épistémologiquement. Le droit politique de Marx ne vient pas des lumières.

Fausse chronologiquement. A suivre les patientes recherches effectuées par Auguste Cornu[3], on s'aperçoit que la raison du père n'est pas toujours la meilleure. Le mythe de l'adhésion spontanée de Marx à l'hégélianisme — demeuré plus proche de l'*Aufklärung* que du romantisme — se conforte en effet de la culture voltairienne de Heinrich Marx, son père. Mais cherchez le beau-père... Nous avons le témoignage d'Eleanor Marx, la fille du philosophe : « Le baron de Westphalen, demi-Écossais par sa naissance, remplit Marx d'enthousiasme pour l'école romantique et tandis que son père lisait avec lui Voltaire et Racine, le baron lisait Homère et Shakespeare qui resteront toute sa vie ses auteurs préférés[4]. » En 1835-1836, Marx vient à Bonn, foyer de l'école romantique où enseigne l'un de ses chefs de file, A.W. Schlegel dont il suit les cours. Préparé par le père de Jenny, il s'enflamme pour le mouvement et devient poète et romancier s'il vous plaît. A la Noël 1836, Jenny reçoit trois cahiers de poésies. Simple passade? *Must* d'un étudiant allemand réceptif à l'air du temps? L'année suivante à Berlin, où les influences sont mieux partagées puisque Marx suit les leçons de Gans, disciple de Hegel, à côté de l'enseignement de Savigny, il s'obstine et rédige successivement le premier acte d'un drame fataliste, *Oulanem,* et un roman satirique, *Scorpion et Felix,* persistant à rimer et offrant cette fois à son père qui s'en lamente, les fruits de son inspiration. La rupture avec la littérature marquerait-elle alors le congé donné au romantisme? Pas tout à fait, puisque après avoir suivi, au semestre d'hiver 1836, les cours de Savigny sur les *Pandectes,* de Gans sur le droit criminel, de Steffens sur l'anthropologie, il entreprend de rédiger un vaste ouvrage sur la philosophie du droit[5] où, par la place accordée au droit romain, par la valeur éminente reconnue au droit privé, et enfin par le refus de juridifier la politique, l'influence de Savigny s'avère éclatante[6]. Pourtant en 1838 il adhère au club des jeunes hégéliens et en fait s'est rallié à Hegel dès la fin de l'année 1837. Marx donc hégélien. Mais combien de temps? Cinq ans, si l'on attend le règlement de compte définitif de la *Critique du droit politique hégélien* (1843), trois ans si l'on retient les sérieuses réserves contenues dans sa thèse sur *Démocrite et Épicure* (1841), mais *un an à peine,* si, avec les jeunes hégéliens il a lu les retentissants articles de Feuerbach parus dans leur propre journal, les *Annales de Halle,* dont Friedrich Engels a dit l'impact : « D'emblée, nous fûmes tous feuerbachiens! ». L'article de Feuerbach, *La Critique de la Philosophie de Hegel,* date en effet, de septembre 1839. Auparavant, Friedrich Strauss dans *La vie de Jésus* (1835) et A. von Ciesztowski dans *Prolégomènes à la philosophie de l'histoire* (1838) avaient lancé contre le maître d'Iéna des coups de griffes dont la jeune génération avait été éberluée. *Exit* l'influence de l'hégélianisme tandis qu'à travers Feuerbach, le romantisme n'a pas renoncé à Marx.

Et fausse épistémologiquement : entre Marx et les lumières, le second lien et cette fois le bon serait Feuerbach, le matérialiste ennemi de la religion. La deuxième étape officielle de la formation de Marx se confond en effet avec l'influence de l'auteur de *l'Essence du christianisme* qui lui aurait ouvert la voie royale de l'accession au rationalisme matérialiste. Nous voguons cette fois en plein roman : Feuerbach le matérialiste, non l'ami mais l'ennemi déclaré de *l'Aufklärung* est, nous l'avons vu, l'aboutissement de la spiritualité romantique, le fondateur du programme de la sécularisation de la foi. La rupture avec Hegel par le détour feuerbachien a donc écarté et non rapproché Marx des lumières.

Or, ce qui frappe lorsqu'on lit Feuerbach, c'est à quel point Marx s'en est imprégné ; au *tempo* de la phrase, au souffle prophétique du propos, à l'écho théologico-politique de la pensée, parcourant un texte qui tient à la fois de l'homélie et de l'adresse, du prêche et du programme, où le mot d'ordre prolonge le sermon et où l'incantation précède le recrutement, pénétrant cette vision passéiste et prospective, on devine l'extrême retentissement qu'elle dut avoir sur Marx. Le style, c'est l'homme. Les tournures impératives, l'agressivité polémique du maître se retrouvent chez le disciple. En quête d'une philosophie-programme et d'une théorie pratique, Marx ne pouvait guère demeurer indifférent devant l'alternative dessinée par Feuerbach : « Une philosophie qui n'est que l'enfant d'un besoin est une chose ; mais une philosophie qui répond à un besoin de l'humanité est tout autre chose. Une philosophie qui relève de l'histoire de l'humanité est une chose ; mais une philosophie qui est immédiatement histoire de l'humanité est tout autre chose [7]. » Élaborer une philosophie capable de s'inscrire à l'état civil de l'histoire, transformer le monde et non plus seulement le comprendre, Marx se fixe ces objectifs. Lorsqu'il reproche à Feuerbach de ne pas les atteindre, c'est encore une façon de lui témoigner sa fidélité.

La doctrine politique de Marx.

Une doctrine politique de Marx? Certains qui arguent de l'asservissant engouement de l'auteur du *Capital* pour l'économie, passé le chemin des écoliers, doutent de l'avoir jamais rencontrée. Absorbé par l'analyse de la production et l'action partisane, Marx n'aurait pas eu le temps de nous livrer l'essentiel de sa pensée politique; les derniers chapitres du *Capital* n'ont hélas! jamais été écrits. Mais ce défaut déduit d'un ordre de priorités théoriques n'est-il pas plus concerté qu'il n'y paraît? *Le Droit politique* de Marx est assurément introuvable mais non une doctrine politique qui s'expose à l'envi dans les œuvres proprement politiques de sa jeunesse et dans la prolifération des remarques sur le pouvoir à l'intérieur même des livres philosophiques ou économiques. On définit mal la doctrine politique de Marx lorsqu'on dit : « Il n'y a pas de théorie politique de Marx. » Il faudrait plutôt observer qu'il y a une théorie politique selon laquelle *la politique n'est pas et n'a pas d'existence propre.* Moins un manque et une négation de la politique qu'une politique du manque et de la négation. La politique n'existe que comme illusion, apparence, aliénation. Ici, entre les expressions utilisées par le philosophe de la jeunesse et retenues par l'économiste de la maturité, il n'y a pas de solution de continuité. Relevons-en quelques-unes plus révélatrices que l'antienne de la superstructure devenue incompréhensible pour avoir trop servi. Dans la *Question juive,* Marx parle « du ciel religieux de la politique [8] », dans la *Sainte famille* « de superficie politique [9] », dans *la critique du droit politique hégélien,* il déclare « la vie politique, au sens moderne du mot, est la scolastique de vie d'un peuple [10] » et dans *Le Capital* enfin, il parle « des régions nuageuses... de la politique ».

Voici donc une série de définitions où, consciemment, Marx calque la division de l'État et de la société qui produit la politique comme entité autonome sur la division théologique de la cité céleste et de la cité terrestre. Dès sa jeunesse, il a eu la conviction que la politique était une mystique relevant, comme tout phénomène religieux, d'une critique de type feuerbachien; qu'il fallait la séculariser, la dissoudre dans la communauté humaine. Très tôt, il a dénoncé la division de la société et de l'État comme une division pathologique et dès la *Question juive*, il s'est représenté l'émancipation humaine comme la *fin du politique,* la fin de la séparation entre la société et l'État, l'homme réconcilié avec le citoyen, l'homme abstrait redevenu l'homme concret.

La doctrine politique de Marx s'est donc constituée précocement. Elle est l'œuvre du jeune Marx, parce que c'est jeune qu'il a décidé, dans la *Critique du droit politique hégélien* d'abandonner comme sphère *sui generis* la réflexion politique. Cette conception s'est constituée par une liquidation de l'hégélianisme articulée sur trois principes du romantisme sur lesquels *Marx n'est jamais revenu :* l'anti-étatisme, l'anti-juridisme, l'anti-individualisme.

Anti-étatisme

Influencés que nous sommes par le fossé qui sépare les paroles des actes lorsque l'anti-étatisme doctrinal du socialisme marxiste s'allie à un renforcement despotique de l'État, obnubilés par le *terminus ad quem,* nous tenons volontiers la critique de l'État pour une pièce rapportée, un emprunt superficiel et terminal de son système. Tardivement, Marx aurait succombé à l'influence anarchiste attendant l'insurrection communarde pour se décider à reconnaître dans *La guerre civile en France* (1871) la nécessité de détruire complètement la machine d'État. Peut-être un peu plus tôt, mais tout aussi occasionnellement, sa rencontre avec les économistes libéraux l'aurait incliné à suspecter les superstructures; nous en aurions pour témoignage sa sportive reconnaissance de dette : « Mes recherches aboutirent à ce résultat que les rapports juridiques ainsi que les formes de l'État ne peuvent être compris ni par eux-mêmes ni par la prétendue évolution générale de l'esprit humain, mais qu'ils prennent au contraire leurs racines dans les conditions d'existence matérielles dont Hegel, à l'exemple des Anglais et des Français du xviiᵉ siècle, comprend l'ensemble sous le nom de " Société civile " et que l'anatomie de la société civile doit être cherchée à son tour dans l'économie politique [11]. » Marx devrait à Ferguson et à Smith la revalorisation de la société civile [12]. Illusion d'optique; bien qu'il rejoigne l'anarchisme et s'associe au libéralisme, l'anti-étatisme de Marx est un sentiment spontané, fondamental et initial. Un *Terminus a quo,* un don en quelque sorte, un legs déposé par ses ascendants et qu'il a recueilli. L'anti-étatisme de Marx est romantique.

D'où les différences de perspectives. Lorsque dès 1843, Marx écrit : « Famille et société civile bourgeoise apparaissent comme le sombre fond de nature d'où s'allume la lumière de l'État [13] », il ne rallie pas le strict point de vue « civiliste » des lumières et des libéraux. Pour les libéraux, le nihilisme politique est l'effet d'une négligence voulue et d'une indifférence assumée; ils souhaitent moins détruire l'État que s'en dispenser et moins abolir la politique qu'en faire un attribut de l'économie. Mais pour Marx, l'anti-étatisme est déjà bien autre chose : l'enjeu d'une lutte, l'objectif d'un combat. Il veut détruire l'État et non seulement l'oublier, anéantir la politique et non seulement s'en désintéresser. Aussi bien les motifs de l'anti-étatisme divergent ici et là. Le souci du libéralisme est économique; la perspective du jeune Marx — à l'exception de Kostas Papaioannou, on ne l'a pas suffisamment remarqué — est, à l'instar du romantisme, *morale et théologique.* Il n'est plus *civiliste* mais déjà *socialiste,* et à lui au moins cette évolution n'a pas échappé : « Le point de vue du nouveau matérialisme est la société « civile ». Le point de vue du nouveau matérialisme, c'est la société humaine, ou l'humanité socialisée [14]. » Marx transpose en effet en politique l'argumentation que Feuerbach avait développée sur le terrain de la théologie et dénonce l'illusion étatique comme une manifestation *de l'illusion de transcendance.* « La critique du ciel se transforme en critique de la terre, *la critique de la religion* en *critique du droit, la critique de la théologie* en *critique de la politique* [15]. » La religion, avait souligné Feuerbach, *aliène* l'homme qui projette son identité génétique dans l'au-delà de la croyance; elle en fait un être déchiré et appauvri. L'État politique, observe à son tour Marx, divise l'individu entre sa dimension de citoyen et d'homme, entre sa vérité civique, artificielle et irréelle et sa réalité profane, matérielle et bornée [16]. « Religieux, les membres de l'État politique le sont par le dualisme entre la vie individuelle et la vie générique, entre la vie de la société bourgeoise et la vie politique; religieux, ils le sont en tant que l'homme considère comme sa vraie vie, la vie politique située au-delà de sa propre individualité; religieux ils le sont dans ce sens que la religion est ici l'esprit de la société bourgeoise [17]. » De là l'identification de l'État à un « ciel de la société civile aussi spiritualiste que le ciel l'est vis-à-vis de la terre », dit-il [18]. Dans de telles conditions, l'État n'est pas une essence mais une apparence, il est l'illusion funeste, l'opium de la société. A ce « terme abstrait », « seul le peuple est concret », à cette « pure représentation », un seul remède : rendre à la société civile ce qui lui a été pris par l'État, guérir le social du politique, revenir à l'immanence où le social est tout [19]. Un tel programme suppose alors la critique du droit.

Antijuridisme

L'antijuridisme de Marx prête moins à contestation que son anti-étatisme parce qu'il a autant marqué sa postérité que jalonné son œuvre.

Pas un marxiste orthodoxe qui ne tienne aujourd'hui le juridisme pour un péché capital et le défenseur des libertés politiques se voit vertement répliquer qu'il s'agit pour des droits formels. Les Chinois de l'avenue Changan à Pékin qui réclament la protection des lois après Li Yizhe — la loi pas les rites! — les dissidents qui, comme Sakharov et Plioutch, invoquent le règne du droit, ont beau infliger un cinglant démenti aux tenants du « bol de riz, ça leur suffit! » ou à ceux des « libertés *made in occident,* tous droits de reproduction réservés », on continue à tenir le droit pour un luxe inutile ou un archaïsme épuisé.

Pas non plus un régime socialiste qui ne fasse du droit un usage conforme à celui des États de droit. Quoiqu'une étude d'ensemble fasse ici défaut, les drescriptions de Soljenitsyne, les revendications des ligues des Droits de l'homme et maintenant les analyses d'Alexandre Zinoviev nous ont familiarisé avec cette observation. Une « *civilisation sans droit* » telle est la société ivanienne, dit l'auteur des *Hauteurs béantes*, cette *Phénoménologie de l'esprit* du socialisme soviétique. Pour établir le bien-fondé de sa remarque, Zinoviev, contre les principes romantiques, invoque spontanément les principes du droit politique classique. L'existence d'un code et de règlements ne suffit pas à constituer une civilisation de droit (sur ce chapitre, la société ivanienne n'a rien à envier à personne). Il faut aussi que les conditions suivantes soient garanties : d'abord l'égalité de tous les hommes devant la loi, indépendamment de la place qu'ils occupent; ensuite, l'exercice du principe de légalité : nul ne doit être poursuivi pour un acte dont la délictuosité n'est pas prévue *a priori* par un code et en dehors des formes juridiques énoncées par le code pénal. Enfin, que les intérêts du peuple n'invalident et n'annihilent pas les intérêts de l'individu. En l'absence de ces conditions, une société, observe Zinoviev, peut disposer d'un code de lois, il lui manque un code de droits, c'est-à-dire un système juridique qui stipule et équilibre les droits et les devoirs réciproques de l'autorité et des citoyens, il lui manque, dirions-nous, un droit politique [20].

Cette vacuité ou cette altération juridique n'est pas accidentelle; l'antijuridisme pratique de la société ivanienne découle de l'antijuridisme doctrinal de Marx. Car c'est Marx qui a déclaré : « L'homme n'est pas là du fait de la loi, mais la loi du fait de l'homme [21]. » C'est lui aussi qui a dénoncé l'idée d'une transcendance de la loi comme l'illusion juridique par excellence : « Quel est le contenu de l'illusion juridique, quelle est la fin de cette fin? Quelle est sa substance? Le majorat, le superlatif de la propriété privée, la propriété privée souveraine... Quelle est par conséquent la puissance de l'État politique sur la propriété privée? La propre puissance de la propriété privée [22]. » S'opposent ainsi au constitutionnalisme appuyé de Hegel, mais non à Savigny qui disait : « On ne fait pas une constitution, elle se fait » et renversant la transcendance du juridique. Démarche implacable par quoi il aplatit tout le droit public sur le droit privé, tout le droit sur le système de propriété et qui le tient dès lors prisonnier des axiomes de l'école historique du droit. C'est cette conception du droit qui lui dicte l'interdit énoncé dans l'*Idéologie allemande* de constituer une histoire autonome du droit et qui a nourri son enthousiasme pour Linguet [23].

Venu donc après la critique de Savigny, l'antijuridisme de Marx ne serait pas véritablement original, s'il n'y développait une remise en cause de la doctrine des Droits de l'homme qui, ironie supplémentaire, s'accomplit dans la *Question juive*. Écartons d'abord un mauvais procès : l'ouvrage écrit en 1843, pour riposter au libelle de Bruno Bauer intitulé lui aussi la *Question juive*, n'est pas d'inspiration antisémite. Contre son comparse féru de théologie et admirateur du Nouveau Testament dont il suivait les réflexions avec un prodigieux intérêt, Marx veut d'abord défendre le Juif en l'identifiant au bourgeois de la société civile : « Le juif, c'est l'homme égoïste, l'homme d'argent, le bourgeois. » Essence qu'il prétend découvrir par-delà le Juif du sabbat dans le Juif réel. Pour lui qui tient la société civile pour la seule réalité, cette identification est rien moins qu'infamante. A Bauer acharné à dénoncer l'archaïsme du judaïsme par opposition à la modernité du christianisme, elle objecte que le Juif est l'incarnation même de l'actualité. Mais, ce faisant, elle dénie aussi à la loi juive son rôle dans la construction juridique de l'État, elle rejette la loi. A partir de là, la critique des Droits de l'homme est d'inspiration feuerbachienne. Quelle est l'origine, demande Marx, de la distinction entre Droits de l'homme — liberté, égalité, sûreté — et droit du citoyen [24]? Elle provient de la séparation entre la société civile et l'État. « Les droits de l'homme distincts du citoyen ne sont rien d'autre que les droits des membres de la société bourgeoise, c'est-à-dire, de l'homme égoïste, de l'homme séparé de l'homme et de la communauté [25]. » L'homme est divisé, aliéné entre le bourgeois sujet des droits de l'homme, passif mais seul réel, et le citoyen

233

qui est actif dans l'État politique mais qui reste abstrait et irréel. Marx reconnaît aisément que le lien entre l'individu égoïste de la société civile et l'être générique, c'est-à-dire entre l'homme et le citoyen, s'effectue par le droit à la sûreté et par la sécurité juridique [26]. Mais il dénie la moindre valeur à ce droit dans la mesure où il maintient la division de la société et de l'État. Le droit à la sûreté est, estime-t-il, *formel*, il n'est « qu'une notion de police » [27] qui reconduit et sanctifie la division comme la religion conforte et pérennise l'aliénation. Il ne faut pas attendre l'émancipation de ces droits formels, mais plutôt de l'extinction de la différence entre le social et l'individuel, de la redécouverte et du redéploiement immanent de l'être humain comme être générique. « L'émancipation humaine n'est réalisée que lorsque l'homme a reconnu et organisé ses forces propres comme forces sociales et ne sépare donc plus de lui la force sociale sous la forme de la force politique [28]. »

L'antijuridisme du jeune Marx aboutit alors à une double liquidation du droit : liquidation du droit constitutionnel sommé de crever son masque pour que saille enfin la grimace du rapport de propriété; liquidation des droits de l'homme sommés de s'anéantir pour que cicatrise enfin la blessure qui sépare l'homme du citoyen. Marx refuse l'idée du droit comme loi et du droit subjectif, la transcendance juridico-politique et les droits individuels qui étaient les piliers du droit politique classique. Il rejette à son tour, au nom de l'idéal démocratique, le droit politique classique. Avec un flair qui prouve qu'il n'a pas si mal compris Bruno Bauer, il ajoute enfin que la démocratie est comme le Nouveau Testament. « Elle se rapporte aux formes d'État comme à son Ancien Testament, l'homme n'est pas là du fait de la loi mais la loi du fait de l'homme, elle est existence de l'homme tandis que dans les autres, l'homme est existence de la loi. C'est une différence fondamentale de la démocratie [29]. » La liquidation de la loi se joue aux accents de l'anthropologie feuerbachienne, avec en ornement, la référence de la théologie politique romantique avide de séculariser la foi et de se substituer à la religion.

Anti-individualisme

La critique des Droits de l'homme aboutit inévitablement à la remise en cause de l'individu. Si l'État politique sépare l'homme abstrait de l'homme concret, coupe la citoyenneté politique de l'activité économique et finalement ne requiert dans l'homme que l'apparence tronquée d'un individu coupé des autres individus, l'individualisme apparaît comme une mutilation à surmonter [30].

Dispositif d'un refoulement

L'anti-étatisme, l'antijuridisme, l'anti-individualisme, ces principes qui rejettent l'idée d'un droit politique n'épuisent nullement la doctrine sociale de Marx. Ils constituent plutôt le scénario initial à partir duquel ayant refoulé le droit, Marx a pu se consacrer presque exclusivement au social et concevoir la politique elle-même, y compris la théorie ultérieurement repensée de l'État, à travers les luttes sociales. Ainsi très précocement, Marx qui avait une formation juridique et des lectures hégéliennes, s'est détourné de la conception hégélienne du droit, de la politique conçue en terme de droit. Malgré ses mots très durs contre l'école du droit historique « ce produit frivole unique », « ces vagues rêveries sentimentales [31] » « ce Shylock valet [32] », il n'a pas moins subi son influence. Mais Friedrich Engels est bien allé chahuter les cours du vieux Schelling, cela ne l'a pas empêché de reprendre la dialectique de la nature. Or, sur l'énoncé de fermeture qui interdit de valider la réflexion du droit politique, Marx n'est jamais revenu. Jamais il n'a levé cet écrou, déverrouillé cette serrure. Le droit politique est absent du marxisme. Sur ce point, Marx est romantique.

6. L'État despote

Nation-État. Parti-État. Vers les formes modernes de l'État despotique. Harmonie préétablie et mécanisme commun venus du romantisme. La machine doxique. L'État despote, romantisme et totalitarisme. Transformations de la condition humaine.

NATION-ÉTAT, PARTI-ÉTAT

L'État de droit méprisé dans ses principes, détruit dans ses fondements, il ne resterait rien ? Hélas non, les critiques du romantisme ne président pas au dépérissement de l'État, mais à l'entreprise de construction de monuments étatiques inédits et gigantesques : *la Nation-État* et le *Parti-État,* qui sont les formes modernes et insolentes du pouvoir. Ce sont elles, bien plus que les États de droit, qui ont essaimé à travers le monde actuel et ce sont elles qui réveillent le despotisme.

Ainsi, tandis que Fichte cingle vers la Nation-État, Lénine après Marx filera vers le Parti-État. Mais ceci est une autre histoire. Pour étudier la formation de la Nation-État, il faudrait reprendre le discours de la guerre et le déferlement des impérialismes par la renaissance des formes antiques de la politique. Pour analyser la genèse du Parti-État, il faudrait suivre un chemin bien différent de celui que nous avons emprunté. Il faudrait partir de la société. Bien avant que Lénine n'élabore la doctrine canonique du parti révolutionnaire, des éléments en avaient déjà été rassemblés dans les sociétés de pensée, les clubs jacobins et la maçonnerie mystique [1].

Mais on pourrait déjà montrer que les formes diversifiées de l'État contemporain tiennent de leur origine identique une harmonie préétablie et un mécanisme commun.

Une harmonie préétablie : elle s'observe dans la congruence étonnante à première vue du marxisme et du nationalisme. Entre l'anti-étatisme de Fichte et celui de Marx, il n'y a pas de véritable identité. Système politique incomplet, le premier conduit au nationalisme. Mais on ne saurait en dire autant de Marx pour lequel on le sait, les prolétaires n'ont pas de patrie. L'auteur du *Manifeste* n'est pas moins antinationaliste qu'anti-étatiste et à l'État, Marx n'oppose pas la nation comme Fichte ou le peuple comme Savigny, mais la classe des prolétaires qui doit émanciper l'humanité entière. Là gît une difficulté. La classe ouvrière n'est pas spontanément politique. Ce sera d'ailleurs la croix des héritiers de Marx, comment la faire advenir à la politique, avant la réponse enfin trouvée par Lénine dans *Que faire?*; par le parti. Autrement dit et contrairement au nationalisme, *le système de Marx n'est pas politiquement saturé.* De là un prolongement indispensable ou une régression inévitable. De là une oscillation entre le Parti-État et la Nation-État. De fait, l'implantation du marxisme s'est souvent greffée comme en Allemagne sur un réveil nationaliste, celui du panslavisme en Russie sous l'égide des slavophiles, celui du nationalisme chinois de Kang Yeou Wei et Sun Yat-sen en Chine et celui de Nguyen Ai Quoc, le futur Ho Chi Minh qui avait reçu à l'école franco-annamite des leçons d'idéal nationaliste européen [2]. La question nationale n'est pas, contrairement aux apparences, une difficulté du marxisme ou un adversaire qu'il devrait affronter mais une force alliée toujours mobilisable parce qu'il s'est primitivement alimenté en elle. Entre marxisme et nationalisme, deux dérives du romantisme, il y a l'harmonie préétablie de leur patrimoine identique.

Un mécanisme commun : celui de la manipulation de l'opinion tenue pour l'action politique par excellence, venue de la sécularisation de la foi, ou l'installation à la place du système juridique de l'État de droit évacué, d'une autre technique de consensus, la *machine doxique*.

La machine doxique

Ce que nous observons après dans la dilution des conceptions juridiques du pouvoir, dans la mise en cause de l'État de droit au début du XIXᵉ siècle, c'est un déplacement du point d'application des techniques de l'autorité et de la puissance de l'objet juridique à l'objet doxique, pour contrôler l'opinion.

Du côté où coexistent la morale de la loi, un pouvoir limité, le souverain abstrait, les litiges sont admis et réglés par des techniques juridiques précises qui prévoient et admettent un temps de délibération, des organes de distribution et de représentation. De l'autre, où s'installent la sécularisation de la foi, le pouvoir absolu, le souverain concret — les litiges sont récusés puisque la conciliation est supposée faite *a priori*. L'objet privilégié du pouvoir n'est plus alors la réglementation des litiges, le châtiment des délits prévus par la loi, toutes opérations qui, rétrospectives, sont liées à l'existence d'une juridification antérieure mais le contrôle de l'opinion, la surveillance et la correction de l'esprit, selon un dispositif ajusté à l'échelle la plus intime et la plus moléculaire. Machine à contrôler et à produire de l'opinion, pouvoir qui sécrète et surveille l'orthodoxie, ainsi fonctionne en partie l'État despotique moderne, si l'on en croit l'étonnant Alexandre Zinoviev. Soljenitsyne avait chiffré des effets sanglants la chirurgie sauvage opérée par le socialisme concentrationnaire sur des chairs à vif, marques rituelles et douloureux sévices, toute la physique sacrificielle du Goulag. Zinoviev rapporte les opérations moins visibles de la production idéologique, mais plus sacrificatrices qui entaillent l'âme, la construction, l'équarrissage, la mise à flot et le pilotage de l'idéologie. Le pouvoir ivanien comme machine doxique.

Raison d'État? Science au pouvoir, « terrorisme des

lumières »? Le procès de la machine doxique est vite instruit avec l'image d'un État-Faust. Aux dernières nouvelles, l'État totalitaire serait né d'un excès de rationalisme et crevant, comme Athéna la migraine de Zeus, les têtes enflées de positivisme. La promotion du lyssenkisme, la mise au trou des biologistes, le cadenassage des archives, la détention asilaire des contestataires, seraient sous les cieux de fer du socialisme concentrationnaire un effet de savoir et une conséquence des sciences. C'est confondre une prétention et une réalité et croire l'idéologie sur parole en condamnant doublement la science, une première fois au nom de la machine doxique, qui, l'expérience le montre, évacue le savoir et terrorise les savants, et une seconde fois au nom des erreurs de l'idéologie revenue de tout, sauf de sa curieuse conception du savoir.

On serait mieux inspiré de rapprocher cette sécularisation d'une foi qui se donne pour une science, cette fétichisation d'une conviction baptisée savoir, non de la science ou de la religion en général, mais de cette religion particulière, *la gnose,* qui présente le caractère d'être l'envers à la fois le plus obscurantiste et le plus théoriciste du christianisme. A relire ici les pénétrantes analyses d'Alain Besançon sur les similitudes de l'idéal gnostique et de l'idéal militant des intellectuels russes des années 1880 [3], on serait enfin mieux fondé à étudier les processus différenciés de la raison d'État et de l'institutionnalisation du savoir dans les différents types d'État. Et l'on découvrirait peut-être que les États ont aussi les sciences qu'ils méritent.

L'idéologie, c'est bien connu, a horreur du vide. Aussi, lorsque le droit disparaît, un substitut prend sa place, ce n'est pas le politique qui a disparu et l'État qui a été abattu, ce sont les formes de la politique et de l'État qui se sont métamorphosées, c'est l'État despote qui s'installe.

Le romantisme politique n'a produit lui aussi qu'un paradigme, qu'un idéal type. Entre ce paradigme et son incarnation s'intercalent les cahots déroutants de l'histoire et ces renversements spectaculaires dont elle est si friande. Notons-en un seul qui a brouillé la piste : à la fin du XIXe siècle, le mariage contre nature de l'hégélianisme et du romantisme met au monde une nouvelle théorie de l'État. La majorité des publicistes et des juristes allemands adoptent l'idée de l'*État puissance*. Au lieu de distinguer la nation et ses représentants, des théoriciens comme Gerber affirment que le titulaire originaire et unique de la souveraineté est l'État comme tel. Un État indivisible, sujet du droit, un droit qui en même temps est la puissance publique [4]. Rupture de la doctrine classique puisque c'est la puissance ici qui produit le droit et non le droit qui soumet et limite la puissance. Cet « étatisme » inédit a laissé croire que le droit politique allemand s'y était toujours abandonné.

Il y a aussi le temps d'implosion et de rumination pour que l'irrationnel devienne réel. Mais nous faisons nôtre, pourtant, l'intuition de Thomas Mann assignant au romantisme politique une responsabilité primordiale dans la genèse des formes politiques totalitaires, ces formes sociétistes antijuridiques et qui, à un degré inconnu jusqu'à elles, ont réalisé le programme de sécularisation de la foi. Intuition qu'un autre observateur bien placé mais trop discret a également partagée : Georg Lukacs [5]. Dans la *Destruction de la raison* [6], le philosophe s'acharne à montrer l'effrayante cohérence du romantisme et du nazisme. Parabole de la paille et de la poutre puisque Georg Lukacs se garde alors d'avouer d'où lui vient ce regard perçant et de confesser que lui-même est venu au marxisme par l'adhésion aux thèses de la philosophie romantique [7]...

Si l'on chiffre en effet le bilan du romantisme politique, on s'aperçoit qu'il ne modifie pas seulement le code de l'État de droit, il prépare aussi la transformation de la condition humaine. L'État de droit se caractérise, nous l'avons vu, par une conception anti-impériale et antidominiale du pouvoir, par le règlement des litiges au moyen du droit, c'est-à-dire par le développement d'un processus de juridification de la société qui garantit les droits individuels, en même temps qu'elle souscrit à un consensus juridique. En revanche, la politique est pensée par le romantisme comme auto-institution de la société. Dans cette société, la distinction entre les droits individuels et les exigences de la puissance est invalidée, puisque les uns et les autres sont censés réconcilier *a priori* dans la nation, le peuple ou le prolétariat. Dès lors, la technique juridique de régulation des litiges cède le pas aux moyens d'unification de l'opinion, le processus de juridification s'abolit devant les progrès de la machine doxique qui avidement réclame et manœuvre la conviction des hommes. L'individu mobilisé est alors redevenu nature parmi les natures, chose parmi les choses, surhomme, ou, plus probablement, soushomme. Vouée à l'opprobre, la sûreté, ce droit fondamental de l'âge classique, a disparu. Avec elle, la libre appropriation du corps qui redevient chose errante, incertaine, appropriable par la puissance. Avec elle, la liberté humaine, *le status libertatis*, car les conditions dans lesquelles un corps est possédé par autrui sont l'esclavage, la guerre, le sacrifice. Condition sacrificielle du dévouement patriotique du militant, condition militaire du combattant, condition serve de l'ennemi du peuple, dessinent l'horizon de la condition humaine politique, dans l'État despote moderne, à l'exception de la condition du despote lui-même.

« L'État moderne peut-il être encore un État de droit[8]? » Allons-nous « vers la fin de l'État de droit[9] »? Si à vingt ans de distance, deux juristes posent la même question, c'est que les raisons de s'inquiéter de l'évolution des États de droit demeurent. D'un côté l'inflation juridique due à la multiplication des lois au terme d'un processus de spectacularisation politique, la confusion entre la norme et le droit (Jean-Pierre Henry), discréditent l'usage de la loi. De l'autre, la tendance à confier aux administrateurs et aux gestionnaires, c'est-à-dire à des techniciens ce qui devrait être mieux organisé par le droit, restreint la sphère d'application des lois (Jean Rivero). C'est qu'en vérité, il ne peut y avoir de maintien de l'État de droit sans une morale de la loi librement acceptée et reconduite par la société.

CONCLUSION

L'État et les esclaves

Comment sortir de l'esclavage? Par la loi. Cette voie, la seule, a été découverte, il y a plus de 2 000 ans par un peuple grêle et ardent, un peuple d'esclaves. On n'a pas trouvé mieux depuis. Pour bâtir une nation, forcer une conquête, fortifier un empire, d'autres chemins, d'autres moyens, mais pour sortir de l'asservissement, briser les chaînes de l'oppression, fonder enfin une communauté d'hommes émancipés de la servitude, la porte étroite est unique. D'autres battants s'ouvrent et claquent au rythme des seigneuries.

Ce que nous avons appris, à lire les légistes royaux et les romantiques allemands, à comparer les théologies de la loi et les gnoséologies, c'est finalement cela. Ce n'est pas fortuitement que le socialisme romantique a produit des esclaves et des seigneurs. Ce n'est pas par hasard que ses dirigeants forment une caste impérieuse et messianique qui appelle et rejette les prophètes, ce n'est pas par accident que les membres des bureaux politiques sont des *seigneurs*. Ce n'est pas l'occasion qui a installé dans les féodalités agonisantes et elles seules, le socialisme concentrationnaire. Retrouvez le blason, l'armorial et l'armure des seigneuries. Écoutez leur voix, suivez leurs pas, observez leurs mœurs. Bruits, bois, peurs et laissez-vous guider par les images qui viennent. Partout la forteresse et les hommes emmurés, partout le siège et la lutte finale, partout la terreur du combat qui commence, partout un socialisme seigneurial.

Il n'y a pas *un* État mais *des* États; la déclamation éraillée de l'anti-étatisme aura beau déchirer la voix de tous les féodaux, rien n'empêchera le partage entre les États de droit et les États despotes. Nous disons que les États de droit dont la liste se trouve actuellement réduite à l'Europe de l'Ouest et à l'Amérique du Nord ont tôt dégagé leurs principes, avant les révolutions du capitalisme dans un mouvement anti-seigneurial et anti-esclavagiste. A la question : « Qu'est-ce qu'un esclave? », légistes et doctrinaires classiques répondaient : « C'est un homme privé du droit parce que dépossédé du droit de s'approprier les choses et d'abord sa propre vie. » A la question inverse : « Qu'est-ce qu'un homme libre? », ils rétorquaient : « C'est un homme qui a des droits parce qu'il n'est pas soumis à l'*imperium* ni assujetti au *dominium*, ni maîtrisé ni subjugué parce qu'il est un sujet, un citoyen, une personne. » Les États de droit n'ont pas seulement juridifié la société seigneuriale ou civilisé une communauté guerrière; ni seulement substitué l'horizon de la paix civile à celui des guerres privées; ni seulement encore échangé le droit contre la force... Ils ont fait plus, ils ont juridifié la politique et constitutionnalisé le pouvoir.

C'est à tort qu'on impute la responsabilité de ce mouvement à l'extension d'un droit romain retrouvé. Sans doute à une société en procès de juridification qui cherchait des exemples et un modèle, le droit romain offrait une pédagogie inespérée. De là, l'essor des écoles romanistes et de l'enseignement du droit romain. Mais pour sortir de la société esclavagiste qui a produit le droit romain, pour rompre enfin avec l'antiquité politique que prolonge dans le servage la féodalité, il fallait un autre exemple et un autre modèle, il fallait se détourner d'un système juridique qui traite les rapports entre maîtres et esclaves comme des rapports de fait et se borne aux usages des choses. Le droit romain ne flèche pas la sortie du mode de production esclavagiste et de la philosophie politique esclavagiste. Le défilé jugulaire, le passage obligé parce que le seul frayé à l'émancipation de l'esclavage est *religieux*; sa cartographie est consignée dans les Écritures. Le livre de la libération de l'esclavage, c'est la

Bible et c'est à la Bible que les États de droit sont retournés lorsqu'ils ont choisi l'émancipation par la loi.

Nous disons que les États de droit fonctionnent à la morale de la loi et que pour cette raison ils garantissent la privatisation de la foi. Antiseigneuriale, anti-esclavagiste, la philosophie politique classique, en légitimant les droits individuels, sécurité et plus tard liberté, en assujettissant le souverain à la loi a déployé la biopolitique.

En revanche, les États despotes modernes qui sont nés de l'impérialisme et du socialisme et qui ont exporté ou importé avec le colonialisme et le totalitarisme un nouvel esclavage viennent du réveil des féodalités de la société civile et de la sécularisation de la foi. Les deux grandes versions du totalitarisme moderne, la nazie et la communiste, ont levé à partir d'une semaison commune : la philosophie romantique et l'hybridation perverse réalisée par la romantique politique dans le terreau de la Nation-État, des graines du libéralisme, le redéploiement d'une politique seigneuriale anti-étatique, antijuridique, anti-individualiste. Le projet du romantisme allemand si bien compris et dénoncé par Thomas Mann a été de séculariser la foi, de transplanter les énergies religieuses en politique, de faire de la nation allemande le nouveau Christ. Lorsque Marx rallié à Feuerbach, rompt avec Hegel, il reprend cette fois pour le compte du prolétariat le même projet, et la même philosophie politique indéfiniment productrice de servitude.

En filigrane, sur le papier vélin de l'histoire mondiale des États, l'histoire de l'esclavage... L'impérialisme bafoue l'État de droit parce qu'il restaure la traite des Noirs contre le principe qui fonde la société politique classique d'en finir avec l'esclavage. Le socialisme concentrationnaire, Soljenitsyne nous l'a appris dans l'*Archipel,* réinvente dans la condition sans recours juridique du zek, l'esclavage. Le prisonnier des camps, il faudrait bien en prendre conscience, c'est l'esclave et rien d'autre. Pardi, avec une conception dominiale antique du pouvoir! L'esclavage, là où le bât blesse le tiers monde. Pas de libertés formelles dans les États où la traite continue, où les femmes s'asphyxient sous le voile, où le dirigeant prophète est délié des lois. Hegel disait : « L'avenir du monde appartient aux esclaves », et Marx a repris cette idée, oubliant que l'esclave doit d'abord rompre avec l'esclavage, faute de quoi il perpétue le système de domination comme l'ont bien compris les classiques. Locke, Rousseau avaient montré que le despote est aussi un esclave pris dans le pur rapport de force de l'État de nature — « Le despote reste dans l'État de nature »[1] et « Tel se croit le maître des autres qui ne laisse pas d'être plus esclave qu'eux »[2]. Il faudrait montrer la réciproque et là où les classiques ont plaint le despote, plaindre l'esclave, là où ils ont dénoncé la mentalité esclavagiste du despotisme, pointer la nature despotique du parti pris des esclaves. Si la philosophie politique de Marx peut frayer la voie à une pratique despotique de l'État, ce n'est pas, comme on le dit, parce qu'elle défend l'État et la loi, mais bien justement parce qu'elle est anti-étatiste et antijuridiste, parce qu'elle est pour les humiliés, demeurés sous le coup de l'humiliation, pour les offensés ravagés par l'offense, parce qu'elle veut venger les esclaves et servir le peuple là où il faudrait abolir l'esclavage et supprimer la servitude.

La rupture avec l'esclavagisme a été trouvée comme la sortie du désert, il y a plus de deux mille ans, par un petit peuple perdu. Il n'y a toujours qu'un défilé pour que s'écartent les flots houleux de la servitude : la loi. Dès lors, ce qui est fondamental pour l'avenir du socialisme, ce n'est pas, seulement, comme on le croit, les garanties démocratiques. Car, de son passé antique, la démocratie a gardé une parfaite compatibilité avec l'exercice tyrannique ou oligarchique du pouvoir. Le peuple est toujours aveugle à la servitude qu'il peut produire au-delà et en deçà de ce qui le définit. Hier le peuple avait ses esclaves, aujourd'hui le peuple a ses ennemis. Ce qui serait fondamental pour l'avenir du socialisme, c'est qu'il fonctionne avec la loi, sur le mode des États de droit et que le socialisme devienne enfin un socialisme juridique.

Aussi bien, le présent essai ne procède pas d'un choix pour ou contre l'État mais d'un souci de faire valoir quelques observations historiques. De là cette recherche qui sur une question commune a tenté de jeter les lueurs partielles mais moins partiales de l'investigation historique. Si elle peut jalonner le départ d'une histoire des États débarrassée de nos emportements du moment et libérée des *impedimenta* de l'économisme, elle n'aura pas été tout à fait inutile.

ANNEXE

Tous les droits ne sont pas aliénables

« Chaque fois qu'un homme transmet un droit ou y renonce, c'est soit en considération de quelque droit qui lui est réciproquement transmis, soit à cause de quelque autre lien qu'il espère pour ce motif. C'est en effet un acte volontaire et l'objet des actes volontaires de chaque homme est *quelque bien pour lui-même* (souligné par Hobbes). C'est pourquoi il existe certains droits tels qu'on ne peut concevoir qu'aucun homme les ait abandonnés ou transmis par quelque parole que ce soit ou par d'autres signes. Ainsi pour commencer, un homme ne peut pas se dessaisir du droit de résister à ceux qui l'attaquent de vive force pour lui enlever la vie : car on ne saurait concevoir qu'il vise par là quelque bien pour lui-même. On peut en dire autant à propos des blessures, des chaînes et de l'emprisonnement, à la fois parce qu'il n'y a pas d'avantage consécutif au fait de souffrir ces choses (comme il y en a au fait de souffrir qu'un autre soit blessé ou emprisonné) et parce qu'il n'est pas possible de dire, quand vous voyez des gens qui usent de violence à votre égard, s'ils recherchent votre mort ou non. Enfin, le motif et la fin qui donnent lieu au fait de renoncer à un droit et de le transmettre n'est rien d'autre que la sécurité de la personne du bailleur, tant pour ce qui regarde sa vie que pour ce qui est des moyens de la conserver dans des conditions qui ne la rendent pas pénible à supporter. C'est pourquoi, si un homme par la parole ou par d'autres signes, paraît se déposséder lui-même de la fin à laquelle ces signes sont destinés, on ne doit pas le comprendre comme si c'était ce qu'il voulait dire et que telle fut sa volonté, mais conclure qu'il ignorait comment ses paroles et ses actions devaient être interprétées *. »

* Leviathan, trad. Tricaud, Paris, 1971, pp. 131-132.

Notes

INTRODUCTION. — *Paradoxal anti-étatisme*, p. 9.

1. Pierre VIANSSON-PONTÉ, « La crise de l'État-Nation », *le Monde*, 9-10 juillet 1978.

2. On en attend aussi des avantages économiques de règlement de crise : produire sans dirigisme, rendre aux entreprises ce qui leur a été confisqué par l'administration, telles seraient les voies imaginées par les « Nouveaux économistes » pour remédier à la stagflation. *Cf.* notamment Henri LEPAGE, *Demain le capitalisme*, Paris, 1978. Point de vue qui relève de la pure doctrine libérale et ne se situe pas dans la logique politique que nous examinons ici.

3. Nous avons alors publié une série d'articles qui constituaient un essai de mise en garde contre l'anti-étatisme et qui amorçait notre présente recherche, in *Esprit*, octobre 1977, *L'Arc*, « La Crise dans la Tête », n° 70, 1977. *Politique Aujourd'hui*, n° 1, 2, 1978. *Faire*, janvier 1978.

4. Il serait vain de prétendre traiter de telles questions en négligeant les données historiques. Le rejet de l'histoire, l'oubli des traditions, l'amnésie sont toujours des signes d'impuissance et de déclin.

5. Ajoutons que notre investigation ne s'est pas développée de façon parfaitement équilibrée : l'analyse des doctrines classiques de l'État de droit se prolonge d'hypothèses pour l'histoire concrète de l'État français, tandis que nous avons limité l'examen de la formation de la Nation-État allemande aux seules théories qui y ont présidé.

6. G. RIPERT, *Le déclin du droit*, Paris, 1949. E. PISIER-KOUCHNER, L'obéissance et la loi : le droit in *Histoire des Idéologies*, Paris, 1978, tome 3.

PREMIÈRE PARTIE

L'ÉTAT DE DROIT

I. Difficultés de l'histoire de l'État, p. 21.

1. Nous nous écartons ainsi du sens qu'a pris dans la doctrine juridique allemande de la fin du XIXᵉ siècle, la notion de *Rechtstaat* qui a fini par désigner exclu-

sivement le système de la justice administrative pour revenir au sens primitif : l'État soumis à la loi par l'existence de garanties de type constitutionnel, fût-ce celles des « lois fondamentales ». *Cf.* sur ce point Giovani SARTORI, *La Théorie de la démocratie*, Paris, 1973, p. 229, note 24 et la biographie qu'il cite.

2. Emmanuel LE ROY LADURIE, *Le Territoire de l'historien*, Paris, 1973, tome I, p. 169.

3. Louis ANDRÉ, *Les Sources de l'histoire de France*, Paris, 1934, tome VII, p. 147.

4. On doit en particulier à Michel Foucault cette chose simple mais qui a nécessité une véritable conversion, l'intérêt pour l'État. C'est à partir de ses travaux qu'on est allé de la société à l'État, des luttes sociales aux institutions, des revendications aux disciplines, des savoirs aux pouvoirs.

5. François FURET, *Penser la révolution*, Paris, 1978, p. 221.

6. Chez nous, hélas, car outre-Manche, le redéploiement de l'histoire de l'État est déjà acquis.

7. A. DE TOCQUEVILLE, *De la démocratie en Amérique*, introduction, Paris, 1952.

II. *Le pouvoir souverain*, p. 29.

1. Dans une immense bibliothèque, citons notamment les travaux de R. CARRÉ DE MALBERG, *Théorie générale de l'État*, Paris, 1920, (reprint C.N.R.S., 1962) 2 vol., tome I, chap. II. Léon DUGUIT, *Traité de Droit constitutionnel*, Paris, 1917, 5 vol., tome I, pp. 536-537. Jacques MARITAIN, *L'Homme et l'État*, Paris, 1953, Bertrand DE JOUVENEL, *De la Souveraineté...*, Paris, 1955, et ceux étrangers de Georg JELLINEK, *Recht des Modernen Staates...*, trad. de l'allemand par G. Fardis, Paris, 1904, 2 vol. J. LASKI, *Studies in the Problem of Sovereignty*, New Haven, 1927.

2. Jean BODIN (1530-1596) dates probables. Grand jurisconsulte français qui rénova la philosophie du droit et de l'histoire *cf. vers un portrait de Jean Bodin*, par Pierre MESNARD, *Jean Bodin vu par Pierre Bayle*, in *Œuvres philosophiques de Jean BODIN*, Paris, P.U.F., 1951 et les travaux d'Henri BAUDRILLART et R. CHAUVIRÉ. *Les Six Livres de la République*, 1574, livre 1, chap. premier.

3. Charles LOYSEAU, *Œuvres*, éd. Claude Joly, 1606, *Traité des seigneuries*, chap. II.

4. C. LOYSEAU, *Des Seigneuries, op. cit.*, p. 49.

5. Jacques MARITAIN, *L'Homme et l'État*, Paris, 1953, p. 47.

6. H. X. ARQUILLIÈRE, *l'Augustinisme politique*, Paris, 1934.

7. SAINT PAUL : « ...et celles qui existent ont été instituées par lui. Ainsi qui résiste à la puissance résiste à l'ordre de Dieu et ceux qui résistent attireront sur eux-mêmes une condamnation... Il est nécessaire d'être soumis non seulement par crainte du châtiment, mais encore par l'obligation, la conscience. » Rom. XIII, 1, 2, 5.

8. C'est le point de vue vers lequel semble tendre par exemple G. MAIRET, in *La Genèse de l'État laïque, Histoire des Idéologies*, Paris 1977, 3 vol. tome II.

9. C'est la thèse de A. GLUCKSMANN in *La Cuisinière et le Mangeur d'hommes*, Paris, 1975.

10. *Cf.* la discussion dans CARRÉ DE MALBERG, *op. cit.*, tome I, chap. II.

11. Georg JELLINEK a souligné à juste titre le caractère historique de la nation, *l'État moderne et son droit, op. cit.*, tome I, p. 101 et sq. et CARRÉ DE MALBERG montre à son tour comment la royauté a dégagé cette notion de souveraineté dans un effort négatif pour s'affranchir du pouvoir seigneurial, *loc. cit.*, p. 49.

12. Avertissement de l'édition posthume de *l'Esprit des lois* (1757) p. 3. (Nous citons d'après l'éd. Lavigne, Paris, 1844.)

13. *Op. cit.*, Livre II, chap. premier, p. 8 et sq.

14. « Le gouvernement monarchique ne comporte pas de lois aussi simples que le despotisme », *op. cit.*, livre 6, chap. premier, p. 51.

15. « Plus le prince a de peuples à gouverner, moins il pense au gouvernement; plus les affaires y sont grandes, et moins il délibère sur les affaires », *op. cit.*, livre 2, chap. v.

16. *Op. cit.*, livre V, chap. xiv.

17. Livre V, chap. xvi, p. 47.

18. E. La Boétie, *Discours sur la servitude volontaire*, Paris, 1976, p. 212.

19. Paul Vernières, *Montesquieu et l'Esprit des lois, ou la Raison impure*, Paris, 1977, p. 65.

20. *Législation orientale*, Amsterdam, 1778, p. 9.

21. *Cf.* R. Koebner, « Despot and Despotism », Vicissitudes of a political term. *Journal of the Warburg and Constauld Institute*, tome XIV, 1954, nº 3, p. 270 et J. Franco Venturi, *l'Europe des Lumières*, Paris, 1971, § 131 et sq.

22. Charles Loyseau, *Œuvres*, éd. Claude Joly, 1666, in Traité des Seigneuries, p. 9.

23. Dareste de la Chavannes, *Histoire de l'administration en France et des progrès du pouvoir royal depuis le régime de Philippe Auguste jusqu'à la mort de Louis XIV*, Paris, 1848, 2 vol.

24. Il s'agit ici des coutumiers du XIIIᵉ siècle rédigés privativement. Les références sont empruntées à J. Declareuil, *Histoire du droit français des origines à 1789*, Paris, 1925, pp. 432-433.

25. *Cf.* Declareuil, *op. cit.*, p. 431, note 209.

26. Georg Jellinek, *l'État moderne et son Droit, op. cit.*, tome I, p. 101 et sq.

27. *Op. cit.*, p. 120.

28. Duplessis-Mornay, *Vindiciae contra Tyrannos*, trad. en français, 1581, p. 24.

29. Jean Bodin, *Les six Livres de la République*, Paris, 1579, éd. Jacques Dupuy, p. 272.

30. Charles Loyseau, *op. cit.*, p. 16.

31. J. N. Moreau, *Leçons de morale, de politique et de droit public*, Versailles, 1787, pp. 80-81.

32. Bodin, *op. cit.*, p. 270; Loyseau, *op. cit.*, p. 16.

33. Bodin, *op. cit.*, p. 179.

34. Loyseau, *op. cit.*, p. 9.

35. Charles du Moulin, *Traité de l'origine, progrès et excellence du royaume et Monarchie des François et Couronne de France composé par Messire Charles du Moulin*, Lyon, 1561.

36. Claude du Seysell, *La Grand'Monarchie de France*, Paris, 1519, nous citons d'après l'édition de 1557, p. 34.

37. *Cf.* les extraits cités par Glasson in *Histoire du Droit et des Institutions de la France*, Paris, 1887-1903, 8 vol.

38. *Cf.* C. A. Davoud Oghlou, *Histoire de la législation des anciens Germains*, Berlin, 1842, 2 vol.

39. Loyseau, *Des Offices, op. cit.*, p. 143.

40. *Cf.* M. Foucault, *Surveiller et Punir*, Paris, 1976, et *La Volonté de savoir*, Paris, 1977, chap. v, *passim*.

41. Marc BLOCH, *La Société féodale et la formation des liens de dépendance*, Paris, 1939.

42. BODIN, *op. cit.*, p. 272.

43. BODIN, *op. cit.*, p. 272.

44. PUFENDORF, *Droit de la nature et des gens*, trad. Barbeyrac, Amsterdam, 1706, p. 4.

46. *Du Droit des Offices, op. cit.*, p. 12.

47. « Car c'est la vérité qu'en bonne jurisprudence, tant s'en faut que la propriété de l'office appartienne à l'officier, que même elle n'appartient pas au prince et monarque souverain, mais il n'en a que la collation... Mais la vraie propriété des offices et bénéfices est publique et de droit public et partant ne peut appartenir à aucun et n'est nullement en commerce, mais on peut en dire que celle des offices n'appartient pas à l'État... La propriété des offices ne peut à part soi être absolument dressée et inviolablement séparée de l'État sans absurdité et sans démembrement. » *Op. cit.*, chap. I, p. 145.

48. *Op. cit.*, p. 105.

49. S. M. LINGUET, *Théorie des lois civiles*, Londres, 1774, 2 vol., tome I, p. 7.

50. « Depuis plusieurs siècles, tous les troubles qui ont agité les principaux États de l'Europe n'ont été à proprement parler que des combats entre la puissance du gouvernement qui exigeoit et la puissance de la propriété qui se défendoit. » MOREAU, *Leçons de morale, de politique et de droit public*, Versailles, 1783, p. 105.

51. Surtout leur propriété. On sait que Locke insiste sur la propriété « fin capitale et principale, en vue de laquelle les hommes s'associent dans les républiques et se soumettent à des gouvernements... » dans l'exacte proportion où Hobbes privilégie la sécurité.

52. LOCKE, *Deuxième traité du gouvernement civil*, trad. franç. B. Gilson, Paris, 1977, in chap. VI, IX et XV.

53. C. LOYSEAU : « Le Princeps en latin et le Prince en français signifie proprement et originairement le premier chef, c'est-à-dire le premier officier de l'État qui y a le premier commandement et la puissance souveraine mais non pas en propriété comme le seigneur souverain, mais en a seulement l'administration et exercice comme tout officier de ce qui dépend de sa charge. » *Op. cit.*, p. 12.

54. J.-J. ROUSSEAU, *Lettres écrites de la Montagne*, Lettre VIII. *Œuvres complètes*, Paris, 1964, tome 3.

55. *Op. cit.*

56. *Cf.* M. VILLEY, notes sur le concept de propriété, in *Critique de la pensée juridique moderne*, Paris, 1975, p. 195.

57. André DUCHESNE, *Les Antiquités et recherches de la grandeur et majesté des roys de France*, Paris, 1609.

58. *Op. cit.*, p. 1.

59. « Outre la communauté il faut qu'il y ait quelque chose de commun et de public; comme le domaine public, le trésor public, le pourpris de la cité, les rues, les murailles, les places des temples, les marchés, les usages, les lois, les coutumes, les loyers, les peines et autres choses semblables, qui sont communes ou publiques, ou l'un et l'autre ensemble : car ce n'est pas la république s'il n'y a rien de public », *op. cit.*

60. « La souveraineté est du tout inséparable de l'État duquel, si elle était ôtée, ce ne serait plus un État... » *Traité des Seigneuries*, p. 9.

61. *Cf.* B. PLONGERON, *Théologie et politique au siècle des lumières*, Paris, 1973, pp. 62, 78, *passim*.

62. LOYSEAU : « La souveraineté consiste en la puissance absolue, c'est-à-dire

parfaite et entière en tout point que les canonistes appellent plénitude de puissance et par conséquent elle est sans degré de supériorité », *Traité des Seigneuries, op. cit.,* p. 12. On retrouve cette même doctrine chez HOBBES (nous citons d'après l'édition, Paris, 1642) : « Dans tout État, quelle que soit la forme de gouvernement, le pouvoir souverain est nécessairement un pouvoir absolu. Quelle que soit la forme du gouvernement monarchique, démocratique ou aristocratique, la nature absolue du pouvoir demeure identique et n'a d'autres limites que la puissance de l'État », *De Cive,* chap. VI, p. 18. Et Jean DOMAT (1625-1695) dont le recueil synthétique, *Les Lois civiles dans leur naturel* est édité par ordre de Louis XIV, reprend cette même théorie, la souveraineté absolue. (Jean DOMAT, *Œuvres complètes,* en 4 volumes, éditée par Joseph Rémy, Paris, F. Didot, 1828, tome III, p. 6). Et il faudrait ajouter chez les juristes et historiens français du XVIIᵉ siècle : Guy COQUILLE, *Institution au Droict des Français,* Paris, 1608 ; André DUCHESNE, *Les Antiquités et recherches de la grandeur et majesté des roys de France, op. cit. ;* Jérôme BIGNON, *De l'excellence des roys et du royaume de France...,* Paris, 1610.

63. BODIN, *op. cit.,* p. 122.

64. BODIN : « Puis donc que la qualité ne change point la nature des choses, nous dirons qu'il n'y a que trois États ou trois sortes de République, à savoir la monarchie, l'aristocratie et la démocratie : la monarchie s'appelle quand un seul a la souveraineté, comme nous l'avons dit et que le reste du peuple n'y a que voir; la démocratie ou l'état populaire quand tout le peuple ou la plupart d'icelui en corps à la puissance souveraine; l'aristocratie quand la moindre partie du peuple a la souveraineté en corps et donne lui au reste du peuple, soit en général, soit en particulier », *op. cit.,* p. 252.

Et LOYSEAU : « La souveraineté selon la diversité des États se communique aux divers possesseurs d'iceux, à savoir en la démocratie et à tout le peuple, comme à Rome où la majesté était attribuée à tout le peuple en général... En l'aristocratie, la souveraineté réside par devers ceux qui ont la domination... Finalement en monarchie, elle appartient au seigneur », *op. cit.,* p. 12.

65. DOMAT, *op. cit.,* p. 6.

66. Ainsi BODIN : « Car si nous disons que celui a puissance absolue qui n'est point sujet aux lois, il ne se trouvera prince au monde souverain que tous les princes de la terre sont sujets aux lois de Dieu et de nature et à plusieurs lois humaines communes à tous les peuples », p. 129. Et LOYSEAU : « Toutefois, comme il n'y a que Dieu qui soit tout-puissant et que la puissance des hommes ne peut être absolue tout à fait, il y a trois sortes de lois qui bornent la puissance du souverain sans intéresser la souveraineté : à savoir les lois de Dieu, pour ce que le prince n'est pas moins souverain pour être sujet à Dieu, les règles de la justice naturelles et non positives... Et finalement les lois fondamentales de l'État pour ce que le prince doit user de la souveraineté selon sa propre nature, et en la forme et aux conditions qu'elle est établie », *op. cit.,* p. 12.

67. DOMAT, *op. cit.,* p. 21. « C'est là sans doute le fondement et le premier principe de tous les devoirs des souverains qui consiste à faire régner Dieu lui-même, c'est-à-dire à régir toutes choses selon sa volonté qui n'est autre que la justice. »

68. DOMAT, *op. cit.,* p. 67.

69. DOMAT, *op. cit.,* p. 71.

70. DOMAT, *op. cit.,* p. 92.

71. Ainsi Claude DU SEYSELL in *La Grand' Monarchie de France,* Paris, 1519.

72. Sur ce point, *cf.* l'exposé de R. DERATHÉ in *Jean-Jacques Rousseau et la Science politique de son temps,* Paris, 1974, pp. 307-328, *passim.*

73. Jurieu, *Lettres pastorales*, III, p. 375, cité par R. Derathé, *op. cit.*, p. 320.

74. « C'est autre chose que le gouvernement soit absolu, autre chose qu'il soit arbitraire. Il est absolu par rapport à la contrainte n'y ayant aucune puissance capable de forcer le souverain qui, en ce sens est indépendant de toute autorité humaine. Mais il ne s'ensuit pas de là que le gouvernement soit arbitraire. Parce qu'outre que tout est soumis au jugement de Dieu... C'est qu'il y a des lois dans les empires contre lesquelles tout ce qui se fait est nul de droit. » Bossuet, *Politique tirée de l'Écriture Sainte*, livre VIII, art. II. Cité par Élie Carcassonne, in *Montesquieu et la Constitution politique de son temps*, Paris, 1927.

75. Massillon, *Sermon pour le dimanche des Rameaux, Petit-Carême, Sermons et Morceaux choisis*, Paris, 1863, pp. 96-97. Cité par É. Carcassonne, *ibidem*.

76. Bodin, *op. cit.*, p. 279.

III. *Les droits de l'homme*, p. 55.

1. *Cf.* les études de Michel Villey, *La Formation de la pensée juridique moderne*, Paris, 1968.

2. La grandeur d'un homme comme Tocqueville est d'avoir pressenti cette distinction sans borner tous les droits individuels aux seules libertés civiles. Celles-ci pourtant le fascinaient, Georges Lefebvre l'a remarqué : « A ses yeux, la liberté ne peut se départir d'un aspect aristocratique. La chérir supposait une vertu dont la fière indépendance du féodal représentait une anticipation. » Mais Tocqueville a néanmoins déclaré : « La liberté peut en effet se produire à l'esprit humain sous deux formes différentes. On peut voir en elle l'usage d'un droit commun ou la puissance d'un privilège. » *L'Ancien Régime et la Révolution*, Paris, 1952, 2 vol. tome I, Introduction, p. 12.

3. *Cf.* Michel Villey, « Les *Institutes* de Gaïus et l'idée de droit subjectif », in *Leçons d'histoire de la philosophie du droit*, Paris, 1957.

4. Encore que celle-ci ait subi bien des restrictions sous l'Empire et ne se soit pleinement développée qu'avec le christianisme et l'abolition de l'esclavage, comme l'a montré Gans. *Cf.* Gans, *Das Erbrecht in weltgeschichtlicher Entwicklung...*, Berlin, 1826, et *Histoire du droit de succession en France*, trad. franç. Saint-Marc Girardin, Paris, 1845.

5. *Cf. Esprit des Lois*, livre XVII, chap. v.

6. *Cf.* Élie Carcassonne, *Montesquieu et le problème de la Constitution française, op. cit.*, p. 674.

7. Notamment Tocqueville, *l'Ancien Régime et la Révolution*, livre II, chap. xi, *op. cit.*

8. Marc Bloch, *La Société féodale*, Paris, 1939, IIe partie, livre II.

9. Beaumanoir, *Coutume du Beauvoisis*, édition du Comte Beugnot, Paris, 1842, tome II, p. 33.

10. Cité par Gabriel Ardant, *Histoire de l'impôt*, Paris, 1971-1972, 2 vol., tome I, p. 232.

11. *Cf.* Aristote, *La Politique*, livre I, chap. premier-iv, Paris, 1960, p. 19.

12. Antoine Loysel, *Institutes Coutûmières*, 1536 (nous citons d'après l'édition E. de Laurière) 1710, p. 7.

13. Guy Coquille : « ...les serfs... mais bien sont semblables aux servitudes ascriptives et colonaires qui rendoient les personnes attachées et liées au domaine des champs pour les faire valoir... » *Institution au Droict des François, op. cit.*, p. 183.

14. Il faut même ajouter qu'en France, il n'a pas concerné la détention arbitraire et qu'il ne s'est pas incarné comme en Angleterre par *l'habeas corpus*.

15. *Élément of Law*, chapitre premier, *De Cive*, 1re partie.

16. Nous citons ici *Le Corps politique*, trad. Sorbière 1787, p. 3 : « Le désir naturel de se conserver c'est ce qu'on appelle en latin *jus*, ce qui est une innocente liberté de se servir de son pouvoir et de la force naturelle. »

17. HOBBES, *op. cit., ibidem*.

18. « L'union qui se fait de cette sorte forme le corps d'un État d'une société et pour le dire ainsi d'une personne civile, car les volontés de tous les membres de la république ne formant qu'une seule, l'État peut être considéré comme si ce n'était qu'une seule tête », *op. cit.,* 1787, p. 15.

19. *Cf.*, le texte cité intégralement en annexe.

20. « La sûreté publique est la fin pour laquelle les hommes se soumettent les uns aux autres et si on ne la trouve, on ne doit point supposer qu'une personne soit soumise, ni qu'elle ait renoncé au droit de se défendre comme bon lui semble. On ne doit donc pas s'imaginer qu'il se soit obligé à un autre ni qu'il ait quitté son droit sur toutes choses avant qu'on ait pourvu à sa sûreté et qu'on l'ait délivré de tout sujet de crainte », expose HOBBES, *De Cive, op. cit.,* pp. 104-105.

21. Georges LYON, *La Philosophie de Hobbes,* Paris, 1893, pp. 210-211. Comme l'a dit Georges LYON : « Il, (le Pouvoir), est un dieu, oui, mais fait de la main des hommes et qui se brise sitôt que cette main se retire. Ce n'est nullement par une idolâtrie de sa personne que ses semblables selon la nature se donnèrent le mot pour l'élever si haut au-dessus de leur tête, c'était afin de goûter à l'abri de sa force les bienfaits d'une paix infinie. »

22. W. BLACKSTONE, *Analyse des lois anglaises*, trad. franç., Paris, 1803.

23. LEVIATHAN, IIe partie, chap. xx.

24. *Cf.* A. MATHERON, « La réponse qu'aldonnèrent au XVIIe siècle ceux-là mêmes qui mirent au point les catégories fondamentales de l'idéologie juridico-politique classique quant à leur statut juridique déclarent-ils avec une entière bonne conscience, esclaves et salariés ne se distinguent pas sur l'essentiel. Les uns comme les autres contractent librement avec leurs maîtres, mais une fois conclu leur contrat et aussi longtemps qu'il reste en vigueur, les uns comme les autres, même formellement cessent d'être libres », Maîtres et serviteurs dans la pensée classique in *La Pensée*, avril, juin 1978. *Cf.* également, « Femmes et serviteurs dans la démocratie spinoziste », *Revue philosophique*, avril, juin 1977.

25. Pierre CHARRON, *Toutes les œuvres...*, Paris, 1638, livre Ier « de la sagesse », p. 171.

26. A. MATHERON, *loc. cit.*, p. 13 : « les mercenaires dans le cadre de leur travail ont donc très exactement le même statut que les esclaves... " tous les hommes naissent libres ", soit, mais il y a une différence juridique fondamentale entre ceux qui ont gardé librement leur liberté intacte, au moins dans les rapports privés, et ceux qui ont librement abandonné à autrui l'entière disposition d'un secteur entier de leur existence, même si ces derniers " demeurent libres " pour le reste. »

27. GROTIUS : « Or la servitude parfaite consiste à être obligé de servir toute sa vie un maître pour la nourriture et toutes les autres choses nécessaires à sa vie qu'il doit fournir à l'esclave. Et cette sujétion ainsi entendue et refermée dans les bornes de la nature, n'a rien de trop dure en elle-même : car l'obligation perpétuelle où est l'esclave de servir son maître est compensée par l'avantage qu'il a d'être assuré d'avoir toujours de quoi vivre. » *Droit de la guerre et de la paix.* Livre II, chap. v, § 27, trad. Barbeyrac, Amsterdam, 1724, 2 vol.

Et Pufendorf : « Car tout de même qu'on transfère son bien à autrui par des conventions et des contrats, on peut aussi par une soumission volontaire se dépouiller en faveur de quelqu'un qui accepte la renonciation du droit que l'on avait de disposer pleinement de sa liberté et de ses forces naturelles. » *Droit de la nature et des gens*, livre VII, chap. iii, § 1 (II), cit. par Robert Derathé, *op. cit.*, pp. 196-197.

28. R. Derathé, *op. cit.*, p. 199.

29. R. Derathé, *op. cit.*, pp. 200-202.

30. J.-J. Rousseau, *Le Contrat social*, De l'Esclavage in *Œuvres complètes*, tome III, Paris, Gallimard.

31. F. Guery et G. Deleule, *Le Corps productif*, Paris, 1973.

32. *Cf. supra*, l'œuvre de Charles-Louis de Haller.

33. Pierre Chaunu, « L'État » in *Histoire économique et sociale de la France*, Paris, 1977, tome I, p. 67.

34. *Cf.* sur ce point F. Olivier-Martin, *Histoire du droit français*, Paris, 1948, pp. 246, 257. Guy Fourquin, *Seigneurie et Féodalité au Moyen Age*, Paris, 1971, pp. 177, 187. Et Charles Perrin, *Le Servage en France et en Allemagne*, X*e* *Congresso Internationale di Scienze Storiche*, Florence, 1955, pp. 213, 245. *Recueil de la société Jean Bodin*, tome II, 1937.

35. J. Declareuil, *op. cit.*, p. 303.

36. F. Olivier Martin, *op. cit.*, pp. 146-157.

37. *Cf.* G. Lepointe, *Manuel d'histoire du droit français*, Paris, 1939, p. 272.

38. Pour être complet, il faudrait ajouter que ces dispositifs d'élargissement se limitaient, comme le droit politique classique, au seul royaume. La promulgation du code noir par Louis XIV montrait assez que l'émancipation était réservée aux seuls métropolitains.

39. F. Olivier-Martin, *Histoire du droit français des origines à la Révolution*, Paris, 1948.

40. *Cf.* « Le Vilainage anglais », in *Recueil de la Société Jean Bodin*, *op. cit.*

41. *Cf.* Gabriel Ardant, *op. cit.*, pp. 604, 613. Miller, Considérations sur le développement des Institutions agraires de l'Ukraine au xvii*e* et au xviii*e* siècle, in *Revue internationale de sociologie*, 1925.

42. *Cf.* Gabriel Ardant, *loc. cit.*

IV. La morale de la loi, p. 81.

1. Nous reprenons ici et développons les idées d'un texte publié en janvier 1978, la Foi et la Loi, dans *Politique d'aujourd'hui*.

2. Comme Bernard Bourgeois et R. Derathé le soulignent. *Cf.* B. Bourgeois, *La pensée politique de Hegel*, Paris, 1969 et R. Derathé, présentation dans *Les Principes de la philosophie du droit*, Paris, 1975.

3. Hegel, *Principes de la philosophie du droit*, trad. R. Derathé, Paris, 1975, § 158 add. p. 198.

4. *Op. cit.*, § 142, p. 190.

5. *Op. cit.*, § 155, add;. 9, p. 197.

6. *Cf.* Paul Vernières, *Spinoza et la pensée française avant la Révolution*, Paris, 1954, 2 vol.

7. Trevor Roper, *De la Réforme aux Lumières*, Paris, trad. franç., 1972.

8. Bernard Plongeron, *Théologie et Politique au siècle des Lumières*, Paris, 1973.

9. Michel de Certeau, *l'Écriture de l'histoire*, Paris, 1975.

10. *Cf.* notamment les travaux de Jean Delumeau. *Naissance et affirmation de la Réforme*, Paris, 1968, et *Le Catholicisme entre Luther et Voltaire*, Paris, 1971.

11. *Cf.* sur ce point le grand livre d'Alain Besançon, *Les Origines intellectuelles du léninisme*, Paris, 1977, chap. IV.

12. Gabriel Le Bras, *Histoire du droit et des institutions de l'Église en Occident*, Paris, 1965, tome I.

13. Michel Villey a montré que le repris d'une justice terrestre n'est pas infidèle à la lettre de l'Évangile : Mesurée à la haute perfection de l'idéal évangélique de charité, combien imparfaite et approximative se manifeste dans son inaptitude au pardon et sa propension à la sanction, l'expéditive justice terrestre que les Évangiles avaient déjà confondue par de saisissantes formules : le Christ n'a-t-il pas promis que « l'on pardonnera 70 fois » (Math. 18), « que l'ouvrier de la dernière heure sera jugé autant que celui qui a travaillé toute la journée » (Math. 201) et « qu'une brebis perdue vaut mieux que 99 autres » (Math. 10, 12) « que les premiers seront les derniers... ». *Cf. La formation de la pensée juridique moderne*, Paris, 1975, p. 91.

14. M. Villey, *Leçon d'histoire... op. cit.*, p. 215.

15. M. Villey : « On vit sur le donné du passé, sur la coutume, sur les débris de la législation romaine... chacun dresse la liste de ses droits... qui est comme le contrepoint de sa puissance et qu'il confond plus ou moins avec sa puissance... On peut observer à travers tout le Moyen Age le déploiement désordonné de l'initiative individuelle très largement libérée des entraves : conquête de la force guerrière qui taille et retaille les royaumes, constitution par le contrat de la hiérarchie féodale, vastes mouvements d'association qui forgent les corporations, les communes, les groupements d'états... Un ordre nouveau est en train de naître qui procède de la liberté... Le glissement du sens du mot *jus* vers l'idée de pouvoir caractérise au Moyen Age le langage de la pratique. » *Seize essais de philosophie du droit*, Paris, 1969, pp. 156-157.

16. Fustel de Coulanges, *Histoire des Institutions politiques de l'Ancienne France*, Paris, 1875-1889, 3 vol., p. 463, Henri Sée, *Les classes rurales et le système domanial au Moyen Age*, Paris, 1901.

17. Esmein, *Éléments de Droit Constitutionnel*, Paris, 1896.

18. Léviathan, chap. XXXV, *op. cit.*, p. 513.

19. Cité par M. Villey, *La Formation... op. cit.*, p. 520.

20. *Cf.* Glasson, *Histoire du Droit et des Institutions*, Paris, 1903, tome VIII, p. 31.

21. Guy Coquille, *Institution au Droict des Français, op. cit.*, p. 39.

22. *Cf.* André Jean Arnaud, *Les origines doctrinales du code civil français*, Paris, 1969. Livre II, chap. II, section II, pp. 156, 167.

23. Cité par Plongeron, *op. cit.*, p. 38.

24. *Élements of Law, op. cit.*, p. 304.

25. Hobbes, *Léviathan, op. cit.*, p. 311.

26. Hobbes, *Léviathan, op. cit.*, p. 289.

27. J.-J. Rousseau, *Écrits politiques*, lettres écrites de la Montagne, lettre VI, Paris, 1972, p. 92.

28. *Cf.* R. Derathé, *op. cit.*, p. 296.

29. Rousseau, *Contrat social*, livre III, chap. XI, Paris, 1965, p. 129.

30. Locke, *op. cit.*, p. 150.

31. LOCKE, *op. cit.*, chap. XV, pp. 135, 151.
32. LOCKE, *op. cit.*, p. 153.

V. *Réflexions pour l'histoire de l'État français,* p. 101.

1. *Cf.* Pierre CHAUNU, « L'État », in *Histoire économique et sociale de la France, op. cit.,* tome I, p. 15.
2. LOUVAIN, 1962, 5 vol., tome I.
3. *Op. cit.,* p. 110.
4. *Op. cit.*
5. Perry ANDERSON, *Lineages of the Absolutist State,* Londres, 1976, trad. franç. *L'État absolutiste,* Paris, 1978, 2 vol.
6. *L'origine de la Famille, de la Propriété et de l'État,* Paris, 1954, p. 157.
7. Perry ANDERSON, *op. cit.,* tome I, pp. 33, 41.
8. *Op. cit.,* tome I, p. 118.
9. Peu à peu bien sûr, l'histoire porchnévienne de l'État absolutiste s'est construite en privilégiant exclusivement les aspects qui demeurent seigneuriaux, répression des jacqueries paysannes par la troupe politique de la chancellerie, luttes civiles, etc.
10. CHERUEL, *Histoire de l'administration monarchique en France, depuis l'avènement de Philippe-Auguste jusqu'à la mort de Louis XIV,* Paris, 1855, 2 vol., tome I, p. LXIII.
11. MONTESQUIEU, *Notes sur l'Angleterre,* in *Œuvres Complètes,* Paris, Seuil, 1964, p. 334.
12. *Lettres philosophiques,* in *Mélange,* Paris, Gallimard, 1961, p. 21.
13. *Loc. cit.,* p. 23.
14. *Cf.* notamment BOLINGBROKE, *Remarks on the History of England,* Londres, 1743, Edward Coke, *cf. supra.*
15. Edward COKE, *Argumentum Anti normannicum or an Argument proving from ancient histories and records that William, Duke of Normandy, made no absolute conquest of England by the Sword in the sense of our modern writers,* Londres, 1612.
16. Edward COKE, *The first part of Institutes of the Law of England...* Londres, 1629. *The first-fourth part of the Institutes of the law of England,* Londres, 1797, 3 vol.
17. *Cf.* Notamment, Émile BOUTMY, *le Développement de la Constitution et de la Société Politique en Angleterre,* Paris, 1887. Edward A. FREEMAN, *Le Développement de la Constitution Anglaise,* Paris, trad. franç., 1817, Ernest GLASSON, *Histoire du Droit et des Institutions politiques civiles et judiciaires de l'Angleterre,* 6 vol., 1881-1884, MAITLAND et POLLOCK, *A History of English Law before the time of Edward I,* 2 vol., Londres, Cambridge, 1897, et les travaux de Holdsworth, Allen., etc.
18. *Op. cit.,* p. 145.
19. Gabriel ARDANT, *Histoire de l'impôt,* Paris, 1971-1972, 2 vol., tome I, p. 506.
20. *Cf.* GLASSON, *Histoire du droit et des institutions de l'Angleterre, op. cit.,* tome II, p. 195.
21. *Op. cit,* p. 23.
22. *Op. cit.,* p. 28.
23. *Cf.* sur ce point, le beau livre de Philippe CONTAMINE, *Guerre État et Société à la fin du Moyen Age,* Paris, 1972.
24. A. DE TOCQUEVILLE, *l'Ancien Régime et la Révolution,* livre II, chap. IX.

25. Edward Coke, *the first part... the fourth part..., op. cit.*

26. *Analyse des lois anglaises*, 1750, trad. franç., Paris, 1803, p. 4.

27. *Histoire constitutionnelle de l'Angleterre*, trad. franç., Paris, 1907, tome I, p. 7.

28. *Cf.* Pollock and Maitland, *History of English law before the time of Edward I, op. cit.*

29. *Cf.* les chapitres qui leur sont consacrés in Pollock and Maitland, *op. cit.*, tome I.

30. Bracton, *De legibus et consuetodinus angliae*, Lib. II, cap. 5, cité par Glasson, *Histoire des Constitutions politiques civiles et judiciaires de l'Angleterre*, 6 vol., Paris, 1881, tome II, pp. 49-50.

31. *Cf.* « Le vilainage anglais », in *Recueil de la Société Jean Bodin*, tome II, 1937.

32. *Op. cit.*, p. 106.

33. Ici il faudrait nuancer Boutmy. Les médiévistes ont souligné à quel point les avoueries avaient eu tendance à se rendre indépendantes de leur seigneurie, quand elles n'étaient pas allées jusqu'à constituer de petits fiefs judiciaires.

34. *Op. cit.*, p. 194.

35. Montesquieu, *Esprit des lois*, livre XI, chap. vi.

36. Élie Halevy, *Histoire du peuple anglais au XIXe siècle*, Paris, 1912, 2 vol., tome I, p. 31.

37. Charles Petit-Dutaillis, *La Monarchie féodale en France et en Angleterre*, Paris, 1933.

38. *Cf.* André Luchaire, *Histoire des institutions monarchiques sous les premiers Capétiens*, Paris, 1883, p. 240.

39. Boutmy, *op. cit.*, p. 174.

40. « Les magistrats des comtés ne rencontrent donc pas de contrôle au-dessus d'eux. La législation a un parti pris de confiance dans leur intégrité, et l'État s'est désarmé lui-même. Ils ne rencontrent pas non plus au-dessous d'eux de limites à leur pouvoir. L'autonomie communale a été ruinée; la paroisse est étroitement soumise à leur tutelle. » Boutmy, *op. cit.*, p. 275.

41. Sur le dynamisme économique de l'industrie anglaise dirigée par l'oligarchie, *cf.* F. Crouzet, *l'Économie britannique et le Blocus continental, 1806, 1913*, Paris, 1958, 2 vol., tome I, pp. 204 et sq.

42. A. de Tocqueville, *De la démocratie en Amérique*, Paris, 1951, 2 vol.

43. A. de Tocqueville, « Il y a deux moyens de diminuer la force de l'autorité chez une nation, le premier est d'affaiblir le pouvoir dans son principe même en ôtant à la société le droit ou la faculté de se défendre en certains cas... Diminuer l'action de l'autorité ne consiste pas à dépouiller la société de quelques-uns de ses droits ou paralyser ses efforts, mais à diviser l'usage de ses forces en plusieurs mains... », *op. cit.*, tome I, p. 87.

44. A. de Tocqueville, *op. cit.*, tome I, p. 70.

45. Glasson, *op. cit.*, tome VIII, p. 6.

46. « Cette distinction du Roi et de l'État ou de la couronne se rattache entre le droit patrimonial et le droit public. » *Cf.* G. Lepointe, *op. cit.*, Paris, 1973, pp. 537-550.

47. F. Olivier-Martin, *op. cit.*, p. 303.

48. Les grands principes de succession dynastique, *l'hérédité par primogéniture masculine*, l'exclusion des parents par les filles, s'imposent lors de la succession de Philippe le Bel par invocation de la *Lex Salica* : « Le Royaume des Lys ne tombe pas en quenouille », « Les lys ne filent pas ». Lorsque la France sort de l'épreuve

terrible de la guerre de Cent Ans, Jean de Terre-Vermeille, dans l'intention de faire recouvrer son trône au dauphin, le futur Charles VII qui en a été honteusement exhérédé au profit du roi d'Angleterre, élabore la théorie statutaire de la dévolution de la couronne. Si l'on y adjoint le statut du domaine royal ultérieurement formé, ces doctrines constituent réciproquement l'ensemble considéré comme lois fondamentales de la monarchie. *Cf.* Chenon, Declareuil, Olivier-Martin, *op. cit.*

49. Guy Coquille, *Institution au droict des Français, op. cit.*, p. 2.

50. Le président de Harlay : « Nous avons deux sortes de lois, les unes sont les ordonnances des rois qui se peuvent changer selon la diversité des temps et des affaires; les autres sont les ordonnances au royaume qui sont inviolables et par lesquelles vous estes montés au throsne royal et ceste couronne a été conservée par vos prédécesseurs jusqu'à vous » (Declareuil, *op. cit.*, p. 392). Louis XV : « ...même si la Nation françoise éprouvait jamais ce malheur (l'extinction de la dynastie) ce serait à la Nation même qu'il appartiendrait de le réparer par sa sagesse ou son choix et, puisque les lois fondamentales de notre royaume nous mettent dans l'heureuse impuissance d'aliéner le domaine de notre couronne, nous faisons gloire de reconnaître qu'il nous est encore moins libre de disposer de notre couronne elle-même » (Declareuil, *op. cit.*, p. 394, note 18).

51. Bodin, *Les Six livres de la République, op. cit.*, p. 160.

52. Cité par Olivier-Martin, *op. cit.*, p. 310.

53. Declareuil, *op. cit.*, p. 410.

54. Cité par Olivier-Martin, *op. cit.*, p. 323.

55. Perry Anderson, *op. cit.*, tome I, pp. 40-41.

56. Moreau, *Les Devoirs du Prince réduits à un seul principe ou Discours sur la justice dédié au Roi*, Versailles, 1775, p. 75.

57. Simon Nicolas Linguet, *Œuvres*, Londres, 1774, tome I, pp. 23-24.

58. *Cf.* A. Bardoux, *Les légistes, leur influence sur la société française*, Paris, 1877, p. 55.

59. *Cf.* Comte Beugnot, préface à Beaumanoir, *Les Coutumes du Beauvoisis*, Paris, 1882, tome I, p. 3.

60. D'abord en avance sur tous les autres le très ancien *Coutumier de Normandie* (1200-1220?), le livre de *Jostice et de Plet*, anonyme de provenance orléanaise (aux environs de 1270). (*Cf.* édition Rapetti, Paris, 1850), *Les Établissements de Saint Louis* de l'Orléanais et de la Touraine-Anjou (*Cf.* édition Paul Viollet, Paris, 1881), la très ancienne *Coutume de Bretagne* (1330), *la Somme rurale...* de Jean Boutillier, *le Grand Coutumier de France de Jacques d'Ableiges* (*Cf.* G. Lepointe, *Histoire des Institutions et des Faits sociaux*, Paris, pp. 220-237.

61. Montesquieu, *Esprit des Lois*, livre XXVIII, chap. xiv.

62. *Cf.* E. Chenon, *Histoire générale du droit français public et privé*, Paris, 1926, 2 vol., tome 2, p. 360.

63. *Cf.* Georges Pages, « Essai sur l'évolution des institutions administratives en France du commencement du XVIᵉ siècle à la fin du XVIIᵉ », *Revue d'Histoire moderne*, 1932.

64. Loyseau, *Livre des seigneuries*, III, 11.

65. *Cf.* Chenon, Declareuil.

66. *Cf.* Roland Mousnier, *La Vénalité des offices sous Henri IV et Louis XIII*, Rouen, 1945.

67. R. Mousnier, *État et société sous François Iᵉʳ et Louis XIV*, Paris, 1966.

68. Pierre Chaunu, *Histoire économique et sociale de la France*, tome I, *op. cit.*, p. 18.

69. Michel ANTOINE, *Le Conseil du Roi sous Louis XV*, Paris, 1970.

70. Michel ANTOINE, *op. cit.*, pp. 52-53.

71. Michel ANTOINE, *op. cit.*, p. 76.

72. CLAMAGERAN, *Histoire de l'Impôt en France*, Paris, 1867-1876, 3 vol.

73. Les travaux plus récents sur la fiscalité, notamment ceux d'Alain Guery, mettent par ailleurs en évidence la modernité des techniques fiscales imaginées par l'administration colbertiste.

74 et 75. Sur cet aspect, *cf.* Gabriel ARDANT, *op. cit.*, tome I, pp. 449-470.

76. *Cf.* Pierre CLÉMENT, *Histoire de Colbert et de son administration*, Paris, 1892, 2 vol., 3ᵉ éd., tome II, pp. 291 et sq.

VI. *Inflexions*, p. 143.

1. Élie HALEVY, *La Formation du radicalisme philosophique*, Paris, 1895, 3 vol.

2. *Cf.* R. ARON, *Pour le progrès*, in *Commentaire*, automne 1978, F. FURET, *Penser la Révolution*, Paris, 1978; Louis DUMONT, *Homo Aequalis*, Paris, 1977; Pierre ROSANVALLON, *Le Capitalisme Utopique*, Paris, 1979.

3. *Cf.* Raymond ARON, *Pour le progrès*, in *Commentaire*, automne 1978, p. 239.

4. Sur ce point *cf.* la perçante analyse de Kostas PAPAIOANNOU dans son article, « La Raison et la croix du présent », postface aux *Écrits politiques* de Hegel, *op. cit.*, p. 410. HEGEL, *Principes de la philosophie de droit*, § 260.

5. Ce qui explique à ce propos pourquoi confronté au marxisme qui veut aussi faire dépérir l'État, il demeure bouche bée.

6. L'essentiel des réflexions concernant la démocratie nous a été inspiré par les remarques d'Évelyne PISIER-ROUCHNER.

7. HOBBES, *op. cit.*, *Leviathan*, chap. XXXI.

8. *La Cité antique*, Paris, 1864, p. 269, cité par Giovanni SARTORI qui donne dans son excellente *Théorie de la démocratie*, Paris, 1973, une bibliographie de ce débat.

9. *Cf.* SARTORI, p. 201.

10. Hannah HARENDT, *Essai sur la Révolution*, trad. franç., Paris, 1967.

11. Simon Nicolas LINGUET, *Traité des Lois civiles*, Londres, 1774, 2 vol.

12. « Les lois sont destinées surtout à assurer les propriétés. Or, comme on peut enlever beaucoup plus à celui qui a qu'à celui qui n'a pas, elles sont évidemment une sauvegarde accordée au riche contre le pauvre. C'est là leur véritable esprit, et si c'est un inconvénient, il est inséparable de leur existence », LINGUET, *op. cit.*, tome I, p. 7.

13. LINGUET, *op. cit.*, tome I, p. 39.

14. LINGUET, *op. cit.*, p. 206.

15. Sur les développements de la pensée civiliste dans la préparation de la Révolution, *cf.* le livre capital de François FURET, *Penser la Révolution Française*, Paris, 1978, et l'œuvre redécouverte et réexaminée par lui d'Augustin Cochin.

DEUXIÈME PARTIE

L'ÉTAT DESPOTE

I. *Romantisme et totalitarisme*, p. 155.

1. André GLUCKSMANN, *Les Maîtres penseurs*, Paris, 1977.
2. GLUCKSMANN, *op. cit.*, pp. 146-147.
3. GLUCKSMANN, *loc. cit.*
4. Claude DIGEON, *La Crise allemande de la pensée française, 1870-1914*, Paris, 1959.
5. Sur ce point, *cf.* Victor BASCH, *Les doctrines politiques des philosophies classiques de l'Allemagne*, Paris, 1927. Xavier LÉON, *Fichte et son temps*, Paris, 1922, 3 vol., et nous citons d'après l'édition 1954, et les travaux de BOUTROUX et ANDLER.
6. FICHTE et Xavier LÉON, in Martial GUEROULT, *Etudes sur Fichte*, Paris, 1974, p. 257.
7. GUEROULT, *op. cit.*, p. 278.
8. GUEROULT, *op. cit.*, p. 279.
9. Germaine DE STAËL, *De l'Allemagne*, Paris, 1810.
10. Henri BRUNSCHWICG, *La Crise de l'état prussien au XVIIᵉ siècle et la genèse de la pensée romantique*, Paris, 1947. Nous citons d'après le reprint *Société et romantisme en Prusse au XVIIIᵉ siècle*, Paris, 1973. Jacques DROZ, *Le Romantisme allemand et l'État*, Paris, 1966, Roger AYRAULT, *La genèse du romantisme allemand*, Paris, 1969-1976. 4 vol. Georges GURVITCH, *L'idée du droit social*, Paris, 1932, Charles ANDLER, *Les origines du socialisme d'État en Allemagne*, Paris, 1897, J. E. SPENLÉ, *Novalis, Essai sur l'idéalisme romantique en Allemagne*, Paris, 1903.
11. *Cf.* Henri BRUNSCHWICG, *op. cit.*, p. 168.
12. *Cf.* J. E. SPENLÉ, *Rahel...*, Paris, 1920. De fait, Rahel a animé deux salons différents, l'un dans sa mansarde de la Jagerstrasse avant la victoire du romantisme, l'autre, mieux installé, qui est clairement hostile au romantisme : Heine s'y déclarait un « défroqué du romantisme ».
13. Novalis cité par SPENLÉ, *op. cit.*, p. 191.
14. Thomas MANN, *Wagner et notre temps*, trad. de l'allemand, Paris, 1978, pp. 184, 186.
15. Thomas MANN, *loc. cit.*

II. *Anti-étatisme et nationalisme*, p. 167.

1. HEGEL, *La Constitution de l'Allemagne*, in *Écrits politiques*, trad. franç., Paris, 1977, p. 31.
2. Que l'anti-étatisme et l'impasse pratiquée sur l'État au début aboutissent à la fin à un formidable renforcement de l'État, fait hélas parti du même processus.

3. FICHTE, *Discours à la Nation Allemande*, Paris, trad. franç., Paris, 1975.

4. Roger AYRAULT, *op. cit.*, tome I, p. 109.

5. Adam FERGUSON, *An Essay in the history of civil society*, Londres, 1767, nous citons ici d'après l'édition de Paris, trad. franç. de 1783, 2 vol.

6. *Cf.* Paul CHAMLEY, *Économie et Philosophie chez Stewart et Hegel*, Paris, 1963. L'auteur du *Capital* qui emprunte aux Anglais la thèse de la dépendance de la sphère juridico-politique à l'égard de la société civile reconnaît sans détour sa dette : « Mes recherches aboutirent à ce résultat que les rapports juridiques ainsi que les formes de l'État ne peuvent être compris ni par eux-mêmes ni par la prétendue évolution générale de l'esprit humain, mais qu'ils prennent au contraire, leurs racines dans les conditions d'existence matérielle dont Hegel, à l'exemple des Français et des Anglais du XVIIᵉ siècle, comprend l'ensemble sous le nom de société civile. *Contribution à la critique de l'Économie politique*, Paris, 1957, préface, p. 4.

7. FERGUSON, *op. cit.*, pp. 338-339, souligné par nous.

8. FICHTE, *Discours à la nation allemande*, 1807-1808, trad. franç., Paris, 1975.

9. Xavier LÉON, *Fichte et son temps, op. cit.* Nous citons d'après l'édition de 1958, tome I, p. 286 et G. GURVITCH, *op. cit.*, p. 411 et Martial GUEROULT, *Études sur Fichte*, Paris, *op. cit.*, p. 69.

10. FICHTE, *Discours à la nation allemande*, *op. cit.*

11. FICHTE, *op. cit.*, p. 175.

12. FICHTE, *op. cit.*, p. 178.

13. « Voilà ce que c'est qu'un peuple, au sens élevé du mot, un peuple dans la perspective du monde spirituel, c'est un ensemble d'hommes vivants en société, se reproduisant sans cesse par eux-mêmes, spirituellement et naturellement, obéissant à une certaine loi particulière d'après laquelle le divin peut s'épanouir au sein de cette communauté. C'est l'universalité de cette loi qui relie cette masse d'hommes dans le monde éternel, comme aussi dans le monde temporel. Cette loi peut être saisie tout entière ainsi que nous l'avons constaté chez les Allemands considérés comme un peuple primitif », FICHTE, *op. cit.*, p. 171.

14. FICHTE, *op. cit.*, pp. 172, 176.

15. « Cette religion qui n'a été qu'au service de l'égoïsme, de l'amour de soi doit descendre au tombeau de la vieille époque qui l'a cultivée. Car dans l'époque à venir de l'éternité au lieu de commencer au-delà du tombeau, commencera à s'affirmer dans le présent et l'égoïsme devenu sans emploi, mais hors service, entraînera dans sa retraite cette religion qui était sa servante. L'éducation en vue de la *nouvelle religion* (souligné par nous) constitue donc le but suprême de la nouvelle éducation en général », FICHTE, *op. cit.*, p. 95.

16. FICHTE, *op. cit.*, p. 143.

17. FICHTE, *op. cit.*, p. 153.

18. FICHTE, *op. cit.*, p. 174.

19. Xavier LÉON, *op. cit.*, 3ᵉ vol., pp. 128, 129.

III. *Antijuridisme*, p. 177.

1. Avec pour précurseur Gustav Hugo et pour chefs de file Frédéric Charles von Savigny et Georges Frederic Puchta l'école du droit historique a exercé une influence fondamentale sur l'ensemble du mouvement romantique. En 1814, dans *Vom Beruf unsrer Zeit für Gesetzgebung und Rechtwissenschaft*, SAVIGNY pre-

nait nettement parti contre son collègue Thibault favorable à une codification à la française.

2. On remarquera que les doctrinaires qui fondent les principes du droit politique de l'Allemagne sont désormais des universitaires. A la différence des légistes royaux français et des philosophes jusnaturalistes dont l'insertion institutionnelle était marquée au coin d'une incertitude relative qui déterminait une marge d'indépendance à l'égard du pouvoir et réciproquement de sujétion vis-à-vis du corps auquel ils appartenaient, les penseurs allemands du XIXᵉ siècle appartiennent à la corporation unifiée et normalisée du système universitaire. On observera aussi qu'en avance dans l'universitarisation de ses doctes, le système des universités allemandes fait l'admiration de l'Europe. L'Allemagne demeure toujours en retard d'une étatisation et faute d'être rattachée ou détachée à (d') un pouvoir central, les universités sont étroitement dépendantes des principautés locales et fascinées par l'unité fantasmatique du patriotisme.

3. *Foi et savoir*, trad. franç. Mery, Paris, 1975. *La Constitution de l'Allemagne* (1800-1802); « Actes de l'assemblée des États du royaume de Wurtemberg en 1815 et 1816 » in *Écrits politiques*, trad. franç., Paris, 1977. *Des manières de traiter scientifiquement du droit naturel* (1801), trad. B. Bourgeois, Paris, 1972. *Système de la vie éthique* (1802-1805), trad. J. Taminiaux, Paris, 1976. *Les principes de la philosophie du droit*, trad. R. Derathé, Paris, 1975.

4. *Cf.* G. GURVITCH : « Vouloir assimiler à l'hégélianisme le courant d'idées issu de Fichte serait aussi faux que de ne pas établir de distinction suffisante entre Proudhon et Auguste Comte, et plus généralement entre la ligue de Saint Simon et celle de Bonald et de Maistre », in *l'idée du droit social*, Paris, Sirey, 1932, p. 408 et également M. GUEROULT in *l'Évolution et la structure de la doctrine de la science*, Paris, 1930, 2ᵉ vol., pp. 227, 235 et 241 qui montre l'irréductibilité de Fichte à Hegel. Aujourd'hui, grâce aux travaux fondamentaux de Bernard Bourgeois, les études hégéliennes en France sont en plein renouveau. O. POGGELER. dans son article « Hegel et Machiavel », *Archives de philosophie*, juillet-septembre 1978, critique rigoureusement les assimilations abusives faites par Dilthey entre le machiavélisme nationaliste de Hegel et le pangermanisme.

5. G. HUGO : *Lehrbuch des naturrechts als einer Philosophie des positiven Rechts*, Berlin, 1809.

6. Justus MÖSER, *Sämmtliche Werke II*, 20, nᵒ 2, 1772, cit. et trad. par Jacques Droz, *Le Romantisme politique en Allemagne*, Paris, 1963, p. 49.

7. HEGEL, *Des manières de traiter scientifiquement du droit naturel*, 1801, trad. franç., B. Bourgeois, Paris, 1972.

8. HEGEL, *Les Principes... op. cit.*, § 273 et *Encyclopédie*, § 540, Paris, 1967, pp. 284-285.

9. HEGEL, *Les Principes, op. cit.*, § 218.

10. PUCHTA, *Das Gewohnheit Recht*, Erlanger, 1828. PUCHTA, *Cursus der Institutiones*, 1841, 1ᵉʳ vol., p. 29, cité par Gurvitch, *op. cit.*, p. 476 et *cf.* GANS, « La doctrine fondamentale de cette école, le commencement et la fin de tout leur savoir... consistent dans leur hostilité contre la loi, ce qui est lié à cette conception, dans *leur haine de l'État*, qui est la source de toute loi. » *Geschichte des Erbrechts*, 2ᵉ vol., p. 292, cit. par Gurvitch, *op. cit.*, p. 473.

11. F. C. SAVIGNY, *Histoire du droit romain au Moyen Age*, trad. franç. GUENOUX, Paris, 1839, 3 vol., tome I, p. v.

12. Cité par GURVITCH, *op. cit.*, p. 478.

13. SAVIGNY, *loc. cit.*, p. v.

14. HEGEL, *Système de la vie éthique* (1802-1805), trad. franç., Taminiaux,

Paris, 1976, *cf.* introduction de Jacques TAMINIAUX et Roland MASPETIOL, « Droit, société civile et État dans la pensée d'Hegel », in *Archives de philosophie du droit*, tome XII, 1967.

15. F. C. SAVIGNY, *op. cit.*, tome I, p. II.

16. Telle est notamment l'opinion de A. CORNU : « En soutenant que la source vivante du droit moderne n'était pas l'ancien droit féodal mais le droit romain, il (Savigny) défendait en fait, non les intérêts de la noblesse décadente mais ceux de la bourgeoisie montante qui venait de faire avec le Code Napoléon, du droit romain la base de la législation bourgeoise. » A. CORNU, *Karl Marx et Friedrich Engles*, Paris, 1955, tome I, p. 84.

17. Outre les écrits de Hugo et Savigny consacrés au droit romain, notamment C. HUGO, *Histoire du droit romain*, Paris, trad. Jourdan et Poncelet, 1825, 2 vol. SAVIGNY, *System des Heutigen römischen Rechts*, 1840-1849, et *op. cit.* la revue fondée par SAVIGNY *Zeitschrift für Geschichtliche Rechtwissenschaft* en 1814, s'est ancré un mouvement de redécouverte et de republication des textes romains qui a permis de découvrir une version inédite des *Institutes de Gaïus* et des rééditions du *Corpus juris civilis*, notamment celle des frères Kriegel 1833-1843. Sur ce point, *cf.* les études de Warkoenig (1841) et Laboulaye (1842).

18. R. VON JHERING, *l'esprit du droit romain*, trad. franç., Paris, 1880, 4 vol., *cf.* tome I, l'État. Mais Jhering souligne qu'il ne faut pas confondre l'État romain et l'État moderne.

19. NIETZSCHE, *L'Antéchrist*, Paris, 1967, p. 101.

20. NIETZSCHE : « *L'esclavage appartient à l'essence d'une civilisation...* S'il devait s'avérer que les Grecs ont péri à cause de l'esclavage, il est bien plus certain que c'est du manque d'esclavage que nous périrons. » « L'État chez les Grecs », in *Écrits posthumes*, 1870-1873, Paris, 1975, pp. 179-180.

21. NIETZSCHE, *La généalogie de la morale*, Paris, 1964.

22. HEGEL, *Leçons sur la philosophie de l'histoire*, Paris, Vrin, 1970, 3e partie, Le Monde romain.

23. A. W. SCHLEGEL, *Vorlesungen über schöne Litteratur und Kunst* (1803-1804).

24. NOVALIS, *Œuvres complètes*, Paris, 1975, tome I, p. 366.

25. Charles Louis DE HALLER, *Restauration de la science politique*, trad. franç., Paris, 1834, 5 vol.

26. HEGEL, *op. cit.*, Les Principes de la philosophie du droit, § 277, p. 288.

27. HEGEL, *op. cit.*, § 278.

28. HALLER, *op. cit.*, tome I, p. 523.

29. HALLER, *op. cit.*, tome I, p. 543.

IV. *La sécularisation de la foi*, p. 195.

1. La théologie romantique est-elle un avatar du spinozisme? *Cf. infra*, p. 206.

2 et 4. « ...quel que soit le dédain avec lequel d'autres nations considèrent actuellement l'Allemagne (auquel il faut revenir comme à la grande époque de l'histoire moderne), elles ont reconnu la prééminence de l'Allemagne. Alors, dans l'Europe entière, le chef de l'Allemagne jouissait de la plus haute considération... » « Et l'Allemagne s'attachait le nom d'Empire romain rénové... » A. W. SCHLEGEL,

Vorlesungen über schöne Litteratur und Kunst (1803-1804) trad. par Xavier Léon, *op. cit.*, tome III, p. 74.

3. NOVALIS in *Œuvres Complètes*, trad. franç., Paris, 1975.

5. Friedrich SCHLEGEL, *cf.* fragment 32. Trad. par P. LACOUE LABARTHE et J.-L. NANCY in *l'Absolu littéraire*, Paris, 1978.

6. *Cf.* fragment 222, *op. cit.*

7. *Cf.* E. BENZ, *Les Sources mystiques de la philosophie romantique allemande*, Paris, 1968.

9. *Cf.* SPENLÉ, *Novalis, Essai sur l'idéalisme romantique en Allemagne*, Paris, 1903.

8. Mais la théologie hégélienne s'engage dans une tout autre direction. *Cf. infra*, p. 209.

10. *Europe ou la Chrétienté*, in *Œuvres complètes*, Paris, 1975, tome I, p. 323.

11. HOBBES, *Leviathan, op. cit.*, p. 512.

12. *Cf.* SCHLEIERMACHER, *Monologues*, Genève, 1868.

13. *Cf.* Roger AYRAULT, *op. cit.*, tome IV, p. 180.

14. « La foi, explique-t-il, est un meilleur instrument de gouvernement que la constitution parce qu'une constitution politique est une œuvre humaine, entachée par suite de toutes les imperfections humaines. Elle est œuvre de raison et non de foi. » NOVALIS, *op. cit.*, tome I, p. 331.

15. NOVALIS, *loc. cit.*

16. *Cf.* in SCHELLING, *Essais*, trad. Jankelevitch, Paris, 1946.

17. *Cf.* lettre à Schleiermacher citée par Jankelevitch in Préface aux *Essais* de SCHELLING, *op. cit.*, p. 12.

18. SCHELLING, *L'Ame du monde*, in *Essais, op. cit.*, p. 119.

19. *Cf.* E. BENZ, *op. cit.*, pp. 50-55.

20. SCHLEIERMACHER, *op. cit.*, p. 106.

21. NOVALIS, *Europe ou la Chrétienté, op. cit.*, p. 319.

22. LÉNINE, *Œuvres*, trad. franç., Paris, 1960, tome XXVIII, pp. 44-47.

23. J.-P. OSIER, *Préface à l'Essence du christianisme*, Paris, 1968.

24. HEGEL, *Principes de la philosophie du droit, op. cit.*, p. 334.

25. Ludwig FEUERBACH, *Manifestes philosophiques*, trad. Althusser, Paris, 1973, p. 180.

26. FEUERBACH, *op. cit.*, p. 179.

27. FEUERBACH, *op. cit.*, p. 181.

28. FEUERBACH, *op. cit.*, p. 97.

29. Ludwig FEUERBACH, *L'Essence du christianisme*, trad. J.-P. OSIER, Paris, 1968, p. 167.

30. *Ibid.*, pp. 99-100.

31. FEUERBACH, *Manifestes philosophiques, op. cit.*, p. 56.

31. FEUERBACH, *Essence du christianisme, op. cit.*, p. 129.

32. FEUERBACH, *Manifestes philosophiques, op. cit.*, p. 100.

33. A. BESANÇON, *La Confusion des langues*, Paris, 1978, pp. 12-13.

V. Marx romantique, p. 209.

1. MARX, *Critique du droit politique hégélien*, trad. franç., Paris, 1975, p. 200.

2. Françoise P. LEVY, *Marx, Histoire d'un bourgeois allemand*, Paris, 1976. A ce lamentable *factum*, la publication en français de la correspondance de

Marx apporte ici le démenti de la vie véritablement édifiante de la famille Marx. Car Marx était de ces socialistes espérés par les saint-simoniens, qui ne dînaient pas « au Rocher de Cancale ». La négligence de l'impact spécifique de sa vie de misère et de sacrifice volontaires sur le mouvement ouvrier conduit à mésestimer la dimension de l'autorité théologico-politique du marxisme. Pour une réflexion sérieuse sur le droit politique marxiste, on se reportera aux travaux pionniers de Kostas Papaioannou, hélas éparpillés dans des articles de revues comme le *Contrat social*, ou dans des préfaces de traductions *(cf. supra)* ou à ceux de Werner Jaeger.

3. A. CORNU, *Karl Marx et Friedrich Engels*, Paris, 1955-1977, 4 vol.

4. Cité par A. CORNU, *op. cit.*, tome I, p. 67.

5. Nous le savons par une lettre à son père du 10 novembre 1837. K. MARX and F. ENGELS, *Werke*, Berlin, tome I, p. 215.

6. *Cf.* A. CORNU, *op. cit.*, tome I, pp. 91-92.

7. FEUERBACH, la philosophie de l'avenir in *Manifestes philosophiques, op. cit.*

8. Karl MARX, « L'État politique vis-à-vis de la société civile, aussi spiritualiste que le ciel l'est vis-à-vis de la terre », *La question juive*, Paris, 1968, trad. J.-M. Palmier, p. 24.

9. K. MARX, *La Sainte-Famille*, trad. Baraquin, Paris, 1975, p. 71.

10. *Cf.* sur ce point K. PAPAÏOANNOU, *Le Contrat social*, mai-juin 1962.

11. K. MARX, *Contribution à la critique de l'économie politique*, trad. Badia, Paris, 1957, préface p. 4.

12. *Cf.* sur ce point Paul CHAMLEY, *op. cit.*, et Pierre ROSANVALLON, *le Capitalisme utopique*, Paris, 1979.

13. Karl MARX, *Critique du droit politique hégélien*, Paris, 1975.

14. Dixième thèse sur Feuerbach in *l'Idéologie allemande*, trad. Badia et *alii*, Paris, 1968, p. 34.

15. MARX, *Critique du droit politique hégélien, op. cit.*, p. 198.

16. MARX, *La Question juive*, Paris, 1968, p. 24.

17. MARX, *op. cit.*, p. 32.

18. MARX, *La Question juive, op. cit.*, p. 24. Dès lors, l'État moderne il le conçoit en vérité comme la parfaite incarnation de l'État chrétien, comme l'incarnation du dualisme religieux plus réussie et plus adéquate que celui du pouvoir féodal où le christianisme était relégué de l'État.

19. « Hegel oublie... que les affaires efficaces de l'État sont des fonctions humaines, il oublie que l'essence de la " personnalité particulière " n'est pas sa barbe, son sang, sa nature physique abstraite mais au contraire sa *qualité sociale* et que les affaires, l'État, etc., ne sont rien d'autre que des manières d'être et d'agir des qualités sociales de l'homme. » *Critique du droit politique hégélien, op. cit.*, p. 57.

20. *Cf.* A. ZINOVIEV, *Les Hauteurs béantes*, Lausanne, 1977, pp. 441-442, le paragraphe intitulé : une civilisation sans droit.

21. MARX, *Critique du droit politique hégélien, op. cit.*, p. 69.

22. MARX, *op. cit.*, ibid. p 159.

23. *Cf.* ci-dessous.

24 et 25. *Op. cit.*, p. 37.

26. « Le seul lien qui les unisse, c'est la nécessité naturelle, le besoin et l'intérêt privé, la conservation de leur propriété et de leur personne égoïste », *op. cit.*, p. 39.

27. MARX, *op. cit.*, p. 39.

28. *Ibid.*, p. 45.

29. MARX, *Critique du droit politique hégélien, op. cit.*, p. 69.

30. MARX, *La Question juive, op. cit.*, p. 43.

31. Marx in *Le Manifeste philosophique de l'école du droit historique, œuvres philosophiques*, trad. Molitor, Paris, 1927, tome I, pp. 109 et 118.

32. *Critique du droit politique hégélien, op. cit.*, p. 199.

VI. *L'État despote*, p. 223.

1. *Cf.* sur ce point Augustin Cochin, *L'Esprit du jacobinisme*, Paris, 1979, François Furet, *Penser la Révolution*, Paris, 1979, et les travaux de Daniel Lindenberg, *Le marxisme introuvable*, Paris, 1975 et *Lucien Herr, le socialisme et son destin*, Paris, 1978.

2. *Cf.* Renouvin et Duroselle, *Introduction à l'étude des relations internationales*, Paris, 1964, pp. 195-200.

3. Alain Besançon, *Les Origines intellectuelles du léninisme*, Paris, 1977.

4. *Cf.* Léon Duguit, *op. cit.*, tome I, pp. 612-613.

5. G. Lukacz, *La destruction de la Raison*, trad. franç., Paris, 1958, 2 vol.

6. Et que partagent également Edmond Vermeil et Roger Caillois.

7. Comme l'a montré Michaël Löwy in *Archives des Sciences sociales et des Religions*, 1978, n°1.

8. *Cf.* Jean Rivero in *Annales de la faculté de droit de Liège*, 1957.

9. *Cf.* Jean-Pierre Henry, *Revue du droit public et de la science politique*, novembre, décembre 1977.

REVUE DE PRESSE *(extraits)*

L'État, vu par une soixante-huitarde
Avec le livre de Blandine Barret-Kriegel, une agrégée de philosophie de
trente-cinq ans, chercheuse au CNRS, ces « évidences » sont aujour-
d'hui questionnées et battues en brèche avec une maîtrise, un sérieux
qui rendent la lecture du livre parfois difficile mais qui donnent une
immense satisfaction : celle de constater qu'à côté de la bouillie
idéologique que distillent les beaux parleurs, il existe encore des gens
pour travailler et penser.

Martine Storti
F Magazine, novembre 1979

L'État et les vertus du monstre froid
L'État et les esclaves lève le tabou. La condition servile des hommes face
au pouvoir ravage le monde. Si un esclave, c'est un homme sans droit.
Quel est le recours juridique de chacun, d'où viennent les droits ? se
demande-t-elle. Faudrait-il croire qu'ils poussent naturellement sur le
sol de la société, spontanément garantis par les relations sociales, une
fois débarrassées du poids écrasant de l'État ? L'histoire nous montre
le contraire.
...
L'État et les Esclaves est un livre provoquant. On résiste. Il provoque
encore. Novateur, sûr de ses risques, souvent superbement écrit parce
qu'il est souvent superbement pensé, il nous poursuit de ses raisons
et de ses questions : qu'est-ce qui nous a rendus sourds aux droits ?

Pascale Werner
Libération, 29-30 décembre 1979

Il y a dans ce parti pris « juridiste » plus une volonté de provoquer un débat qu'un acte de foi. En effet, c'est l'économisme dominant dans les sciences sociales qui est combattu dans cette histoire des États.

L'Histoire, janvier 1980

Sous le double regard du marxisme qui prône son dépérissement et du libéralisme qui cherche à le contourner, l'État vit en accusé. Ces grandes philosophies sociales ont conditionné notre représentation de l'État comme monstre froid, source de tyrannie, d'injustice et de tous nos maux. Dans un essai dont l'écriture limpide n'est pas la moindre des qualités, Blandine Barret-Kriegel nous invite à aller y regarder de plus près. D'abord en distinguant — la nuance du pluriel n'est pas mince — *des* États. Ensuite en nous rappelant par une série d'analyses historiques que l'installation progressive en Europe de l'Ouest à partir des XIIIᵉ-XIVᵉ siècles d'États de droit s'opposant au pouvoir féodal a été un facteur de libération, notamment avec la fin de l'esclavagisme. Et que le principe des droits de l'homme est antérieur aux « Lumières ». Enfin, en nous montrant que les nationalismes romantiques du XIXᵉ siècle ont, au contraire, entraîné la constitution de ces États despotes et totalitaires dont notre temps connaît les monstrueux rejetons. « Ce qui serait fondamental pour l'avenir du socialisme, conclut-elle, c'est qu'il fonctionne avec la loi sur le mode des États de droit et que le socialisme devienne enfin un socialisme juridique. »

Lire, février 1980

L'État réhabilité

L'État et les esclaves distingue radicalement deux types d'État : l'État de droit, dont les principes ont été élaborés par la grande lignée des légistes européens classiques, du XVIᵉ au XVIIIᵉ siècle (Bodin, Machiavel, Hobbes, Montesquieu, Locke, etc.); et l'« État despote », dont les fondements idéologiques sont à rechercher dans la philosophie sociale du XIXᵉ siècle et le romantisme allemand. Tout l'effort des légistes classiques a été d'élaborer, quelle que soit la nature du régime (et même en pleine période d'absolutisme monarchique), les limites théoriques du pouvoir à partir de ce repoussoir que constituait le système féodal. Alors que le seigneur possède « les biens et les personnes », tirant son pouvoir de la force et de la guerre, le « monarque légitime » appuie le sien sur la loi, à laquelle il est lui-même soumis, et dont il est le « dépositaire ». Historiquement, il n'est pas douteux que l'autorité royale a cherché dans le tiers état un allié pour affirmer son autorité face aux féodaux. C'est pourquoi, en même temps que s'affirme les souverainetés nationales, se dessine aussi la sphère des sûretés et des libertés de l'individu : la notion de « droits de l'homme » est bien antérieure aux « Déclarations » révolutionnaires. Et le clivage entre l'État de droit et l'État despote est déjà définitif au XVIIIᵉ siècle, époque où le servage s'éteint en Europe occidentale alors qu'il s'aggrave en Russie.

Gérard Moatti
L'Expansion, 23 novembre 1979

Contre la double réduction sociologiste et économiste, B. Barret-Kriegel met en relief ce qu'il y a de spécifique dans l'État et que, paradoxe seulement apparent, l'on ne peut méconnaître qu'en cédant au vertige du totalitarisme. Ce qui, bien sûr, ne signifie pas qu'on ne doive pas être très méfiant devant l'État-« superstructure ».
Ce livre équilibré, nourri des grands classiques, de Bodin à Tocqueville, en passant par Hobbes et Rousseau, de Spinoza à Marx, en passant par Kant, Fichte, Hegel et les romantiques, est de surcroît bien écrit. Il fait le lien entre un souci très moderne et une tradition philosophique qu'on aurait tort de croire enterrée.

Études, avril 1980

Nous sommes presque surpris qu'une jeune universitaire aussi passionnée que scrupuleuse vienne nous rappeler que la meilleure garantie des libertés de l'homme tient dans le respect des lois, des institutions, de la Constitution. Blandine Barret-Kriegel revient aux sources, à cette mémoire universelle qu'est notre passé, à ces notions élémentaires — la loi, le droit, la justice — qui échappent aux bruits et aux modes de la ville. Elle redonne à l'intellectuel ses lettres de noblesse.

Jean Bothorel
Le Nouvel Économiste, 5 novembre 1979

Renaissance de la théorie de l'État ?
Le premier mérite de Blandine Barret-Kriegel est d'avoir mieux délimité son sujet. La philosophe se montre ici plus concrète que les sociologues empiriques. Dans *l'État et les esclaves,* elle confronte les conceptions classiques de l'État de droit appliquées en Europe occidentale aux conceptions modernes de l'État despote incarnées dans l'Allemagne hitlérienne et les pays de l'Est. Elle suit une piste précise : celle de l'histoire des idées. Elle situe d'emblée le problème sur le

terrain d'où tout le monde s'efforce de le déplacer : celui du droit et des institutions. Sacrifiant à la mode, Badie et Birnbaum se vantent d'avoir arraché la théorie de l'État aux juristes. Blandine Barret-Kriegel la leur restitue, en les idéalisant quelque peu.

Depuis la fin du Moyen Age, les légistes français ont édifié une notion du pouvoir politique également éloignée de l'« imperium » et du « dominium » romains, le premier fondé sur la force militaire, le second sur l'appropriation des hommes assimilés aux choses. Libérant les rois de la tutelle du saint empereur germanique et du système féodal, ils construisent un État fondé sur les lois, qui s'imposent au souverain lui-même. Cet État libère ainsi les esclaves et les serfs. Il ouvre la voie à la théorie des droits de l'homme. Celle-ci a été ruinée par « la même notion qui par deux fois engendre les doctrines et les deux versions du totalitarisme : la fasciste et la communiste ».

Comme les juristes français ont construit l'État de droit, les romantiques allemands auraient fondé l'État despotique. Pour Fichte, « la patrie et le peuple incarnent l'unité et l'éternité ici bas ». Alors, la transcendance des codes fait place à l'immanence de la nation. Au droit exprimé par la loi, on préfère les coutumes issues de l'esprit populaire : le « Volksrecht ». Contre l'Empire français qui répandait les règles rationnelles et morales de la Révolution, on évoque celles de l'Empire germanique, interprétant les vieux principes romains en insistant sur l'« imperium » et le « dominium », sources de conquête et de servage. Le retour à la mystique médiévale aboutit à séculariser la foi. « Il faut que la politique devienne notre religion », proclame Feuerbach, qui veut élever l'anthropologie au niveau de la théologie. Marx régularisera ce projet de maître. A travers son disciple Lénine, il aboutit au parti-État, comme les émules de Fichte à la nation-État. Ce trop bref résumé ne rend pas compte de la richesse d'un livre passionnant et passionné, où l'auteur annonce fièrement la couleur.

Maurice Duverger
Le Monde, 2 février 1980

Est-il vrai, d'autre part, que tous les pouvoirs se valent ? que le pouvoir soit un mal ? Peut-être est-il temps de se demander si le type d'État qui a présidé à l'éclosion des démocraties libérales n'aurait pas son fonctionnement propre ? Peut-être est-il temps de dénoncer la « fétichisation » de la société, liée au postulat de l'État comme mauvais. C'est ce que se propose de faire Blandine Barret-Kriegel.

...

La suzeraineté par ailleurs calque le rapport politique sur le rapport de propriété, ce qui revient à dire que le seigneur exerce le pouvoir comme on use d'un droit de propriété. Sur ce thème, la pensée de B. Barret-Kriegel permet quelques mises au point et se révèle particulièrement intéressante pour des enseignants, membres de la fonction publique. Elle explique en effet comment les légistes ont réfléchi sur la nécessaire « autonomie du gouvernement des hommes et de la possession des choses ». La fonction publique, cela signifie que le pouvoir exercé ne l'est que par fonction précisément, et non en priorité : « seule la magistrature détient le pouvoir ; la terre et la propriété, toujours privées, sont dénuées de puissance ». Le livre amorce là une passionnante comparaison en constatant que, sur ce point précis, la philosophie sociale du XIXᵉ siècle se sépare radicalement du droit politique classique ; la première en effet « rabat le politique sur l'économie » et, ce faisant, revient en quelque sorte à la doctrine seigneuriale. Le second au contraire cherche à dissocier la puissance de la propriété.

...

Les hommes de notre siècle finissant ne peuvent nier que la thèse de B. Barret-Kriegel offre la matière d'une réflexion sérieuse sur les drames passés et sur les moyens éventuels d'en empêcher le retour.

Marie-Thérèse Drouillon
Cahiers Universitaires Catholiques,
mars-avril 1980

Que dit Blandine Barret de fondamental ? Que l'instance du Droit est une élaboration et que comme toute élaboration elle a une histoire, c'est-à-dire un commencement et éventuellement une fin. Ce commencement marque à la fois la naissance de l'État de droit et permet la discrimination entre l'État de droit et l'État despotique. L'État de droit commence quand il est reconnu à l'individu vivant dans un groupe humain soumis à une autorité — à ce niveau on ne peut encore parler d'un citoyen qui suppose une forme spécifique étatique appelée démocratie — la propriété de sa propre personne. Autrement dit l'individu n'est pas la propriété du despote ; existe un propre pour chacun. Des générations de légistes affûtent les mécanismes qui peuvent assurer sa sauvegarde. Qui dit mécanisme dit construction ; le Droit est une construction qui par sa formalité même impose une règle valable pour tous. Il nous est rappelé — contrairement à des idées reçues — que même le roi de France de droit divin n'est pas maître de la Loi. Ici se place une réfutation bien connue depuis le marxisme et toutes les formes dégradées du relativisme sociologique : en fait derrière la Loi et les règlements se cachent les rapports de force. Personne n'est assez naïf, et Blandine Barret encore moins qu'une autre, pour méconnaître cette évidence. Mais précisément il y a Droit quand il y a volonté de symboliser ce rapport de force. Entre la force nue qui agit par pure contrainte et les rapports de force qui se déploient selon une jurisprudence, quand bien même ils impliquent la violence, il y a toute la différence entre un État policé et un État despotique. On peut préférer la franchise du second à l'hypocrisie du premier mais il faut bien reconnaître qu'il est plus facile de se défendre quand on dispose de la grisaille d'un code pénal plutôt que de se soulever héroïquement, en prophète contre la tyrannie.

...

Je ne parlerai pas de l'érudition de l'auteur, de la clarté de son style théorique, mais l'importance des questions soulevées rend son livre indispensable à qui ne désespère pas de la liberté et ne se résigne pas au cynisme despotique.

Jean-Paul Dollé
Le Magazine Littéraire, janvier 1980

Le mérite et l'originalité de B. Barret-Kriegel est de déplacer le nœud du problème. Pour elle l'État n'est pas en cause, du moins pas en lui-même, et pas sous toutes ses formes, mais plutôt le corpus des lois fondamentales qui l'instituent et qui déterminent les relations entre la puissance publique et le citoyen.

Car la puissance publique peut revêtir deux formes radicalement différentes, pour ainsi dire symétriques : il importe ainsi de distinguer *l'État de droit,* où l'exercice du pouvoir se voit limité à priori par le système des lois, et *l'Empire,* où le pouvoir n'a d'autre borne, au contraire, que sa propre capacité à s'exercer effectivement, à s'imposer.

...

Or *l'État de droit* n'est pas l'innovation soudaine de la philosophie classique, ou des théoriciens de l'Age des lumières, Hobbes, Locke, Spinoza, Rousseau, interviennent seulement à l'issue d'un long processus de transformation de la nature du pouvoir en exercice, en Angleterre et en France, et ne font au juste que « théoriser » sur ce qui est d'ores et déjà donné. Cette transformation séculaire (du XIIe au XVIIe siècle) marque la fin du système de la domination féodale, et la mise au point du concept moderne de *propriété.* Une propriété rigoureusement limitée aux *objets,* dont il faudra désormais distinguer le *pouvoir* (sur les êtres), lequel sera réservé à la puissance *publique.*

L'alternative est ainsi posée, entre pouvoir et propriété : le souverain gouverne dans la mesure où il ne possède pas. Le citoyen, en revanche, possède dans la mesure où sa propriété ne lui confère aucun pouvoir, en principe, sur ses semblables. Pouvoir et propriété se bornent mutuellement, s'équilibrent, se tiennent pour ainsi dire en respect. Et le totalitarisme apparaît là où précisément cesse le partage.

Pascal Lainé
VSD, 10 janvier 1980

Le livre, qui fait grand bruit, de Blandine Barret-Kriegel, suggère des réactions diverses que je résumerai à trois.

Premièrement, l'auteur rappelle à juste titre la nécessité d'une histoire de l'État.

De plus, Blandine Barret-Kriegel reprend et développe avec bonheur, sur la base d'un remarquable travail d'érudition, l'idée selon laquelle il faut singulièrement nuancer l'affirmation suivante : le droit naît véritablement avec la Révolution.

...

Deuxièmement, le souci légitime de l'auteur de démontrer sa thèse l'entraîne toutefois à gommer quelque peu les faits qui amèneraient à la nuancer.

...

Troisièmement, l'auteur, peut-être pour s'inscrire dans le courant, oriente toute sa démonstration vers l'établissement du caractère fondamentalement totalitaire du marxisme, qu'elle lie par des rapports de cousinage au nazisme.

...

J'avoue être las de ce genre de « démonstration ». Dommage.

Michel Jouet
La Marseillaise, 18 janvier 1980

Notre vieille bureaucratie parlementaire retrouve ses vertus. Blandine Barret-Kriegel négocie un virage à 180°, de Marx à Montesquieu. Comme bien des gauchistes repentis, elle ne peut se résoudre à ne plus croire et reconstruit une théorie en sens inverse.

...

Le comble du vide et la panne en rase campagne.

Actuel, avril 1980

Blandine Barret-Kriegel et le refus des idées reçues
Telle est, simplifiée, la courbe de cet essai. Je n'entrerai pas dans les critiques de détails. L'une est de fond, qui porte sur l'articulation du religieux dans cette histoire. L'autre se fourvoie sur l'augustinisme, qui n'est nullement un refus de la loi, mais plutôt le rêve d'une coïncidence de la loi divine et des lois de l'État. Il frappe à côté en opposant l'antiquité biblique à l'antiquité classique : dans le travail de laïcisation du droit, inséparable des progrès de l'État libéral, Rome et son droit ont toujours servi d'exemple et de précédent. Affirmer que la notion de loi est l'invention des Juifs est au moins imprudent. Ce n'est pas gentil pour Hammourabi... Ce n'est pas non plus ainsi que s'exerce l'influence de la révélation biblique (comme loi et comme foi, que l'auteur a tort d'opposer), qui n'est pas un rapport spécifique à la justice en tant que telle, mais à Dieu en tant que son modèle ultime, son « soleil », capable d'éclairer la loi, où qu'elle s'élabore.
Que ces imprécisions ne nous fassent pas bouder notre plaisir devant cet essai vif, clair, prometteur. Blandine Barret-Kriegel a le temps devant soi pour parfaire son enquête et poursuivre son évolution intellectuelle. Les découvertes de la jeunesse ne sont jamais si fécondes que lorsqu'elles sont ou se reconnaissent des redécouvertes.

Alain Besançon
Le Figaro, 16 novembre 1979

L'ÉTAT CONTRE LE GOULAG
Aujourd'hui, l'air du temps a changé. Les citoyens de Californie se révoltent contre l'impôt, les libertariens minent la chasse gardée de l'État fédéral, Mme Thatcher désocialise la Grande-Bretagne et André Glucksmann affirme que tout État est totalitaire par essence.
...
C'est juste à ce moment qu'une universitaire française, encore peu connue, Blandine Barret-Kriegel, expédie dans le petit monde anti-étatique une grenade inattendue. Sous le titre *l'État et les esclaves* (Calmann-Lévy), elle entreprend de montrer qu'il y a État et État; elle réhabilite l'État de droit contre l'État totalitaire fasciste ou communiste, fils reconnu du romantisme allemand. La démonstration est rigoureuse, le style parfois universitaire, souvent éblouissant. Blandine Barret-Kriegel va faire frémir l'intelligentsia puisqu'elle ose écrire : « Le sommeil de la raison engendre des monstres. » Ou pire : « Et si la raison d'État n'était pas toujours une déraison ? »

Georges Suffert
Le Point, 19 novembre 1979

Dieu et les pouvoirs
... comment rendre compte d'un tel travail ? Contrairement aux deux premiers auteurs recensés, elle n'avance pas à la hache d'abordage mais explore au scapel. Sa réflexion s'alimente aux finesses des juristes comme aux demi-teintes de l'histoire. Sans mobiliser son indignation, sans perdre le calme de son écriture, elle osculte les deux grandes sources du totalitarisme moderne, le fascisme et le marxisme. En leur origine, elle voit le débordement du droit légal par un pastiche politico-fidéiste, une étrange alliance entre la foi et la politique, alors même que seule la loi s'accommode du politique.

J. Ansaldi
Études théologiques et religieuses, mars 1980

Cet aimable Léviathan...
Si ce livre refuse délibérément de payer son tribut à l'« analyse de classe », s'il évoque plus souvent la « vie éthique » selon Hegel que les instances du capital selon Althusser, c'est qu'il veut — et parvient à — prouver ceci : *sans la juridiction des puissances, l'histoire cingle vers le nationalisme ou vers le parti unique.* Le romantisme politique — qui séduit encore quelques pervers analphabètes — et les utopies fatalement cambodgiennes — « Du passé faisons table rase » — sont là pour en témoigner. A l'heure où les religions de contrebande prospèrent comme la vermine des charognes, il est cependant à craindre que la « mesure » de cet essai ne passe pour le rythme d'un ancien temps. Mais, au fond : ce temps-ci mérite-t-il vraiment qu'on ne lui en préfère pas un autre ?

Jean-Paul Enthoven
Le Nouvel Observateur, 28 janvier 1980

L'État est bon, dit au fond *l'État et les esclaves.* Certes, seul l'est l'État de droit, mais c'est aussi le seul qui n'usurpe pas ce nom, et il n'y en a que bien peu d'exemplaires. Pervers en revanche la Cité — (faux) État, l'Empire romain — (faux) État, la théocratie — (faux) État, la nation — (faux) État, le parti — (faux) État. Sans doute l'auteur consentirait-il qu'entre l'État de droit et l'État despote il y a en fait tout un dégradé, mais cela n'est pas dit. Blandine Barret-Kriegel n'a pas cherché à écrire un livre prudent, elle a écarté les balancements de pensée et d'écriture.

Sans État fondé sur le règne de la loi : les esclaves. Une seule source, mince mais jamais tarie, de l'État de droit : la loi du peuple juif.

Georges Lavau
Revue française de science politique, avril 1980

Table

Petite Bibliothèque Payot / nouvelle présentation

Achevé d'imprimer le 1er mars 1989
dans les ateliers de Normandie Impression S.A.
à Alençon (Orne)

N° d'imprimeur : 890191
Dépôt légal : mars 1989
ISBN 2-228-88113-9

Imprimé en France